牧畜を人文学する

シンジルト
地田徹朗
編著

名古屋外国語大学出版会

章番号	主な対象地域
第 1 章	ユーラシア
第 2 章	アフリカの角全域
第 3 章	ロシア連邦カルムィク共和国
第 4 章	カザフスタン及びその周辺地域
第 5 章	ブータン中西部のワンディ・ポダン県カジ郡
第 6 章	オロミア州ボラナ県
第 7 章	トルコ共和国
第 8 章	モンゴル国トゥブ県、ホブド県
第 9 章	ロシア連邦ハンティ–マンシ自治管区のヌムト
第10章	アムド・チベット地域
第11章	ウガンダ北東部チャコロムン
第12章	中央ユーラシア

ハンティ-マンシ自治管区
第９章
タタルスタン
第１章・第12章
ウズベキスタン
第1章・第12章
バシュコルトスタン
第１章・第12章
カルムイキア
第３章
カザフスタン
第1章・第4章・第12章
トルコ
第1章・第7章
チベット高
キルギス
第1章・第12章
トルクメニスタン
第1章・第12章
ヒマラヤ山脈
エチオピア
第2章・第6章
ブータン
第5章
南スーダン
第１１章
ジブチ
第2章
ソマリア
第2章
ウガンダ
第１１章
ケニア
第2章・第１１章

まえがき

外国語といえば英語。異文化といえば欧米文化。世界といえば欧米社会。これは自分を取り巻く外部に対する日本人の平均的な認識のパターンであろう。むろん、このような認識のパターンはあながち間違いではない。なぜなら、人びとが享受する現代文明のほとんどが欧米にその起源をもち、特に「脱亜入欧」のスローガンで表されるように日本が欧米と変わらないほど物質的な豊かさを実現したからである。東洋で最も西洋化に成功したとされる日本だが、しかしながら、その日本もまた欧米と同じく、人間関係の希薄化、そして自然環境の問題にも直面してきた。今や、欧米的な社会の在り方、欧米型の成長モデルに対する再考が促されている。

視点を変えてみるとどうなるのか。地球全体からみて欧米は片隅に過ぎない。さらに言えば、人類全体の歴史からみて都市社会あるいはその前身である定住農耕社会の歴史は短い。定住という生活様式による地球環境への負荷が大きい反面、環境変化への適応力は低い。人類がさまざまな環境変化に適応し、今日まで種としてその存在を維持してきたのは、その生き方が多様だったからである。人類の未来もその多様性に支えられていくであろう。欧米イコール世界ではない。異文化の人々は皆都市生活をしているわけではない。さらに定住生活すらしていない人々も、地球上に多く暮らしている。そういう人たちの一部が、牧畜民（あるいはその一つの形態である遊牧民）である。

自然の対極にあるのが文化、つまり、「自然VS文化」という欧米的な二元論においては、定住せず土地を耕さない、自然のまま家畜動物と共に暮らす牧畜民などには文化がない。文化がないゆえに牧畜民は野蛮人や未開人と位置付けられやすい。しかし、これは欧米のみの偏見ではない、日本にも共有されている偏見である。明治以降、自ら進んで西洋化の道を選んできた日本においても、牧畜民の歴史や社会そしてその文化については必ずしも十分に理解されているとは限らない。

言語や文化だけではなく、生業（なりわい）としても大きく異なる牧畜民の存在そのものが、稲作農耕民族の末裔で、今や都市生活しか経験できない多くの日本人にとって、ラディカルな他者になる。本書は、まさにこのラディカルな他者の歩みと現状、そしてその思考を読者に紹介する入門書である。本書では、具体的に歴史学、地域研究、文化人類学、そして文学研究などのアプローチから、主に以下の三つの問いに答えていく。

〈問1〉歴史、特に近代以降において、限定された土地に囚われない牧畜民たちは、いかなる統治原理のもとで、ヨーロッパの植民地当局や異なる政治体制の定住国家によって、定住化し、周縁化されてきたのか。自らの生活を余儀なく改変させられる中で、牧畜民たちはどのような戦術をもって国家と折衝してきたのか。

〈問2〉グローバル化が進む現代における牧畜民や元牧畜民たちは、自らを包摂する国民国家あるいは国際機構との交渉の中で、どのように自分たちの伝統や価値観を位置づけているのか。牧畜民であるというアイデンティティの発現・高揚によって、いかなる社会的経済的なリアリティがさらに醸成されようとしているのか。

〈問3〉多様に変化する今日において、牧畜民や元牧畜民たちは、どのように他者を想像し自らの集団を形成しているのか。彼らは敵と味方の境界をどのように設定し、さらにその境界をいかにして乗り越えてゆき、共生の状況を生み出しているのか。

本書で取り扱う地域は、東アフリカ、アナトリア半島、東ヨーロッパ草原、カザフ平原、西シベリア低地、モンゴル高原、チベット高原、ヒマラヤ山脈などアフロ・ユーラシア大陸に広がるステップである。登場者のなかにはニグロイドもいれば、コーカソイドもおり、モンゴロイドもいる。彼らの話す言葉には、ニジェール・コンゴ語族、アフロ・アジア語族、テュルク語族、モンゴル語族、インド・ヨーロッパ語族、ウラル語族、シナ・チベット語族など実に多様な言語が含まれる。そして、彼らのなかにはイスラム教徒もいればキリスト教や仏教徒もおり、それからアニミズム、シャマニズム、さらにそのいずれでもない、いわゆる伝統宗教を信仰する者もいる。牧畜社会は人類多様性の宝庫である。

学問的なバックグランドこそ異なるものの、本書の執筆者一二人はフィールドワーカーである点で共通している。多様な牧畜社会で培った経験的知識に基づいて書かれたのが3部12章構成の本書である。本書を通じて、読者は三つのことができるようになる。まず、高校の世界史ではもちえなかった視点で人類史の多様性を学ぶことができる。そして、牧畜民のおかれる境遇の共通性から近代国民国家の本質を読み取ることができる。さらに、国家、国民、民族、階級などに代表される排他的な集団観を前提にしながら集団同士の「きずな」や「つながり」を強調しがちな現代社会とは全く異なる共生の在り方を思い描くことができるようになる。

むろん、だからといって、われわれはここで牧畜生活を強引に読者に勧めているわけではない。ラディカルな他者である牧畜民の発想を多少とも身に付けることによって、閉鎖した現代社会を生き抜く可能性を、自分の中から見出す一助になればとの思いから本書は編まれている。この本の執筆者はEE科研研究会[*1]のメンバーおよび同研究会の趣旨に賛同してくれた研究者である。本書を通して科研の成果が少しでも日本社会に還元できれば幸いである。

本書の装丁および地図作成を担当してくれたのはデザイナーのささやめぐみさんである。最後に、コロナウイルス禍の大変な時期に、本書の編集担当として私たちの仕事を見守ってくださった名古屋外国語大学出版会の大岩昌子編集長、編集主任の川端博さん、出版会事務の安江沙恵さんにお礼を申し上げる。

二〇二一年三月

共編者

＊1 科学研究費（基盤研究（B））「牧畜社会におけるエスニシティとエコロジーの相関」（研究課題番号17H04538、研究代表者 シンジルト）をベースにした研究会のこと。エスニシティ ethnicity とエコロジー ecology の頭文字を合わせて、EE科研研究会と呼んでいる。これまで八回の研究会での議論を重ねてきた。

目次

第2部 境遇

第3部 共生

第1部　変遷

かつて、ユーラシアやアフリカの牧畜民は「血と力」の原理で人びとを束ね、広大な空間で機動性を発揮して暮らしていた。しかし、ヨーロッパ列強が侵出してくると、土地に境界線が引かれ、彼らは生業の変化を余儀なくされた。第1部では、近現代の牧畜民社会の「変遷」と、彼らによる植民地化への適応戦略についてみていきたい。

第1章　ユーラシア牧畜民がリーダーに求めたものとは？

……血と力……

秋山　徹

　世界地図をひろげてみよう。アジアとヨーロッパにまたがるユーラシアの内陸部に目を向けてみると、緑と茶でおおわれた乾燥地帯が姿をあらわす。東は大興安嶺(だいこうあんれい)から、西はハンガリー平原にいたるまで、広大な草原(ステップ)とその周辺の山岳地帯は、本章の主人公である牧畜民の活躍の舞台となってきた。

　現代ユーラシアの牧畜民は、民族区分と境界線によって定義される国民国家――モンゴル、カザフスタン、キルギス、トルクメニスタンなど――を形成している。人間を「民族」と「国家」で分類することに慣れているわたしたちにとって、こうした状況は当然のこととして理解されるにちがいない。しかしじっさいのところ、それはつい最近になって、すなわちここ一世紀のあいだに生じた、ごくあたらしい現象にすぎない。

　近代ヨーロッパに起源をもつ、国民国家という色眼鏡をはずして、ユーラシア牧畜民の歴史をながめてみるとき、彼らの社会をつらぬくひとつの特質がうかびあがってくる。ようするに、それは人なのである――「属人主義」という言葉で表現されることがある。[*1] ユーラシア牧畜民も歴史上「国」に相当する政治的な単位をかたちづくることがあり、それはテュルク（トルコ）系の言葉で「イェル（エル、イル）」、モンゴル系の言葉で「ウルス」と呼ばれた。しかしそれらは「属

＊1　牧畜社会の属人的編成については先学たちによってつとに指摘されてきた。たとえば、梅棹・松原 一九八六、松原 一九九一、フィンドリー 二〇一七、堀 二〇二〇などを参照。

地主義」にもとづく国民国家といった類のものではなかった。むしろ現代を生きるわたしたちの感覚でいうところの「民族」の枠にかならずしもとらわれない、おおらかで柔軟性に富んだ「人間の集合体」として理解する必要がある。

もちろん、彼らが領域にまったく無自覚、かつ無頓着であったというわけではなく、放牧テリトリーをめぐる争いは頻繁に起こった。しかし、最大の力点は、いかにして人を集め、束ねるのかというところに置かれていた。そしてじっさいに、モンゴル帝国の千人隊[*2]が如実に示すように、ユーラシア牧畜民は、人間集団を差配することにおいてたいへん長けていたのである。それでは、人を集める原動力はそもそもどこに求められるのだろうか？

とどのつまり、それは牧畜社会のリーダーにあったと考えてよい。早い話が、有能なリーダーのもとにはたくさんの人が集まったし、反対に、無能なリーダーのもとから人々が去るのも早かった。そこで本章は、リーダーに焦点をあてることで、ユーラシア牧畜民社会の属人的な集団観をあぶりだしてみたい。

本章はおおきく二つの部分から成り立っている。前半（第1・2節）では、リーダーに求められた条件を、古代から近代にいたる長期的スパンのなかから析出する。後半（第3節）では、ユーラシア牧畜民がロシアと清という大国の支配下に呑みこまれてゆく一八～一九世紀以降に焦点をあて、前半の作業で確認された属人的な集団観が、大国とのかかわりのなかでどのように実践されていたのか考えてみたい。

＊2　千人隊
チンギス・ハーンは征服した遊牧集団を解体し、千人の兵士を提供可能な単位に再編成した。千人隊は、軍事のみならず社会組織、すなわち部族集団としても機能した。

1　血統でたどるユーラシア牧畜社会

●ユーラシア牧畜社会の名家

ユーラシア牧畜社会のリーダーに求められた第一の条件は血統である。もっとも、これはユーラシアの牧畜民にかぎらず、古今東西で共通してみられた現象といえるだろう。ユーラシアにおいて牧畜民が主体となって樹立したあまたの政権をみるに、歴代のリーダーを出す特定のクラン、つまり貴族に相当する家系が存在したことはたしかなようである。たとえば、匈奴(きょうど)*3の単于(ぜんう)*4は攣鞮(ていれん)氏一族から、突厥(とっけつ)*5の可汗(かがん)*6は阿史那(あしな)氏一族から輩出されたことが知られている。時代はくだって、一八世紀から一九世紀前半にかけて、キルギス人*7のあいだでは、あるひとりの伝説上の父祖の血統に連なるとされる者たちのあいだから、部族のリーダーが選ばれた。彼らは「マナプ」という称号でよばれる貴族層を形成し、二〇世紀初頭にいたるまでおおきな存在感を有したことが知られている。*8
このように、日本の天皇家やヨーロッパのハプスブルグ家*9のように、ユーラシア牧畜社会にもさまざまな名家が存在したのである。

●チンギス家――ユーラシアの「黄金一族」

ユーラシア牧畜民のあいだで長きにわたってリーダーを輩出してきた、いわば名家中の名家がチンギス家である。そう、誰もが知っている、あの人類史上名高きチンギス・ハーン（一一六七―一二二七）の一族である。だが、チンギス・

*3　匈奴
紀元前三世紀から数世紀にわたってモンゴル高原を中心に展開したテュルク・モンゴル系の牧畜民政権。

*4　単于
匈奴などで使われた君主の称号。

*5　突厥
六～八世紀にかけてモンゴル高原を中心に展開したテュルク系の牧畜民政権。

*6　可汗
ユーラシアのテュルク・モンゴル系牧畜民の君主号。時代や集団によって、「ハン」、「ハーン」などバリエーションがある。

*7　キルギス人
天山山脈西部一帯に展開するテュルク系牧畜民。厳密には「クルグズ」。

*8
秋山　二〇一六：一一一。

*9　ハプスブルグ家
一三世紀から二〇世紀初頭にいたるまで、神聖ローマ帝国やオーストリアを中心に君臨した。

ハーンという名を目の当たりにして、おそらく多くの読者は、「チンギス・ハーンと言えばモンゴル、モンゴルと言えば現代のモンゴル国や同国に暮らすモンゴル人」といったことを想起するのではないだろうか。もちろん、それは間違いではないものの、以下にみるように、チンギス家の歴史的ひろがりからすると、ごく一部にしかすぎない。

一三世紀初頭、モンゴル高原を統一したチンギス・ハーンは、ユーラシア各地に騎馬軍団を送りこみ、苛烈な勢いで征服活動を展開した。その結果、史上空前のひろがりを誇るモンゴル帝国が成立した。チンギス・ハーンの死後、モンゴル帝国は、その息子や子孫のあいだで分封され、いくつかの地方政権――フレグ・ウルス[*10]、ジョチ・ウルス[*11]、チャガタイ・ウルス[*12]、大元[*13]――に分かれていき、一四世紀後半には解体の運命をたどっていく。だが、興味ぶかいことに、モンゴル帝国それ自体が解体して以降も、チンギス家が途絶えることはなかった。チンギス・ハーンの血を引く者たちは、モンゴル語で「黄金の血統（アルタン・ウルク）」、テュルク語で「トレ」[★1]などと呼ばれ、近代にいたるまでおおきな権威を保持しつづけた。「為政者たるものはチンギス・ハーンの血筋に属する者でなければならない」とする権威観念――研究者はこれを「チンギス統原理」とよぶ――が存在した[*14]。ティムール帝国は、チャガタイ・ウルスの解体過程で頭角をあらわした非チンギス統のティムール（一三三六―一四〇五）によって樹立され、実質上彼が実権を掌握していたものの、傀儡（かいらい）とはいえチャガタイ家のハンを戴き、同家の女性と結婚してその娘婿[*15]となったことからもわかるように、ティムール帝

＊10　フレグ・ウルス
イランを中心に展開したモンゴル帝国の地方政権。「イル・ハン国」とも呼ばれる。

＊11　ジョチ・ウルス
ロシアからカザフ草原にかけて展開したモンゴル帝国の地方政権。「キプチャク・ハン国」とも呼ばれる。

＊12　チャガタイ・ウルス
中央アジア、なかんずく現代のウズベキスタン付近の定住オアシス地域を中心に展開したモンゴル帝国の地方政権。「チャガタイ・ハン国」とも呼ばれる。

＊13　大元
中国を中心に展開したモンゴル帝国の中核を担った政権。モンゴル語での正式名称は「イェケ・モンゴル・ウルス」。

＊14
ユーラシアの歴史において、チンギス家が果たした役割については、杉山　二〇〇三を参照。

＊15
モンゴル語で「キュレゲン」と呼ばれた。

国はチンギス・ハーンの権威をまとっていた。[*16]

じっさいに、ポスト・モンゴル帝国期のユーラシアにはさまざまな政権が生まれては消え、群雄割拠を繰り返したが、それらのリーダーは多くの場合、チンギス・ハーンの男系子孫であった。たとえば、現代のカザフスタン共和国の原型となったカザフ・ハン国のリーダーもトレ、すなわちチンギス統から輩出され、「白い骨（アク・スィエク）」と呼ばれる貴族層を形成した（第4章参照）。

一五世紀、ジョチ家一門のあいだでの権力闘争を背景に、ジョチ・ウルスがアストラハン・ハン国、[*17]カザン・ハン国、[*18]クリミア・ハン国、[*19]シベリア・ハン国[*20]をはじめとするいくつかの政権に分裂してゆくなかで、[*21]ジョチ家に属するジャニベクとギレイという二人のリーダーのもとに集い、天山山脈方面に移住したテュルク・モンゴル系の牧畜民集団を核として、カザフ・ハン国は成立したのである。[*22]

2　牧畜社会のリーダーに求められたもの

しかし、家柄さえよければリーダーがかならずしもつとまるわけではない。重視されたもの、それはリーダーその人がもつ資質である。いいかえれば、牧畜民社会は、実力主義的なエートスを色濃く有する社会であった。牧畜民にとって、リーダーの資質は彼らの生存を左右する切実な問題であった。四方を海に囲まれた島国の日本とはちがい、陸続きのユーラシアでは、いつ何時敵が襲撃してくるかわからない。たとえ良い血筋に生まれたとしても、無能なリー

*16
久保　二〇一四：二三一―二七。

*17
一四六六―一五五六。

*18
一四三八―一五五二。

*19
一四四一―一七八三。

*20
一四九〇―一五九八。

*21
ジョチ・ウルスの再編プロセスについては、赤坂　二〇一五に詳しい。

*22
日本や欧米では「カザフ」が定着しているが、厳密には「カザク」。テュルク語で「放浪者」を意味する。カザフ・ハン国の展開については、野田　二〇一一を参照。

ダーにしたがえば、またたくまに敵の餌食となることを意味した。

●勇敢な軍事指揮者

それゆえ、リーダーにまず求められたのは、武人としての才覚であった。それを推し量るための手っ取り早い試金石が戦争であることはいうまでもないが、リーダーたちは日頃から、さまざまな方法で軍事指揮者たるにふさわしい勇敢さを示そうとした。オスマン朝[*23]の年代記によると、始祖オスマン（一二五八－一三二六）は、「夜となく昼となく、遠く離れたところまで狩猟にでかけ、彼のもとに多くの男たちがより集まった」[*24]という。

みずからの勇敢さを示すうえで、略奪も重要な役割を果たしていた。現代を生きるわたしたちの感覚からすると、略奪は犯罪にあたろうが、ユーラシア牧畜民の歴史において、それはむしろ立派な生業（なりわい）であった。聞こえは少々乱暴だが、実力で奪い取ることができなければ生きてゆけない、シビアな世界だったのである。じっさいに、リーダーによる略奪の実施をめぐる事例は枚挙にいとまがない。匈奴のリーダーである単于（ぜんう）は、万里の長城を越えて中国領内に侵攻し、大規模な略奪をおこなったことが知られているが、興味ぶかいことに、その回数は新しい単于即位後の数年間において増加傾向にあったという。[*25]つまり、即位間もない単于は、略奪によって、みずからの軍事的才覚を匈奴の民に示そうとしたのである。

時代がだいぶくだって、一九世紀から二〇世紀初頭にかけても、略奪は牧畜

＊23　オスマン朝　一二九九－一九二二。アナトリアを中心に展開したテュルク・イスラーム系政権。

＊24　小山　一九九八：一〇三、一〇五。

＊25　沢田　一九九六：一四八－一五〇。

民のリーダーにとって重要な権威の源泉でありつづけた。たとえば、同時代に生きたキルギス人のあるリーダーは、「略奪と襲撃は当時の重要な関心事であった。名声を得るためには、有力者や富者であってもそれをおこなった」と回想している。[*26] そのリーダーは、前出のマナプのクランに属していたが、それだけでは権威の証明にはならなかったことを如実に示しているだろう。

●戦利品の気前良い分配

とはいえ、略奪が成功すればそれですべて良し、というわけではなかった。当然のこととして、略奪をおこなえば、戦利品が生じる。リーダーたる者には、それらを気前よく分配することが求められた。

ティムールも、略奪によって頭角をあらわしたことが知られているが、一五世紀初頭に彼のもとを訪問したカスティーリャ王国[*27]の外交官ルイ・ゴンザレス・デ・クラヴィホ（生年不詳―一四一二）は、旅行記のなかでつぎのように書いている。「ティムールは若いとき、その四～五人の仲間といっしょにいつも盗みに出かけていた。ある日は羊一匹を、あるときは牛一頭をと、付近の家畜群から盗んでいたのである。そして家に帰ると、仲間とその獲物で酒盛りをするのが常で、おいおいとその他の者も加わるようになったが、それも彼の人徳あるところで、人のあしらいも良く、手に入れた物はみな仲間と分け合ったからである。それら彼に従うようになったものが、最後にはほぼ三百騎ぐらいとなり、彼はそれを連れては地方に出かけ、出会ったものをかたっぱしから襲っては、ものを奪っ

＊26　秋山　二〇一六：三七。

＊27　カスティーリャ王国　一〇三五―一四七九。スペイン中央部に位置した王国で、レコンキスタの主力となった。

ていた。そうしてはそれらをみな、従った者のあいだで分けるのである」[*28]。近代に生きた、前出のキルギス人リーダーも、自らの気前良さを示すことに心血を注いでいた。伝記によると、彼は「日中にお金をたくさん受け取っても、すぐに人々に与えてしまうため、晩までには無一文となっていた」[*29]という。

このように、勇敢で気前の良いことはリーダーのあるべき姿であった。リーダーにとって戦利品の気前の良い分配は、民を食べさせ養う能力を備えていることをひろくアピールするための、象徴的なおこないであったといえる。

●信仰の保護者として

ユーラシア牧畜民のリーダーの条件を考えるさいに、宗教的側面も忘れるわけにはいかない。民からの信頼を得るうえで、リーダーは彼らの信仰に配慮するとともに、そのなかでみずからの権威を示す必要があった。

ユーラシア牧畜民の信仰といえばイスラームやチベット仏教が思い浮かぶが、ここでは、いにしえから現代にいたるまで、彼らの精神世界の基層にありつづけてきたシャマニズム[*30]に着目する。それによると、彼らの世界観は、地下から天空にいたるまで垂直多層的な構造をしており（第12章参照）、各層に神や霊がいるとされる。それゆえ、牧畜民のリーダーにとって、こうしたシャマニズム的世界観を媒介とする権威づけが不可欠であった。

とりわけ、それが鮮明なかたちであらわれたのは、リーダーの選出にまつわる儀礼においてである。たとえば突厥では、リーダーの選出にさいし、大樹の

*28 クラヴィホ　一九七九：一八九―一九〇。

*29 秋山　二〇一六：一二一。

*30 シャマニズム　超自然界との交流能力があると信じられるシャマン（巫）を媒介として行われる占いや病気治療をはじめとする儀礼行為と、それにまつわる信仰。

ところにゆき、樹に向かって跳躍して、いちばん高く跳んだ者が可汗(かがん)に立てられたという。樹に向かっての跳躍は、シャーマンが樹を高く登り、「天界の上層に赴く」ことを彷彿とさせる。[*31] さらに、リーダーとして選ばれた者は、フェルトに乗せられて高く持ち上げられた。これは、突厥をはじめとするユーラシア牧畜民のリーダーの即位儀式以来、ひろくおこなわれていたものであり、やはり天界への上昇を象徴していよう。[*32] 牧畜民のリーダーたちは、上天(テングリ)神によって権威づけられていたのである。

*31 坂井 二〇一五：四二。
*32 護 一九八五：四－五。

●リーダーのまわりに集う多彩な顔ぶれ

さて、ティムールの事例が如実に示すように、有能なリーダーのまわりには人が集まった。リーダーとしての成否は、いかに有能な人材を集めるかにかかっていたのであり、これこそがユーラシア牧畜民社会のダイナミズムの源と言っても過言ではなかった。

リーダーのまわりに集った人々の顔ぶれはじつに多様であった。彼らは、民族、定住民／牧畜民の別、宗教といった面において異なったバックグラウンドを有していた。いいかえれば、出自に関係なく、有能であれば登用するという懐の広さと柔軟さがあった。こうした観点からキルギス人の英雄叙事詩『マナス』をみてみよう。『マナス』は同名の伝説的英雄の生涯を謳う長大な叙事詩として有名であるが、マナスの父ジャクィプは、「アルグィン人のカラコジョ、アルチン人のボーベク、マンジュ人のドギョン、ナイマン人のギョギョン、キルギス人のサラマト、クィプチャク人のオシュプル、キディルバイの子で雄弁家のタズ、ウズベク人のアクィンベク」ら、キルギス人とは出自を異にする者たちとともに暮らしていたとされる。[*33] もちろん、『マナス』をはじめとする英雄叙事詩はあくまでもフィクションであり、史実を直接に反映したものではないため、そこに登場する集団名も架空のものが含まれる場合がすくなくない。とはいえ、このくだりには、牧畜民のリーダーにまつわる集団観が鮮明にうつしだされている。

さらに注目すべきは、主人公マナスの親衛隊のメンバー、アルマンベトである。彼はもともと「クゥタイ人」の出身とされるが、その資質に惚れ込んだマナスに請われて親兵として加わった。[*34] 親兵と聞くと、リーダーに服従し、その身の回りの世話や伝令といった役目をこなす従者を想起するかもしれない。しかし、アルマンベトは従者とは一線を画しており、マナスの相談役として助言を与える盟友[*35]とでも呼ぶべき存在であった。たとえ異民族の出自であったとしても、有能であれば高く評価され、取り立てられたことを物語っていよう。一般的にマナスは、キルギス人や現代キルギス国家の英雄であるとされているが、そうした単一の民族や国家の枠組みをはるかに超えたひろがりをもっていることが分かる。

牧畜民のリーダーにみられる多様かつ柔軟な人的資源の活用は、非牧畜民の登用においてより鮮明であった。ユーラシア牧畜民のリーダーたちが商業活動に関与していたことは歴史上よく知られているが、それを実際に担ったのは、

＊33　若松　二〇〇一：二二五。

＊34　若松　二〇〇三：一九九―二五九。

＊35　モンゴル語で「ノコル」と呼ばれた。

古くはソグド人[*36]をはじめとする商業民であり、彼らとのパートナーシップが不可欠であった。

チンギス・ハーンはムスリム商人[*37]と関係を構築し、商業活動のみならず、征服活動の先兵としても彼らを積極的に活用していた。また、チンギス・ハーン没後も、ムスリム商人をはじめとする商業民出身者がモンゴル宮廷に登用されたことは有名な話である。一七世紀にオイラト（第3章、第10章参照）が築いたジュンガル帝国[*38]においては、中央アジアのオアシス出身商人は、ジュンガル部長に直属する存在として位置づけられていた。[*39]

多様なバックグラウンドをもつ人材との関係構築をとおして、広い人脈ネットワークが形成されていった。それを介して情報が集まり、商業活動が民を潤した。牧畜民というと「野蛮な破壊者」あるいは「殺戮者」といったイメージばかりが強調されがちだが、彼らの軍事行動が、迅速かつ的確な情報収集に裏打ちされてた点を踏まえておく必要がある。情報の重要性を熟知していたからこそ、モンゴル帝国は、駅伝制度ジャムチに代表される交通通信網の整備に踏み切ることができたといえるだろう。

3　大国と向き合う牧畜民のリーダーたち

●反乱か協力か

一八世紀から一九世紀にかけて、ユーラシアの牧畜民社会はおおきな転換点をむかえることになる。東からは清、西からはロシアが領土を膨張させるなか

*36　ソグド人
古代中央アジアのオアシス都市のイラン系民族。国際商業活動に従事したことで知られる。

*37　ムスリム商人
七世紀以降、イスラーム帝国の拡大にともなって各地に進出したアラブ系商人を指す。唐代中国には中央アジア経由で到来したことが知られている。

*38　ジュンガル帝国
一七世紀後半から一八世紀中期にかけて中央ユーラシアに展開した、モンゴル系牧畜民オイラトを中核とする帝国。モンゴルや中央アジアのみならず、チベット方面にも進出するなど、その覇権は広範囲に及んだ。

*39
小沼　二〇一二：一〇九―一一〇。

で、彼らはその支配下に呑みこまれていった。こうした大国とどのように向き合うのか――みずからが率いる集団の運命を左右しかねない切実な問題の前に、リーダーたちは立たされることとなったのである。ここではロシアとの関係を中心に、リーダーたちの動向をみてみよう。

リーダーのなかには、ロシアの進出に対して真正面から抵抗し、反乱を率いた者がいたことはたしかである。

じっさい、一八世紀から一九世紀にかけて牧畜民を主体とする大小さまざまな反乱が起こった。ヴォルガ・ウラル地方のバシュコルト人[*40]をはじめ、カザフ草原でもケネサル反乱[*41]など大小さまざまな抵抗運動が発生した。

だがリーダーの多くは、ロシアと真っ向から衝突すれば間違いなく破滅にいたることを察知していた。それゆえ彼らは、無謀な戦争をするよりは、たとえ異教徒であれロシアの進出に協力する途を選んでいった。ロシアにしても、リーダーたちの助力なくして、非ロシア人地域に勢力を拡張することはまず不可能であった。ロシアはリーダーたちが有する機動力、家臣団、人脈、ならびにリーダーのもとに蓄積された地域知（ローカルナレッジ）を最大限に活用した。ときにロシアによる領土拡張は「ロシアの武器の勝利」として表現されることがあるが、それが現実を反映しているとは言い難い。いいかえればロシアは、牧畜民のリーダーを核に発揮される属人的特質に依存していた側面がつよいのである。

とはいえ、牧畜民のリーダーたちは、ロシアのたんなる道具（イエスマン）の地位に堕したわけではなかった。彼らの「協力」的態度は、いにしえよりユーラシアにおい

＊40　バシュコルト人
ウラル地方南西部のテュルク・イスラーム系民族。ロシア連邦内においてバシュコルトスタン共和国を形成する。

＊41　ケネサル反乱
一九世紀初頭にロシアによってカザフ・ハン国が解体されたことに対し、従来のハン体制の復活を目論むカザフ・ハン家のケネサル（一八〇二―一八四七）とその息子サドゥクを筆頭に、一八三七年から一八四七年にかけての十年間にわたって展開されたロシアに対する反乱。

てみられた現実主義的判断によるものとみなすこともできる。[*42]じっさいに、ロシアと牧畜社会のインターフェイスをつぶさに観察すれば、彼らがロシアを積極的に利用しようとしていたことが浮かび上がってくる。たとえば、リーダー間の勢力争いを有利にはこぶために、ロシアをそのなかに引き込もうとするリーダーもすくなからずいたし、[*43]協力の見返りとして、放牧地をはじめとするさまざまな利権を、有利なかたちで確保しようとするうごきもめずらしくなかった。若かりし時分に略奪の名手として名を馳せた前出のキルギス人リーダーは、ロシアの進出にさいして、己の武勇の資質をロシアへの「軍事奉仕」へと巧みに切り替えることにより、ロシア支配のもとで大きな存在感を獲得することに成功した。[*44]

ロシアは、征服後しばらくのあいだは、そうした旧来のリーダーを尊重し、軍事官位を与えて、帝国の軍事エリートとして取り込む場合もあった。たとえば、前述のキルギス人リーダーは陸軍中佐位に任ぜられた。[*45]ちなみに、同時期の清朝統治下の新疆省（一九五五年から新疆ウイグル自治区。以下、「新疆」と略す）に暮らすカザフ人のあいだでも、トレ、すなわち旧カザフ・ハン家の末裔たちに世襲の爵位が与えられた。[*46]しかし、一九世紀末以降、ロシア人自身による文字通りの直接統治を志向するうごきがつよまると、統治を遂行するうえで、リーダーたちは目障りな存在として認識されるようになった。これと並行して、中央ロシアからロシア人農民の入植が積極的に進められるようになったことにより、牧畜民の土地が奪われるようになると、ロシアとリーダー間の相互不信は

＊42　古来よりユーラシアには、たとえ異教徒であっても、食べ物を与え、養ってくれるリーダーに対しては忠義を尽くさねばならないとする倫理観（「塩の義務」）が存在した。濱田　一九九三：二八〇―二九一。

＊43　宇山　二〇一六：一二一―一三〇。

＊44　秋山　二〇一六：七六―七九。

＊45　秋山　二〇一六：八八―九二。

＊46　野田　二〇一五：一〇〇。

深まっていった。

ロシア支配のもとで、牧畜民社会も確実に変容していた。旧カザフ・ハン家のトレ層やキルギス人のマナプ層をはじめとして、旧来のリーダーたちは、ロシア直轄統治のもとで従来の特権的地位を認められなくなっていた。また、ロシア支配によってもたらされた「平和」のもとで、リーダーたちはかつて有していた軍事指揮者としての役割を、実質上喪失していった。

●根強く残り続ける「血と力」の伝統

このように、牧畜社会における存在意義を問われるようになった旧来のリーダーたちではあったが、一九一六年、そのプレゼンスをあらためて印象づけることになる大事件が起こる。

第一次世界大戦さなかの同年夏、戦時労働力の不足に悩むロシアは、アジア系を中心とする非ロシア人に、後方労働への徴用令を突如として発した。これに対し、ロシア領中央アジア全域において大規模な反乱が勃発した。この一九一六年反乱において、カザフ人やキルギス人のあいだでは、旧来のリーダー層のなかから、反乱の指導者としてハンが選ばれたことが知られている。はたせるかな、反徒たちはリーダーを白いフェルトに乗せて担ぎ上げ、ハンに推戴したのであった。ハンに推戴された者のなかには、従来から略奪や襲撃を志向し、ロシア支配の死角を縫って、それらを実施していた者もあった。さらに、より重要なこととして、そうしたおこないを英雄視するメンタリティが牧畜民のあいだに色濃く残っていた。二〇世紀初頭にキルギス人社会を訪れたある旅行者はつぎのように書いている。「マナプたちは自分で家畜を飼育し、種を蒔くことは恥であると考えている。勇者とは見なされない。人から家畜を奪って屠ることが名誉であり、勇者らしいことであると言う」と。[*47]

ハンに率いられた反徒たちは、ロシア人移民村落を襲撃、焼討ちにしたのち、天山山脈を越えて、中華民国領新疆へと移牧した。正確な数は不明であるが、その数は数万人におよぶとされる。[*48] ユーラシア牧畜民社会の「血と力」の伝統とそれによって発揮される機動性(モビリティ)は、二〇世紀に入っても途絶えることなく、連綿と受け継がれていた。そしてそれは、ロシア帝政を瓦解へと導くほどの強烈なインパクトを与えたのである。

帝政崩壊後、ロシア革命と内戦を経て成立することになるソ連政権のもと、トレやマナプをはじめとする旧リーダー層は、階級闘争イデオロギーにしたがって「封建上層」として糾弾され、一九二〇年代後半から一九三〇年代中期にかけて展開する農業集団化のなかで撲滅されていった（第4章参照）。とはいえ、集団化開始以前の時期においては、旧リーダー層の力は概して温存されていたとみるのが妥当であろう。ほぼ同じ時期の中華民国新疆で暮らすカザフ人のもとでも、トレ層に対する優遇策がとられていたことが知られている。[*49] 中華人民共和国の成立以降、階級闘争イデオロギーのもとでトレをはじめとする旧リーダー層が公権力の場から排除されていったことはたしかであるものの、トレの権威それ自体が消滅することはなく、現在に至るまでカザフ人社会のなかにひっ

＊47　秋山　二〇一六：一二〇。

＊48　一九一六年反乱については、西山　二〇〇二：一六五―一九七を参照。

＊49　野田　二〇一五：一〇一。

そりと生き続けている。

●民族知識人――牧畜社会の新たなリーダー

　ところで、一九一六年反乱は、旧リーダー層にかわって牧畜社会における新たなリーダーの存在感を印象づけることにもなった。それは、近代的な教育を受けた、いわゆる知識人（インテリゲンツィア）である。もっとも、彼らのなかには旧リーダー層の子弟も数多く含まれていた。知識人は「血と力」の伝統とは一線を画していた。彼らは、新聞や雑誌といった新たなメディアを発達させ、二〇世紀初頭より多様な言論活動を展開、教育と啓蒙による牧畜社会の近代化を目指した。[*50] 知識人にとって、一九一六年反乱は、いわば「デビュー戦」としての意味合いをもっていた。彼らは反乱の無益さを説き、むしろ徴用令にしたがうことで、ロシアにおける地位向上を目指そうとした。

　かたや、時を同じくして、「民族の時代」がユーラシア牧畜社会にも本格的に到来しようとしていた。本章冒頭でも述べたように、ソ連政権のもとで牧畜社会は「民族」によって区分され、現代国家の原型がかたちづくられていった。こうした新たな体制のもとで、牧畜社会の新しいリーダーたちは、「民族知識人」として社会をリードしてゆくことになる。ただし、本章をむすぶにあたって、彼らは従来の牧畜社会の伝統を否定し、それと断絶していたのではなかった点を指摘しておきたい。むしろ彼らは、牧畜社会の伝統を「民族文化」のなかに定置するうえでの仲介者としての役割をはたしたというべきだろう。さらに彼

＊50　宇山　二〇一九：九七―一一六。

らの活動は、かならずしも民族の枠内に限定されていたわけではなかった。ソ連領中央アジアから新疆、そしてモンゴルにかけて、まさにユーラシアを股にかけて活躍したカザフ人革命家トゥラル・ルスクロフ（一八九四―一九三八）の生涯が物語るように、*51 彼らは民族区分を超えた幅広い人脈ネットワークを有し、その活動範囲も民族共和国の枠を超えていた。*52 むろん、彼らが「血と力」の伝統を地で行くことはなかったにせよ、牧畜社会の属人主義的な集団観は、民族という看板を背負うことになった新たなリーダーたちのなかにもたしかに息づいていたのである。

*51 青木 二〇一七：六七―六八。
*52 小松 二〇一八は、ルスクロフを含む、中央ユーラシアの民族知識人らの幅広いネットワークを活写する。

（注）

★1　「トレ（トゥレ）」の起源やその用法の変遷については依然として不明瞭な部分が多く残っている。突厥をはじめとする古代テュルク系牧畜民社会においてすでにその存在を確認することができ、「慣習法」や宴における「上座」を意味する言葉として使用された。恐らくは、後者の意味が転じるかたちで、すでにモンゴル帝国成立以前から君主や貴顕に対する尊称として使用されていた可能性が高い。モンゴル帝国期以降は、前者の意味に加えて、もっぱらチンギス裔を指し示す尊称として使用されたが、非チンギス統のリーダーに対する尊称としての使用も散見される。

【参考文献】

●青木雅浩　二〇一七「ルスクロフ：中央アジアとモンゴルを股にかけた革命家」宇山智彦（編）『ロシア革命とソ連の世紀5：越境する革命と民族』岩波書店、六七―六八頁。
●赤坂恒明　二〇〇五『ジュチ裔諸政権史の研究』風間書房。
●秋山徹　二〇一六『遊牧英雄とロシア帝国：あるクルグズ首領の軌跡』東京大学出版会。
●梅棹忠夫、松原正毅（編）　一九八六『統治機構の文明学』中央公論社。
●宇山智彦　二〇一六「周縁から帝国への『招待』・抵抗・適応：中央アジアの場合」同（編）『ユーラシア近代帝国と現代世界（シリーズ・ユーラシア地域大国論4）』ミネルヴァ書房、一二一―一四四頁。
●宇山智彦　二〇一九「カザフ知識人とイスラーム：遊牧民社会の近代化の方向性をめぐって」野田仁、小松久男（編）『近代中央ユーラシアの眺望』山川出版社、九七―一一六頁。
●小沼孝博　二〇一二「遊牧国家の資源利用：ジューンガルにおける農業と交易」窪田順平（監修）、承志（編）『中央ユーラシア環境史2 国境の出現』臨川書店、一〇一―一一三頁。
●久保一之　二〇一四『ティムール：草原とオアシスの覇者（世界史リブレット・人）』山川出版社。
●クラヴィホ　一九七九『チムール帝国紀行』（山田信夫訳）桃源社。
●小松久男　二〇一八『近代中央アジアの群像：革命の世代の軌跡（世界史リブレット・人）』山川出版社。
●小山皓一郎　一九九八「民族移動がひらく地域：オスマン帝国の起源」松本宣郎、山田勝芳（編）『移動の地域史（地域の世界史5）』山川出版社、八九―一二一頁。
●坂井弘紀　二〇一五「英雄叙事詩とシャマニズム：中央ユーラシア・テュルクの伝承から」『表現学部紀要（和光大学）』一五、三三―五四頁。
●沢田勲　一九九六『匈奴：古代遊牧国家の興亡』東方書店。
●杉山正明　二〇〇三「チンギス・カンのイメージ形成：時をこえた権威と神聖化への道程」『岩波講座　天皇と王権を考える：第9巻 生活世界とフォークロア』岩波書店、二七一―三〇一頁。
●西山克典　二〇〇二『ロシア革命と東方辺境地域：「帝国」秩序からの自立を求めて』北海道大学図書刊行会。
●野田仁　二〇一一『露清帝国とカザフ＝ハン国』東京大学出版会。
●野田仁　二〇一五「カザフ・ハン国と中国・清朝：アブライ・ハンの外交から中華民国期まで」宇山智彦、藤本透子（編）『カザフスタンを知るための60章』明石書店、九八―一〇一頁。
●濱田正美　一九九三「『塩の義務』と『聖戦』との間で」『東洋史研究』五二（二）、二七四―三〇〇頁。
●フィンドリー、カーター・V　二〇一七『テュルクの歴史：古代から近現代まで（世界歴史叢書）』（佐々木紳訳）明石書店。
●堀直　二〇二〇「中央ユーラシア史の私的構想：文献と現地で得たものから」松原正毅（編）『中央アジアの歴史と現在：草原の叡智』勉誠出版、五〇―六九頁。
●松原正毅（編）　一九九一『王権の位相』弘文堂。
●護雅夫　一九八五「突厥の即位儀礼」『史叢』三四、一―一七頁。
●若松寛　二〇〇一『マナス 少年篇：キルギス英雄叙事詩』平凡社。
●若松寛　二〇〇三『マナス 青年篇：キルギス英雄叙事詩』平凡社。

第2章　アフリカ牧畜民は帝国をどう経験したのか？

……移動と境界線……

楠　和樹

二〇一八年に国際連合食糧農業機関[*1]（FAO）が発表した報告書によると、アフリカでは二億六八〇〇万人の人々が、おもに牧畜によって生きる糧を得ているという。[*2]「アフリカの牧畜民」というと、砂埃の舞う乾いた大地を牛の群をともなって歩く、伝統的な衣装に身を包んだ牧夫がイメージされるかもしれないが、その内実はさまざまである。彼らの居住環境は、乾燥地はもちろん、熱帯サバンナ、地中海性気候の沿岸部、そして雨量が豊富な高地地方まで多岐にわたり、アフリカの全五四カ国のうち三六カ国でその姿が見られる。また、どの種類の家畜を飼育しているか、どの程度定住化し、市場経済に組み込まれているか、どのように牧畜とほかの生業活動を組み合わせているかは集団によって異なるし、それは彼らが置かれた政治的、経済的な状況や生態環境のなかで変化しうる。

とはいえ、アフリカの牧畜民はつぎの点において共通していると言うことができる。すなわち、彼らは一部を除いて国家を持たない社会だった。[*3]彼らの社会は他集団に対して支配的な地位を占めることはあっても、階層化された中央集権的な政治体制を発展させることはなく、国家からは距離をとってきた。したがって、一九世紀末に始まる帝国主義の時代に、イギリス、フランスなどの

*1　国際連合食糧農業機関
国際連合の専門機関のひとつで、一九四五年に創設された。人類の飢餓からの解放を目的としている。

*2
FAO 2018.

*3
一時的であれ国家を建設した牧畜民としては、ヒマ（ウガンダ）、ツチ（ルワンダ、ブルンジ）、フルベ（西アフリカのサヘル地域一帯）などが挙げられる。

ヨーロッパ列強がアフリカの内陸部にまで進出し征服したとき、牧畜民は初めて国家に対峙したことになる。それぞれの帝国は牧畜民の居住地域の支配にあまり関心を払わなかったものの、そのことは牧畜民にとって決定的な意味を持った。とくに、それまで放牧地として利用していた土地に突然引かれた境界線は、彼らの生活を大きく変えた。その一方で、彼らは支配に易々と従ったわけでもなかった。

本章は、アフリカの牧畜民がどのように移動しながら暮らしており、帝国の支配がそれをどう変えたのかを、とくに境界設定とそれへの対応という切り口から見ていく。事例として取り上げるのは、ソマリという民族である。

1　ソマリとは？

ソマリのおもな居住地は、アフリカ大陸の北東端からインド洋に突き出した「アフリカの角」と呼ばれる半島である（図2－1）。国としてはソマリア、ソマリランド、エチオピ

図2－1　植民地時代のアフリカの角

ア、ジブチ、ケニアに相当する。その人口は二〇〇〇万人程度とされているが、ソマリアの内戦[*4]を逃れて欧米や中東へと渡った移民も数多くいる。ソマリ出身でアーティストやファッションモデル、政治家などとして活躍する世界的な著名人は、枚挙にいとまがない。[*5]宗教としては、彼らのほとんどはムスリム（イスラーム教徒）である。[*6]

伝承によると、ソマリの祖先は元からムスリムで、アフリカ大陸とアデン湾[*7]を挟んで向かい合うアラビア半島から移住してきたとされる。研究者も当初はその説に従っていたが、歴史言語学的な研究が進んだ結果、およそ二〇〇〇年前のエチオピア南部に起源を持ち、その後アフリカの角の北部と東部へと移住していったという説が現在では有力である。初期の歴史にはまだ不明なところが多く、文字資料に残る最初の言及はムハンマド・アル＝イドリーシー[*8]（一一〇〇―一一六六）によるものである。

イスラーム化の過程もよく分かっていないものの、八世紀末から沿岸部を中心に徐々に浸透していったとされる。とはいえ、仮にソマリのアラブ起源説が妥当性を欠いていたとしても、アフリカの角とアラビア半島のあいだに移動、交易、思想の歴史的なつながりがあるのは事実である。そして、それは彼らの政治制度のベースとなる系譜と出自の概念にも影響を与えている。

驚くことに、彼らは二〇から三〇世代ほどの父系の系譜を記憶している。すべてのソマリは系譜をたどると同じ始祖に行き着くことから、他者とどの程度近しいかは、その人の系譜とどこで枝分かれするかによって決まる。また、彼

＊4　ソマリア内戦
一九八〇年末から深刻化し、現在まで続いている内戦。一九六九年にクーデターによって政権を握ったシアド・バーレ大統領は、一党制のもとで強権政治を敷くとともに、みずからの出身集団を優遇した。その不満が高まった結果、各地で反政府勢力が軍事的な抵抗運動を開始し、内戦状態に突入した。バーレが亡命したあとも混迷は深まり、その過程で北部の地域がソマリランド共和国、次いでプントランド共和国として独立を宣言した。

＊5
ムスリム女性として初めてアメリカの下院議員になったイルハン・オマルは、ソマリア出身で内戦後にケニアの難民キャンプに身を寄せたあと、アメリカに亡命した経歴を持つ。二〇一〇年の南アフリカ・ワールドカップでテーマ曲を歌ったケイナーンもソマリア生まれで、少年時代にアメリカに移住し、現在はカナダに居住している。

＊6
イスラームについては第４章の下段注9を参照。

＊7　アデン湾
アラビア半島とアフリカの角に挟まれた湾。西側の紅海と東に広がるインド洋をつないでいる。

らは日常生活のなかで、系譜上の特定の先祖を共有する親族集団の一員としてふるまう。理屈の上では、自分の父親から始祖まですべての先祖が集団を分節する点として機能しうるが、実際にはいくつかの単位の親族集団がほかよりも大きな意味をもつ。ここではとくに重要性の高い集団を、下の階層から順に血償支払い集団[*9]、クラン[*10]、クラン群[*11]と呼ぶことにする（図２―２）。なお血償（けっしょう）とは、殺人や傷害の事件が起こった時に被害者側の集団に補償される物品（家畜か現金）のやりとりのことである。

ソマリの人々の帰属意識は、系譜に基づいた複層的なものである。そのため、たとえばＡというクランに属するＡ１とＡ２というふたつのクランが、血償の額について対立している矢先に、水場の利用をめぐってＢという別のクランと衝突が起こると、同じＡクランの一員としてともに立ち向かう、といった事態が頻繁に起こる。つぎのソマリ語の格言は、そのような政治的帰属の柔軟さをよく表している。「誰かと親しくなっても、親しくなり過ぎてはならない。その人を嫌いになる日が来るかもしれないから。誰かを嫌いになっても、嫌い過ぎてはならない。その人と親しくなる日が来るかもしれないから」[*12]。

制度化された権威を戴かず、階層制度とは無縁な

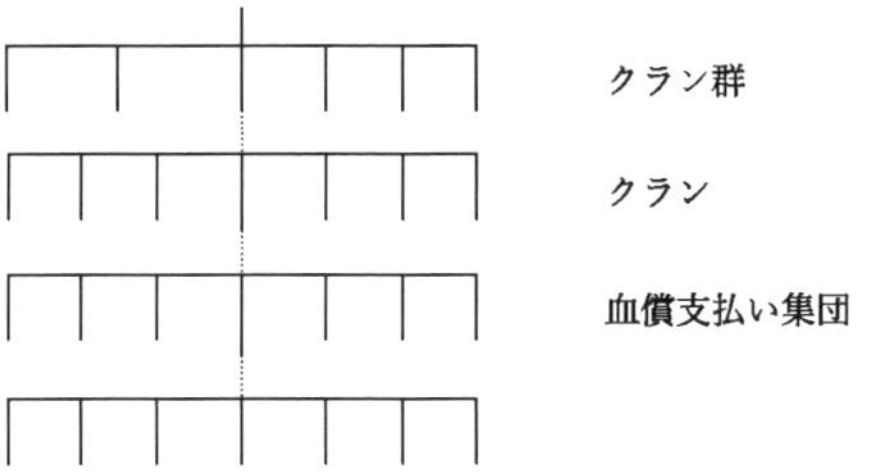

クラン群
クラン
血償支払い集団

図2－2　ソマリの系譜の概念図

＊8　ムハンマド・アル＝イドリーシー
一二世紀のアラブ人地理学者。ノルマン朝のシチリア王国に仕えた。彼が著した地理書『世界横断を望む者の慰みの書』に、ソマリ（ハウィエ）に関する記述がある。

＊9　血償支払い集団
一般的に系譜を四から八世代さかのぼった先祖を共有する集団で、規模としては数百から数千人ほどである。血償はこの階層の集団間でやりとりされる。政治生活における重要事項の多くはこの集団を単位として決定され、人々はその一員として行動する。

＊10　クラン
もっとも広い政治的連携の単位で、二〇世代ほど前の祖先に始まる集団。首長によって率いられるがその地位は名目的なもので、クランの意思決定は長老による合議によって下される。

＊11　クラン群
もっとも上位の親族集団。ソマリはディル、イサック、ハウィエ、ダロード、ディジル、ラハウェインの六つのクラン群によって構成される。あまりに規模が大きいことから、政治的動員の単位として機能することはない。

平等主義が、ソマリの政治構造の最大の特徴である。*13

2　生業と移動

●牧畜と農耕

アフリカの角のほとんどは低地の平野で、沿岸部からエチオピア高原に向けて内陸に進むにつれて徐々に標高が高くなる。平野部の大半は乾燥しており、草木はまばらで、日中の平均気温は三〇から四〇度になる。一年を通して水が流れている河川は南部のジュバ川とシェベレ川しかなく、そのほかは豪雨時のみ水流が生まれる季節河川である。

例年、アフリカの角にはふたつの雨期が訪れる。三月から六月までの大雨期はソマリ語で「グ」と、九月から一二月までの小雨期は「デイル」とそれぞれ呼ばれる。雨期に挟まれた乾期のあいだは、ほとんど雨が降らない。降雨量は全体的に少ないうえに降雨のパターンは不安定で、数年単位の旱魃が続くかと思えば、洪水が起こるほど降ることもある。この非常に厳しい環境下で、ソマリは家畜に頼ることで生をつないできた。家畜のなかでもとくに乾燥地に適応したラクダは、ソマリの人々が季節の変化に合わせて広い範囲を遊牧することを可能にした（写真2−1）。彼らが特定の地域に根付くことはなく、境界線によって区切られた領域の概念も彼らになじまないものだった。基本的に、水場と牧草地へのアクセスは、周辺の集団に対して軍事力で優位に立つことによって確保された。

*12（前頁）
Cassanelli 1982: 21.

*13
Lewis 1994: 96–98. 次節で触れるアフリカの角南部は、その点例外的だった。

写真2−1　ラクダを放牧するソマリの牧夫

また、牧畜を特徴づける高い移動性には、物理的な意味だけでなく社会的な意味もあった。旱魃が起こって自分たちの領域内で放牧が難しくなると、友好関係にある集団と協定を結び、その「シェーガット」、つまり客人として一時的に滞在した。そこでは一定の義務を負う代わりに、水場と牧草地を利用することができた。彼らは周辺の集団とのあいだで友好な関係を維持することで、突発的な事態に対するリスクを回避していたのである。

他方で、アフリカの角南部のジュバ川とシェベレ川の流域では、状況がやや異なっていた。[*14] 水場と放牧に適した草地にも恵まれたこの地域では、ラクダよりもウシの飼育が好まれた。さらに、雨量が豊富で耕作に適した条件がそろっており、穀物、豆、トウモロコシなどが育てられた。このことは、社会の成り立ちにも影響を及ぼした。この地域では、同じ土地で先住のバンツー系をふくむ様々な出自の集団がともに暮らし、系譜に基づいた血縁関係よりも地縁が重視された。またウシ牧畜民は、ラクダ牧畜民よりも相対的に移動範囲が狭く、小規模な定住集落を築くこともあり、そのことは親族集団と土地のあいだの結びつきを必然的に強めた。

*14　Cassanelli 1982: 9–15.

●交易

ソマリの牧畜は、他民族に輸出するために家畜を飼育していたのではなかったという点で、西アフリカのサヘル地域の牧畜民とは異なっていた。しかし、だからといって彼らの経済が外部の市場から孤立していたわけでもなかった。

アフリカの角はインド洋交易圏[15]の西端に位置しており、古くから沿岸部での交易は盛んだった。ゼイラやモガディシュなどの街には、中国やエジプト、アラビア半島から商人が訪れた。牧畜民はこれらの街を訪れたり、キャラバン商[16]人と取引したりすることによって、自分たちでは生産できない米、茶、衣服、装飾品などを入手していた。

彼らがその対価として提供した商品としては、まずラクダ、ウシ、ウマ、ヤギ、ヒツジなどの家畜や、ギー[17]や皮革などの畜産物が挙げられる。しかし、全体として見るとその規模は限られていた。海外の商人が求めたのは、この地域で採れる乳香や香木などの奢侈品や、象牙、犀角、ダチョウの羽などの狩猟品のほうだった。一見して市場経済とは無縁なソマリ牧畜民の生活は、インド洋を舞台とした交易ネットワークのうえで成り立っていたと言えるだろう。[18]

●南への移住

ソマリは、家畜とともにつねに移動する民だった。先に述べたように、初期にエチオピア南部を離れてより乾燥したアフリカの角の北部と東部に定着した彼らは、一〇〇〇年ほど前に今度は南への移住を開始した。その詳細はやはり不明だが、彼らはおそらく元の居住地で人口増加、放牧環境の悪化、資源をめぐる衝突の激化といった問題に直面し、シェベレ川とジュバ川のあいだの肥沃な土地を目指したと考えられる。また、そのプロセスは統一的な意思に従ったものというより、長期にわたる散発的で小規模な移住の連続であり、移住先で

＊15　インド洋交易
西はアフリカ大陸の沿岸部、東は南シナ海と東シナ海の一部を範囲とするインド洋海域世界に発達した、長距離交易。アラブ、イラン、インド、中国などの人々が、一年のうち一定の方向と期間で交代する季節風を利用して帆船によって行き来し、さまざまな商品を運んだ。

＊16　キャラバン
隊を組んで内陸部を巡行する商人の団体。アフリカの角南部の交易はソマリの居住地域だけでなく、エチオピア南部やトゥルカナ湖周辺まで到達していた。宮脇二〇〇六：二四四―二五五。

＊17　ギー
食用のバターオイルの一種。バターを加熱し、水分、タンパク質などを除去することで作られる。

＊18
Samatar 1989: 27–29.

先住の集団と混淆していった。

他方で、一九世紀に始まる大規模な移住は、それ以前とは異なるものだった。このとき、エチオピア帝国によってオガデン地方[*19]を追い立てられたダロードというクラン群の諸集団が、大挙して南部に押し寄せたのである。彼らは武力によって土地を奪うこともあれば、先住のソマリやボラナ[*20]のシェーガットとして、一時的にそのテリトリー内に落ち着くこともあった。いずれにせよ、彼らが先住者に政治的、社会的に同化されることはなかった。[*21]

ダロードの大移動には、宗教戦争としての側面もあった。[*22]イスラームとの接触が比較的早かった沿岸部と都市は別として、アフリカの角の南部に信仰を広めたのはスーフィズム[*23]の聖者たちだった。彼らは内陸部のそこかしこを転々とし、予言を与えたり神秘的な力を示したりして人々から崇拝された。また、彼らはその影響力を背景として政治の領域でも活躍した。牧草地や農地をめぐる衝突が起こるとこれを調停したり、殺傷事件のあとに血償の額を決めるのを補助したりするなど、媒介者としての役割をしばしば買って出た。聖者の死後も、その子孫は特別な親族集団を形成し、居住地のクランに霊的な力と威信をもたらした。

しかし一九世紀に入ると、この政治－宗教的な秩序は激しい攻撃にさらされた。その中心となったのがジュバ川の中流に位置するバルデラで、そこではハッジ[*24]の経験もあるイブラヒム・ハッサン・ジェベロウが、一八一九年に共同体を打ち立てていた。ジェベロウはスーフィズムの神秘主義と聖者信仰、そしてそ

＊19　オガデン地方
エチオピアの東部に位置する高原地帯。現在のソマリ州に当たる。

＊20　ボラナ
エチオピア南部からケニア北部の半乾燥地に居住するオロモ系の牧畜民（第６章を参照）。

＊21
Cassanelli 1982: 78–82.

＊22
Cassanelli 1982: 117–146.

＊23　スーフィズム
イスラームのなかでも内面を重視する思想と運動。修行によって神との神秘的合一をめざす。当初は外面的な法規定への不満から内面探求の道を突き進んだ一部のエリートの運動だったとされるが、一二世紀中頃から民衆にも広がり、教団の組織化も進んだ。東長二〇〇六。

＊24　ハッジ
ムスリムによるサウジアラビアのメッカへの巡礼。ハッジはムスリムが生涯のうちに果たすべき義務のひとつとされる。

れらに根ざした政治支配を糾弾し、禁欲的な生活を説いた。この運動は次第に支持者を増やし、一八三〇年代になると周辺に暮らすソマリとボラナに対するジハード[*25]を開始した。そして、このとき彼らと手を組んだのが、同じ時期にシェベレ川を越えて北から移住してきたダロードだった。両者は抵抗を受けながらも南部のテリトリーを次々と制圧し、一九世紀末にはジュバ川を渡ってその西岸をボラナから奪うことに成功した。勢いを得たダロードはそこからさらに西へと進み、ワジアの井戸を目指して現在のケニア北部に入った。一部のクランはさらに移動を続け、ボラナなどと衝突しながらタナ川まで到達した。

ヨーロッパ列強がアフリカの角に本格的に進出しはじめたのは、ちょうどその頃のことだった。

3　帝国主義の時代

●アフリカ分割

ヨーロッパ人によるアフリカ進出の歴史は、一五世紀中頃に始まる大航海時代までさかのぼる。スペインとともにこの時代を牽引したポルトガルは、大西洋を南下してアフリカ南端の喜望峰を回ってインドまで到達する航路を開拓し、その途上の沿岸部に、補給と交易のための拠点を置いた。イギリス、フランス、オランダなどのヨーロッパ諸国がそれに続き、ギニア湾を中心に沿岸部の各地で現地の支配者から許可を得て交易活動をおこなった。しかし、彼らの活動の範囲は沿岸部に限られており、内陸部については基礎的な情報すら乏しかった。

＊25　ジハード
神のために自己を犠牲にして戦うこと。信仰とイスラーム共同体の防衛、拡大のためにムスリムに課された連帯義務。

一九世紀に入るとこの状況は一変した。ヨーロッパ人の探検家は奥地を踏破し、地理学的な知見をもたらした。急速な工業化を推進していた列強諸国は原材料を求めてあいついでアフリカの領土支配に着手し、一八八〇年代から列強間で大陸を地図上で「分割」していった。

アフリカの角でも、この時期にイギリス、フランス、イタリアの各国が領土を求めて押し寄せた。イギリス政府は、インドとエジプトのスエズをつなぐ航路を維持するために、アラビア半島の南端に位置するアデンを併合するとともに、そこからアデン湾を挟んで目と鼻の先のアフリカの角北部を、食糧用の家畜の供給拠点とした。さらに、スエズ運河の開通（一八六九年）によってこの航路の戦略的な価値が高まると、この地域のソマリのクランの長老たちと保護協定を結び、一八八七年にイギリス領ソマリランド保護領の設立を宣言した。また、ジュバ川以西の肥沃なエリアと、それより内陸で全体的に乾燥したケニア北部のエリアを手中に収め、イギリス領東アフリカ保護領[*26]の一部とした。

いっぽう、領有したばかりのマダガスカル、インドシナ（ベトナム）との連絡の確保を狙っていたフランスにとっても、紅海の航路は非常に重要であった。フランスは一八六二年にタジュラ湾のオボックを併合し、一八八三年には湾を囲むように拡がっている領域を、フランス領ソマリランドとした。最後にイタリアは、イギリスとフランスに遅れをとりつつも紅海に面したエリトリアを獲得しただけでなく、ジュバ川以北のアフリカの角の東半分のエリアを、イタリア領ソマリランドとして支配下に組み込んだ。

＊26　イギリス領東アフリカ保護領
一八九五年に東アフリカで活動していた帝国イギリス東アフリカ会社を解散させ、そのテリトリー（現在のケニア共和国におおよそ相当する）に設立された保護領。一九二〇年にケニア植民地に引き継がれ、一九六三年にはイギリスから独立してケニア共和国となった。

アフリカの角の分割に加わったのは、ヨーロッパの国だけではなかった。エチオピア帝国は一九世紀中頃から領土拡張を進めており、その勢いはメネリク二世（在位一八八九－一九一三）の統治下でもっとも強まった。メネリク二世は、エリトリアに続いてエチオピアの植民地化を狙っていたイタリアと衝突し、フランスとロシアの支援を受けながら一八九六年にアドワの戦いでこれを破り、退けることに成功した。エチオピアはこの勝利によって列強から帝国のひとつとして認められ、アフリカのなかでは例外的にその後も独立を維持することができた。翌年にはイギリスと協定を締結し、当時のイギリス領ソマリランドの領土のおよそ三分の一に当たるオガデン地方に進出、その支配をイギリスに認めさせた。こうして、ソマリの居住域はイギリス、フランス、イタリア、エチオピアの四つの帝国が支配するテリトリーに分かれることになった。

●支配者から見た牧畜民

それでは、これらの帝国は、ソマリをふくむ牧畜民をどのように見ていたのだろうか？　一言でいうと、彼らは、支配者はもちろんほかの被支配者よりもあらゆる面で劣った存在とされていた。[*27] 当時のイギリス人は社会進化論[*28]のフレームを通してアフリカの諸社会を分類、認識していた。それによると、牧畜民は、農耕民よりも社会発展の前の段階に位置付けられた。彼らは非合理的な慣習にとらわれた後進的な集団と見なされただけでなく、国全体の文明化の足枷にもなるとして糾弾された。エチオピアにもヨーロッパとは別種の「人種」理解が

＊27　ロシア帝国による牧畜民の認識について、第4章を参照。

＊28　社会進化論　社会の長期的な発展、進化に関する理論。一九世紀にはジャン＝バティスト・ラマルクやチャールズ・ダーウィンらの生物進化に関する議論の影響を受けながら、ヨーロッパ系の人種を頂点として「未開人」をその途上に位置付ける単線的な進化の理論が体系的に構築された。ボウラー　一九八七：四五五－四九二。

存在しており、そのなかで牧畜民は支配層の民族とは対照的に野蛮な人々とされ、「ゼラン」という蔑称で呼ばれていた。

このように、牧畜民を人種的な劣等性や後進性によって特徴づける論理は、彼らをほかの地域とは異なるやりかたで統治する根拠になった。ケニアでは中央部の高地地方を中心に白人の入植が進められ、経済開発とインフラ整備はそこに集中した。その一方で、ソマリなどの牧畜民は発展の道筋から取り残され、その支配には強権的で軍事的な手段が用いられた。イタリア領ソマリランドでも同様に、イタリア人入植者による南部のプランテーション[29]経営に重点が置かれ、牧畜民の暮らす乾燥地にはほとんど関心が寄せられなかった。また、エチオピアでは「ネフテンニャ」と呼ばれる北部から派遣された軍人が地方統治を担い、辺境部の牧畜民は彼らの自律的な権力のもとで収奪された。[30]

そして、それらの帝国の権力がもっともはっきりと表れたのが、境界線という場だった。

４　帝国支配と境界線

●障碍としての境界線

アフリカの角に進出した帝国は、一九世紀末にお互いに協定を交わし、それぞれの統治の及ぶ範囲を定めた。しかし、このとき引かれた国境線はローカルな社会的、生態的文脈とは無関係に、恣意的に引かれたものに過ぎなかった。それは地理学的な調査の結果を踏まえて確定されたものではなく、厳密さを欠

＊29　プランテーション
現地人や奴隷など安価な労働力を用いてタバコ、茶、コーヒーなどの商品作物を大量に生産する、広大な農園。

＊30
宮脇　二〇〇六：二五七－二八九。

いていた。それでも、だからといって人々の生活に国境線が無関係だったわけではない。国境線の存在によって、言語と文化を共有し、社会的、経済的にも関係が深い集団であっても、別々の法的空間に位置付けられた。それは生業牧畜の季節的な移動や長距離の交易活動を妨げただけでなく、領土をめぐる衝突の火種となった。前節で言及したオガデン地方を例にとると、ここは年間を通して利用可能な水場はなかったものの、雨期には広大な牧草地になった。

ソマリの牧畜民は雨期のあいだここに滞在し、乾期になると家畜を連れて沿岸部の水場周辺へと移動していた。そのため、エチオピアがこの地域を領有し、境界線を確定すると、伝統的な牧畜のサイクルは妨げられた。*31 エチオピア側に置かれた牧畜民は重税に苦しみ、イギリス側に残った人々もダルヴィーシュ*32の軍事抵抗とそれに対する掃討作戦が長期化するなかで家畜を失い、都市に流れたり農耕に切り替えたりした。オガデン地方ではその後も、列強間で政治的駆け引きが繰り広げられた。

国境だけでなく、国内に引かれた境界線も、ソマリ牧畜民の生活に暗い影を落とした。これらの帝国の支配は、間接統治*33によって既存の制度を温存しながら実施された。イギリス領ソマリランドでは、一九二〇年にダルヴィーシュを平定したのちに内陸部の統治に本格的に乗り出した。政府はクランごとにテリトリーを区切るとともに、その長老を「アキル」と呼ばれる行政首長に任命してまとめ役を担わせた。イタリア領ソマリランドでも間接統治が取り入れられ、地方行政は「カポ＝カビラ」という首長の協力を得ながら進められた。一九世

*31　Samatar 1989: 14–16.

*32　ダルヴィーシュ
広い意味ではスーフィー教団のメンバーを指す。この文脈では、「狂信者ムラー」と呼ばれたサイード・モハメッド・アブドゥラ・ハッサンとその支持者が展開した、植民地支配に対する大規模な抵抗運動のこと。一九世紀末に始まり、一九二〇年にハッサンが死去するまで続いた。

*33　間接統治
現地の政治機構、慣習、信仰などを破壊することなくそのまま利用して臣民を統治する様式。イギリスの植民地統治の代名詞とされているが、アフリカ大陸に進出したほかのヨーロッパ列強も同様の手法を用いた。

紀末からソマリの流入が続いていたケニア北部でも、やはり同じ方針が採られた。ソマリをふくむ民族やクランごとに首長が任命され、それぞれが排他的に利用できる放牧区域が指定された。政府から許可を得ずにその外で放牧したり交易したりしているのが見つかると、罰則の対象となった。その境界線は、集団間の衝突を避けることを主眼として引かれたもので、その際に遊牧の季節性や放牧資源の布置はほとんど考慮に入れられなかった。[*34] いずれの国の場合でも、集団間の領域的な分断が促進され、政治的な意味でも経済的な意味でも周縁化が進んでいった。

*34　楠　二〇一九：四九―六二。

●資源としての境界線

ここまで述べてきたように、境界線は社会の外から人為的に課されたものであり、ソマリ牧畜民の生活に制約を与えてきた。しかし同時に、境界線にはそれにとどまらない側面もあった。その社会的な意味は帝国によってトップダウン式に決められるのではなく、境界地域のさまざまなアクターによる交渉によって生じた。境界線は機会の場であり、人々はしばしばそれを資源として活用し、そこからさまざまな可能性を創造的に引き出そうとした。[*35]

境界線がどのような種類の資源をもたらすのかは、ローカルな条件によって左右された。まず挙げられるのが、経済的なものである。国境が設定されたことで同じ商品でも価格、流通量、法規制が異なる商業空間が立ち上がり、ソマリはその狭間に生じた機会に参入していった。ケニアとイタリア領ソマリラン

*35　Feyissa and Hoehne 2010; Nugent 2002.

ドの国境地帯に目を向けてみよう。[*36] 一九世紀末まで、この地域は象牙などの狩猟品をインド洋沿岸部まで輸送するキャラバン交易の通り道だった。国家の支配が始まるとそれは違法とされ、「密貿易」のラベルを貼られたものの、政府の干渉を受けながらも継続した。

この交易で活躍したのが、ダロード・クラン群に属する、ハルティという集団である。一九世紀後半にアフリカの角北部から南下してきた人々で、商業に長けていた。ハルティはダロード系のオガデンと分業体制を築くことで、この交易活動を成り立たせていた。ケニアとソマリランドの国境をまたぐ一帯を占めていたオガデンがウシ、ヤギ、ヒツジを飼育し、それをハルティの商人がケニアの都市部へと輸送していた。しかし、そのベクトルは治安や需要の変化とともにたびたび逆転し、時期によってはキスマヨが交易の終着点になった。国境を越えて張り巡らされた親族集団のつながりが、このビジネスを可能にしていたのである。

家畜のインフォーマルな交易は国内の境界地域でも盛んにおこなわれた。ケニアの北部では第二次世界大戦後に政府が家畜の市場流通の管理に乗り出し、公設市場以外での売買が禁止された。ソマリは食料や衣服を購入し、税金を支払うために現金を必要としていたが、買い取り価格が相場よりかなり安く設定されたこの市場は、彼らにとって魅力的ではなかった。そこで、彼らは政府の目を盗んで近隣の農耕民を相手に取引していた。取引場所としてはタナ川などの河川沿いが多く、役人に目を付けられるとすばやく別の場所に移っていった。

*36 Cassanelli 2010.

河川は県の境界線にもなっていたことから、役人たちは現場を発見しても県をまたいで違反者を追いかけるわけにいかなかった。見かたを変えると、ソマリの人々は、県を単位とした地方行政の限界をうまく利用して取り締まりを逃れていたと言うこともできる。[*37]

さらに、ソマリは境界線から経済的な利益だけでなく政治的資源も手に入れていた。アフリカの角の北西部をテリトリーとしているガダブルシというクランは、その好例だろう。[*38] アフリカの角の分割以降、彼らはイギリス領ソマリランドとエチオピアの境界地域に置かれることになった。この地域では一九二〇年代から農耕が急速に広がっていた。イギリス側の政府は牧畜から農耕への急速な移行が行き過ぎた社会変容につながることを懸念し、それを規制していた。また、ダルヴィーシュ制圧後の政府は、まず沿岸部の行政制度の立て直しを急いでおり、この地域の介入を強める余裕はなかった。それに対して、農作物への課税によって税制度の安定化をもくろんでいたエチオピアは、農耕化を歓迎していた。このときガダブルシはエチオピアの支配を受け入れ、その保護のもとで農地を拡大させていった。

こうした状況は、イギリス人がこの地域に戻ってくると一変した。イギリスはダルヴィーシュの二の舞を恐れて直接課税せず、その代わりに沿岸部との交易を促進してそこに関税を課すことにした。エチオピア帝国の重い税に苦しんでいたガダブルシの人々は、それを見て曖昧な国境を越えてイギリス側に移住したり、エチオピア側の役人の監視の目をかいくぐって、モロコシなどの農作

＊37　楠　二〇一九：一一五―一二三。

＊38　Barnes 2010.

物を沿岸部に輸出したりした。しかし、その後もイギリス臣民でありつづけたわけではなく、たとえばその司法を回避するためにエチオピア側を選ぶこともあった。彼らは、ふたつの帝国のいずれにも収まりきらない政治的な地位を維持し、みずからの利益のために国境を積極的に活用しつづけたのである。

5　境界線から見た帝国経験

本章でたどってきたソマリの帝国支配のプロセスは、多かれ少なかれ、アフリカのほかの多くの牧畜民が直面したものでもあった。帝国主義の時代までの牧畜民は、放牧資源を求めて移動性の高い生活を送っていた。それだけでなく、政治的、宗教的な理由が移動の動機となることもあった。この時期には民族間の線引きは絶対的なものではなく、その垣根を越えた政治的、経済的、文化的なつながりが維持されていた。

一九世紀末からアフリカの内陸部に進出してきたヨーロッパの諸帝国は、ときに軍事的な手段を用いながらその移動性をコントロールし、境界線によって空間を規定することで、領域的な国家支配を実現した。しかし、牧畜民は近代国家の論理をそのまま受け入れたのではなかった。彼らは制限されながらも家畜とともに広野を移動しつづけたし、国家がそれをつねに監視するのは困難だった。また、彼らは境界地域にそこでしか得られないチャンスを見出し、創造性を発揮しながら利益を生み出した。もちろん、だからといって抑圧と暴力の歴史が正当化されるわけではないが、境界線を通して見る帝国経験にそのような

【参考文献】

●楠和樹　二〇一九『アフリカ・サバンナの〈現在史〉：人類学がみたケニア牧畜民の統治と抵抗の系譜』昭和堂。
●東長靖　二〇〇六『イスラームとスーフィズム：神秘主義・聖者信仰・道徳』名古屋大学出版会。
●ボウラー、P　一九八七『進化思想の歴史 下』（鈴木善次ほか訳）、朝日新聞社。
●宮脇幸生　二〇〇六『辺境の想像力：エチオピア国家支配に抗する少数民族ホール』世界思想社。

両義性があったという点は重要だろう。

もうひとつ重要なのは、それが過去の終わった話ではないという点である。アフリカの角ではエチオピアが一時的にイタリアによって占拠されたものの一九四一年に独立を回復し、ソマリアとケニアも一九六〇年代に帝国の支配を脱して独立を果たした。ジブチは、一度はフランスに海外県として留まる選択をしたものの、最終的には一九七七年に独立を宣言した。これらの国々がアフリカのほかの地域と同様に領土をそのまま引き継いだ結果、ソマリの人々は以前と変わらず分断され、統一的な国民国家を求める声が高まった。国境をめぐる衝突は激しさを増し、独立直後のケニア北部は分離独立を要求するソマリの運動をきっかけとして暴動が起こった。エチオピアのオガデン地方でも分離運動が盛り上がり、一九七七年にはソマリアの侵攻を招き、戦争に発展した。ソマリアはこの戦争によって経済的に疲弊し、そのことがひとつの引き金となって内戦状態に陥り、多数の難民を生み出した。

このように、国境は依然として紛争の火種を抱えている。その一方で、国境は今も変わらず機会の場である。とくに国境間の家畜交易はソマリアの内戦後に飛躍的に成長し、その規模は年間一〇億ドルに達すると見られている。ソマリの人々は、あるいはより広くアフリカの牧畜民は、境界線を通して国家との向き合いかたを模索しつづけているのである。

- Barnes, C. 2010. The Ethiopian-British Somaliland Boundary. In D. Feyissa and M. Hoehne, (eds.) *Borders and Borderlands as Resources in the Horn of Africa*. Suffolk: James Currey, pp. 121–131.
- Cassanelli, L. 1982. *The Shaping of Somali Society: Reconstructing the History of a Pastoral People, 1600–1900*. Philadelphia: University of Pennsylvania Press.
- Cassanelli, L. 2010. The opportunistic economies of the Kenya-Somali borderlands in historical perspective. In D. Feyissa and M. Hoehne, (eds.) *Borders and Borderlands as Resources in the Horn of Africa*. Suffolk: James Currey, pp. 133–150.
- FAO. 2018. *Pastoralism in Africa's Drylands*. Rome: FAO.
- Feyissa, D. and M. Hoehne. 2010. State borders and borderlands as resources: An analytical framework. In D. Feyissa and M. Hoehne, (eds.) *Borders and Borderlands as Resources in the Horn of Africa*. Suffolk: James Currey, pp. 1–26.
- Lewis, I. 1994. *Peoples of the Horn of Africa: Somali, Afar and Saho. New Edition*. London: HAAN Associates.
- Nugent, P. 2002. *Smugglers, Secessionists and Loyal Citizens on the Ghana-Togo Frontier: The Life of the Borderlands since 1914*. Oxford: James Currey.
- Samatar, A. 1989. *The State and Rural Transformation in Northern Somalia, 1884–1986*. Madison: The University of Wisconsin Press.

第3章　ロシアの牧畜民はなぜ魚も好むのか？

……定住化と生存戦略……

井上　岳彦

牧畜民は、生存の危機をまえに、どのように対応してきたのか。牧畜民が魚を食べるようになるとは、どういうことなのか。この章では、社会環境と自然環境の変動のなかで、牧畜のかたちや牧畜にかかわる文化が変容した、歴史的事例をとりあげる。

モンゴル系諸族に属する遊牧民オイラト[*1]（第10章参照）の一部は、一七世紀にユーラシア西部に進出した。しかし、拡大するロシア国家の支配をうけ、彼らはカルムィクと呼ばれるようになった。ロシア国家は、遊牧民に土地利用と移動の制限を課した。その結果、カルムィクは、生業としての牧畜だけで生きていくことができなくなり、漁撈（ぎょろう）に生き残りの可能性を見出していった。北・中央ユーラシアの多くの牧畜民社会は、ソ連時代に近代化を迫られるわけだが、カルムィクは、それらの事例に先駆けて、ロシア社会への統合という荒波に飲み込まれていった。この章は、ロシア帝国、ソ連、ロシア連邦を生き抜いてきたカルムィクについて、その牧畜の歴史的な変容を中心に考えていきたい。

第1節では、カルムィクについて解説する。第2節では、ロシア帝国の定住化政策のなかで起きた、カルムィク牧畜社会の変容を確認する。第3節では、牧畜の代替として、牧畜民のあいだで、漁撈の重要性が高まったことを論じる。

*1　オイラト
一三世紀初めにチンギス・ハーンに帰順し、チンギス家との姻戚関係によって影響力を強め、元（げん）が滅んだ後に台頭したモンゴル系の部族連合。一五世紀に最盛期を迎え、モンゴル高原を含む、中央ユーラシアに大きな勢力をもった。一七世紀後半から一八世紀中葉にかけて、中央アジアを席巻したジュンガルも、オイラトの一勢力である。

第4節では、ソ連時代の家畜飼養の変容と、現在のカルムィクに維持される牧畜民アイデンティティについて、考察する。

1　ロシアの牧畜民カルムィク

●カルムィクとは？

地理学的にいえば、カルムィクは、ヨーロッパに住んでいる。彼らの居住地は、ヨーロッパとアジアとの境界地域に位置する。近代ヨーロッパ社会との近接性こそカルムィクの特徴であり、ほかの牧畜民に先駆けてロシア社会と接触し、近代化を迎えた。つまり、カルムィクに起きたことは、中央ユーラシアのほかの牧畜民の未来を映し出していたとも言える。

ところで、カルムィクとは、そもそも誰のことなのか。『自然地理学』（一八〇二年）という著作のなかで、『純粋理性批判』で有名な哲学者イマヌエル・カントは、「カルムイク人は東部タタールでもイマウス山脈[*2]にいたる最も標高の高い地域に住んでおり、東と北に版図を広げてきた。彼らは自分たちが古代モンゴル人の正嫡（せいちゃく）であると誇っている」と説明する。ヨーロッパでは長いあいだ、カントのように、モンゴル系諸族に属するオイラト全体のことを「カルムィク」と呼んできた。

しかし、現在一般的にカルムィクと呼ばれる人々は、ロシア連邦カルムィク共和国[*3]の主要民族とその先祖のことを指す。彼らカルムィクは、今もオイラトの一部であるという意識を持ちながら、一七世紀からの歴史的過程のなかで、

＊2　イマウス山脈
現在のヒマラヤ山脈のこと。カント 二〇〇一：三六二。

＊3　カルムィク共和国
カルムィクの民族名に、地名の接尾辞 *-ia* を付けたカルムィキア、あるいはカルムィキア共和国とも呼ばれる。

自分たちは他のオイラトとは別の民族となったのだと考えている。この混同はどこで起きたのか。ヨーロッパ人はなぜ、オイラト全体を「カルムィク」と呼んだのか。なぜ現在は、ロシアのカルムィクだけがカルムィクなのか。

中央アジアのテュルク諸語では、オイラトを「カルマク」と呼ぶようになった。イスラーム信仰が広まるなかで、元の信仰に「留まった Qalmaq」人々を「カルマク」と呼んだという説が有力である。つまり、もともとカルムィクは、オイラトを指すテュルク語に由来し、ヴォルガ・ウラル、シベリア、中央アジア、コーカサスなどを一八世紀に探検したドイツの学者たちが[*4]、テュルク諸族から採集した話をカントは採用したのである。このように、かつてヨーロッパでは、オイラト全体が「カルムィク」と理解された。

しかし、ロシアでは違った。オイラトの支派であるトルグート族を中心とする勢力は、一七世紀に、ジュンガルよりもさらに西方のヴォルガ・ステップに進出し、ロシア国家と接触した。西方に進出したオイラト勢力とロシアとのあいだでのコミュニケーションは、タタール、つまりテュルク系の通訳を介して行われたため、その勢力は「カルマク」転じて「カルムィク」とロシアで紹介された。ヴォルガ・ステップのオイラトは、遅くとも一七一〇年代には、ロシアへの書簡のなかで、自らを「カリマグ（カルムィク）」と名乗っていたことが史料に残される。つまり、他称が自称に転じたのである。次第に、ロシアでは、カルムィクは、ヴォルガ・ステップのオイラトに限定して、使用されることが多くなった。

*4
ヨハン・ゲオルグ・グメリン（博物学者・植物学者・地理学者）やペーター・ジモン・パラス（動物学者・植物学者）など。

ソ連時代に入ると、カルムィクは他のモンゴル系諸民族から政策的に分離され、別個の民族として位置づけられた。[*5] 国際的にも、このソ連の民族分類が採用され、現在は一般にカルムィクと言えば、ロシアのカルムィクのことを指すのである。

●なぜ彼らはロシアにいるのか？

それでは、なぜカルムィクはロシアに来て、いまもロシアにいるのか。否、「ロシアに来て」という表現は正確ではない。もともとカルムィクとなるオイラトは、天山山脈の北からアルタイ山脈の南にかけて、ジュンガリア地方（現在の中国新疆ウイグル自治区北部）で遊牧生活を送っていたが、部族間の内紛を避けるため、西方への大移動を行ない、一七世紀初めにカスピ海北部のステップ地域に進出した。当時その地を治めていたのは、ノガイ・オルダであった。[*6] 軍事力で勝るカルムィクは、そのノガイを追い出し、ロシアと軍事同盟を一七世紀半ばに結び、ヴォルガ・ステップに一大勢力を築いた。ロシア側は南方国境地域の安全保障に不安を抱えており、ヴォルガ・ステップに進出したばかりのカルムィクと利害が一致したのである。こうして、カルムィクとロシアの緊密な関係が生まれた。

両者の関係は、はじめロシアを兄、カルムィクを弟になぞらえた対等な同盟関係とも言われたが、しだいに前者の勢力が圧倒するようになり、ロシアを父、カルムィクを子とする力関係に変化していった。一七世紀にはダライ・ラマ[*7]の

＊5
荒井　二〇〇六。ただし、カルムィク社会のなかでは、ソ連時代まで、一般的にオイラトという総称、あるいはその支派であるトルグート、デルベト、ホショートなどの各集団名が使用された。

＊6　ノガイ・オルダ
テュルク系遊牧民ノガイが、チンギス・ハーンの長男ジョチの後裔政権ジョチ・ウルスを継承し、形成された政権。ノガイ・オルダは、コーカサス北部からカスピ海北岸にかけてのステップ地帯において、その勢力を拡大し、一五世紀後半に最盛期を迎えた。

＊7
オイラトは、一六四〇年から、チベット仏教を公式に信仰するようになった。ダライ・ラマは、チベット仏教の法王（転生活仏）の尊称であり、観音菩薩の化身として衆生を救済するとされる。

承認を後ろ盾として、中央ユーラシアでの覇権をうかがっていたカルムィクだが、一八世紀前半には、ついにロシア皇帝が、ダライ・ラマに代わって、カルムィクのハンを選ぶまでに、勢力の差は浮き彫りになった。

こうしたロシアの「保護」を嫌い、故地ジュンガリア帰還の機運がしだいに高まった。折しも同じオイラトのジュンガル政権が、清朝との戦いの末、一七五八年に滅んだことを受けて、カルムィクの大多数は、一七七一年にジュンガリアを目指し、ヴォルガ・ステップを去った。*8 いっぽう、ヴォルガ・ステップに残った一部のカルムィクは、ロシア皇帝に忠誠を誓い、ロシア帝国臣民として生きることになった。

2　ロシア帝国の遊牧民の運命

●かつてカルムィクは、どのように家畜を飼養していたのか?

モンゴル系諸族の遊牧は、自然環境と社会環境に適応しながら発達してきた。ユーラシア・ステップでは、移動性の高さを利用した牧畜が発達した。オイラトが、一七世紀に中央ユーラシア・ステップを西方に移動したときも、高い移動性を活かした生業形態を維持したと考えられる。しかし、カルムィクの牧畜について説明する歴史文献はきわめて少なく、具体的に、どのように家畜を飼養していたのかはよく分からない。

現在に伝わる数少ない記述は、ロシアを含む、ヨーロッパの旅行者、つまり他者からの視点である。一八、一九世紀のヨーロッパの他者が注目したのは、

写真3−1　カルムィクの仏教寺院
マクシム・ペトロヴィチ・ドミトリエフにより1917年以前に撮影。Wikimedia commons より。

*8
この東遷勢力は、独立した政権樹立を図ったがうまくいかず、紆余曲折の末、清朝に帰順した。乾隆帝は彼らを厚遇し、その首領層は王公に封じられ、牧地が与えられた。乾隆帝に臣従したカルムィクは、「旧トルグート部」と「新トルグート部」に分けられた。「旧トルグート部」は、一七世紀にヴォルガ・ステップに進出し、一七七一年に清朝に帰順した集団のことである。「新トルグート部」は、清とジュンガルの戦争のなかで、ヴォルガのカルムィクのもとに逃げ、一七七一年に清朝に帰順した人びとである。

まず、カルムィクの軍事力を支えるウマだった。その巧みな飼養方法と、高度な乗馬技術は注目の的だった。また、ラクダにも、とくに強い関心が持たれた。ラクダは、ヨーロッパの観察者のエキゾチズムを満足させるものだった。実際に、カルムィクの遊動生活を支えていたのはラクダやウマであり、長距離の移動や河川の徒渉（としょう）には不可欠だった。*9 ヨーロッパの旅行者も、カルムィクがラクダやウマの背に家財や人を載せ移動する様子を見て、強い印象をもったようである。さらに、広大なステップ地帯で牧草を食むヒツジやウシの大群の姿に、北アメリカの大平原を重ね合わせる者もいた。

ハンガリーの学者セントカトルナイ・ガーボル・バリント*10は、一八七一年九月終わりから一八七二年五月までの約七か月のあいだ、アストラハン近くのカルムィク人集落を調査した。バリントによれば、カルムィクではヒツジ、ラクダ、ウシ、ウマの「四畜」*11が飼育されていた。バリントは、カルムィクによるヒツジ飼養の様子について記録を残している。それは、家と草地と井戸との間を、牧夫がわりの子どもと少数のヒツジとが一日の間に短距離移動するというものだった。*12 ラクダ、ウシ、ウマの飼養方法についてはよく分かっていない。

●土地に対する考え方の違いが浮き彫りになる

しかし、バリントが描写したような生活形態を維持できるのは、自然環境と社会環境を維持できるときに限られる。カスピ海北岸やヴォルガ川流域のステップに進出したカルムィクが直面したのは、急速に勢力を拡大させるロシア

*9
ヴォルガ川のような、大きな河川を徒渉する場合、荷袋を付けるのはラクダだけで、家財はヒツジのような小さな家畜とともに、筏（いかだ）で渡す。ウマやウシは、泳いで川を渡る。家畜の半数が溺れたとしても、あまり気にしなかったという。Лепехин 1771: 486–488.

*10　セントカトルナイ・ガーボル・バリント
一八四四－一九一三。トゥラニズムの立場から、ロシアのウラル語族やアルタイ諸語の社会を調査した。バリントは、ハンガリー科学アカデミーから派遣され、一八六九年からカザンでカルムィク語を学んだ。カルムィク調査は、そのあとに行われた。

*11
一般に、モンゴル系諸族のあいだでは、ウマ、ウシ、ヒツジ、ラクダ、ヤギをもって「五畜」と表すことが多いが、カルムィクのあいだでは「四畜」と表現し、ヒツジとヤギを分けて数えなかった。

*12
Birtalan 2011: 154–156.

国家の存在だった。ロシア国家の支配は、遊牧を支えてきた移動性を失わせるものだった。カルムィクの牧地は、当初の豊かなステップ地帯から、徐々に、乾燥し塩類集積*13を起こすカスピ海沿岸低地へと、追いやられていった。

さらに問題となったのは、カルムィク遊牧民とロシア農民とのあいだに、土地所有や土地利用にかんする認識に大きなずれが存在したことである。移動する遊牧民には、土地を所有するという観念がそもそも希薄であり、土地は天からの借りものであり、共用するものだという考えが強かった。しかし、ヴォルガ・カスピ地域に新たに入植したロシア農民には、土地を所有するという意識が強く、カルムィクとのあいだに諍いが起こった。

カルムィクが夏営地から冬営地に戻ってくると、そこにはすでにロシア農民が住み着いていた、という事例が頻発した。ロシア農民は、カルムィクが冬営地として使用していたところを、「無主地」と思いこみ、開墾してしまったからである。ヴォルガ・ステップは大河川以外の水系に乏しく、水場の利用は一部の場所に集中しがちだった。カルムィクが水飲み場への通り道に使用していた所が、戻ってみると、すでに畑に変わり、柵が建てられているということも少なくなかった。遊牧民側の反発は、しかしながら、定住民にとって「不条理な襲撃」として映り、行政的な制裁の対象となったのである。

●移動と土地利用の制限は死活問題

遊牧民と入植者の対立が頂点に達したのが、一七七一年のカルムィクの東遷

*13　塩類集積
過剰な灌漑などで、土壌表面に多量の塩類が浮き出る塩害のこと。

事件であり、その二年後、一七七三年のプガチョフの乱である[*14]。ロシア政府のなかでは、国境地域においていかに遊牧民の移動性をコントロールするかが、喫緊の課題となったのである。

一八二五年に、「カルムィク・ステップ」という郡がアストラハン県内に誕生し、カルムィクは内務省の監督のもとに置かれた[*15]。一八四七年からは、国有財産省という官庁がカルムィク統治を任されるようになった。国有財産省は、国家資産（土地、森林・水資源など）を管理し、国有地の農民や外国移民を監督・指導する立場にあった。カルムィクの管理を国有財産省が受けもったことは、カルムィクをロシア農民に転換させようとする実験的な措置だった、と言えよう。

行政上の境界を越えた遊牧に対する政府の規制や、ロシア農民の入植による牧地の狭隘（きょうあい）化は、遊牧民の生活基盤を脅かした。そもそもカスピ海沿岸低地は、夏季に高温・乾燥状態になる一方で、冬季も低温で強風が吹き、自然環境条件は牧畜に優しいとは言いがたい。旱魃（かんばつ）や雪害、イナゴの大発生、畜疫などによって、畜群に甚大な被害を出すことも少なくなかった。この地域で、危機を回避しながら牧畜を継続するには、リスクを軽減するための遊動と柔軟な対応が不可欠だったと考えられる。

一九世紀にロシアの支配下のなかで、ほぼすべての牧地はヴォルガ右岸に画定され、牧畜に必要な自由な遊動が徐々に困難になった。これでは、冬営地と夏営地を使い分けながら牧畜生活を送ってきたカルムィクは、生命の危機に瀕

＊14　プガチョフの乱
ヴォルガ川・ウラル川流域で、一七七三年から一七七五年に発生した大規模な農民反乱。コサックや農民だけでなく、バシキールやカルムィクなどの牧畜民も多く、反乱に参加した。

＊15
一八世紀から二〇世紀初頭まで、ロシア帝国には、「県（グベールニヤ）」という地方行政区画が設置され、警察行政も兼ねる内務省によって、所管された。アストラハン県はその一つで、カスピ海にそそぐヴォルガ川下流域の広大な範囲を管理し、東南部国境防衛や対外交易の要地であった。一八世紀後半には、広義のコーカサス全体を広域的に統治する制度も取られたが、アストラハン県は、コーカサス統治と切り離されて、カルムィクと、カザフのボケイ・ハン国（小ジュズの一部）の統治を任されることになった（ボケイ・ハン国は、ロシア統治下に成立したカザフの政権で、短期間ながら一九世紀前半に、経済と文化の中心として栄えた）。行政区画の再編に加えて、一八二〇年代には検疫線が張り巡らされ、人々の往来は監視・報告されるようになった。

することになってしまう。では、どうしたのか。彼らの生存にとって、漁撈こそがその重要性を増すことになったのである。

３　生存の危機をまえに、牧畜民はいかに対処したのか

限られた資源を用いて、人々が日常生活をどのように維持していたのか、人々の生存維持の戦略、人々の生存のための主体的な実践[*16]は、牧畜民にかんする研究においても注目に値する。戦争、旱魃や雪害といった自然災害、イナゴの発生、畜疫の流行などによって、牧畜民が貧困に陥る危険性は慢性的に存在する。そのとき、牧畜民がとった、生存維持の方法のひとつが、漁撈である。

●漁場をさがす牧畜民

現代のモンゴル社会では、魚食は好まれないと言われる。しかし、漁撈が伝統的に牧畜民を生命の危機から救ってきたことを、民族的な伝承は示唆する。それらの伝承のなかで、牧畜民は、漁撈によって、窮地を脱し復活する。例えば、『元朝秘史』[*17]には、貧窮するテムヂン一家が魚獲りで糊口を凌いだ逸話がある。また、オイラトの英雄叙事詩『ジャンガル』[*18]では、勇士ホンゴルが魚を食し、九死に一生を得たことが詠まれている。このように、牧畜民が漁猟や採集に従事することは、決して稀なことではなかった。カルムィクにおいて、狩猟は、食料調達において補助的役割を持つとともに、娯楽や軍事教練としての部分もあった。いっぽう漁撈については、一七世紀後半にはすでにカルムィクのあい

＊16　貧困と福祉をめぐる社会史研究においても、生存を維持するための多様な装置の存在は、注目を集めている。長谷川　二〇一五。

＊17　『元朝秘史』もともと口承で伝えらえてきた、一三～一四世紀に成立したチンギス・ハーンの事績を中心とする歴史書。

＊18　『ジャンガル』オイラトのあいだで、語り部（ジャンガルチ）によって語り継がれてきた英雄叙事詩。聖主ジャンガルが、十二人の将軍と六千人の勇士を率いて、繰り広げた英雄的な闘いの姿が描かれている。

だで重要性が増しはじめ、一八世紀には漁場をめぐる争いがカルムィクとロシアのあいだで起こるようになる。とくに、貧困者にとっては最後の命綱のひとつとなっていた。[*19]

とはいえ、カルムィクと魚の関係について伝える現存史料は、それほど多くはない。史資料からは、一七世紀に、わずかな事例を見出すことができるのみである。そこでは、カルムィクの牧畜民が魚獲りに西シベリアの川を訪ねていたということ、そして、当時のカルムィクに日常的な魚食の習慣があったことが示唆されている。[*20]

魚資源が非常に豊富であること、生態環境条件が厳しいことから、ヴォルガ・ステップにおいては、定住民だけでなく遊牧民やコサックにとっても、漁撈は生存のためにきわめて重要な生業だった。一七世紀末には、ロシア定住民とのあいだで、漁場や漁具・漁法をめぐる対立が起きていた。また、一八世紀半ばには牧草地の確保、チベット巡礼[*21]の許可と並んで、漁場の権利をめぐる問題が、ロシアとの交渉議題の重要な項目として挙げられていたのである。つまり、漁撈は、牧畜や信仰に匹敵する意味をもつきわめて重要な意味を持っていたのである。

●定住の条件としての漁場

一八世紀半ば、ロシア政府内では、カルムィク全体を定住させるべきか否かで論争が起こったが、全面的な定住化は、ロシアの利益にならないと判断された。[*22]

*19 Khodarkovsky 1992: 24–25.

*20 Тепкеев 2012: 696 168–171.

*21 チベット巡礼　カルムィクはチベット仏教を信仰し、来世のための徳を積むため巡礼をおこなった。とくに、特にチベットは聖地として、チベット仏教徒の憧れだった。

*22 カルムィクの頻繁な広域的な遊動が、ロシアの国境地域を荒らす敵対勢力を牽制すること、カルムィクの存在がカザフの西進を防ぐこと、オスマン帝国との戦いに動員できる機動性に優れた軍事力として、カルムィクが有用だと考えられたことなどの理由から、カルムィクの全面的な定住化は回避された。

しかし、オイラトの支派ホショート族の首領ザミャンは、例外的に定住生活を許可された。この事例は、定住化政策がカルムィク全体に及ぶのではないかと、ロシアに対する強い不信と危惧を招くことになった。

ザミャンの子孫の見解によれば、ザミャンは、定住化はロシア政府からの打診によるものだった。それによれば、ザミャンは、公費による木製家屋の建設、良質な漁場の割り当て、ヴォルガの渡渉に好立地な場所にある森林資源の提供を、定住化に応じる条件としたという。

定住化による移動範囲の縮小は、牧畜規模の縮小につながる。好条件な漁場の割り当てによって、その縮小分を補填し、牧畜を漁撈に一部代替させることを求めていたと考えられる。定住によって予想される牧畜環境の悪化を、良質な漁場の確保によって補おうとしている点で、この定住条件はカルムィクにとっての漁撈の重要性を際立たせる。

ステップ地域において、森林資源はとても貴重だった。森林は、家畜に飼料や避暑・防寒の場を提供し、家畜や人を対岸に渡す筏（いかだ）などを製作する木材の提供という役目があった。簗（やな）[*23]など、固定式の漁具の設置にも使用された。

このように、良質な漁場の確保という条件の存在は、定住化を巡る交渉が、ロシアとのあいだでの生存を巡るせめぎ合いだったことを物語っているのである。

●出稼ぎ労働者になり、半地下住居にすむ

しかし、前節で示したように、ロシア政府は様々な行政措置を通じて、遊牧

*23　簗（やな）
河川の一部を木材などで仕切って、魚の通路をふさいで捕らえる仕掛け。

民の移動性を削いでいった。多くのカルムィクは、遊牧生活を維持するだけの移動性を失い、その結果多くの家畜を失い、貧窮するようになった。そこでは生存維持の経済が必要であり、生存のための多角的な手段が必要となる。

一八三〇年代のカルムィク社会では、ウマ三頭、ウシ五頭、ヒツジ二〇頭の家畜をもたない家族は、貧しいとみなされたという。さらに貧しいカルムィクは、雇われ牧夫として富裕カルムィクの飼育場で働いたり、ロシア側に雇われる漁業労働者や製塩業労働者となったりした。統計によれば、一八六二年の時点で、牧畜を生業とする人口割合は、カルムィク・ステップ全体の三割弱に過ぎず、六七・五％のカルムィクは漁業労働に従事していた。さらに、カルムィク・ステップの東部では、牧畜人口が約一六％で、漁業人口が約八〇％に達していた。[*24]

一九一〇年には、保有家畜が二〇頭以下の世帯が、全体の八三・八％に達した。[*25] カルムィクの人口そのものが減少し、近い将来「消えゆく民」として、ロシア社会に認識されるようになった。

一部には、集約的畜産業者となり、市場で家畜を売って多くの富を得る者もいた。首領層にその割合は多かった。彼らはロシアの農村に、優秀な役畜として去勢雄ウシを販売し、美味な食肉を提供し、ロシア社会の食文化を豊かにした。カルムィク・ステップから届けられる牛肉は、「霜降り肉」として、とても高い品質を誇り、ロシア市場のみならず、フランス、ベルギー、イギリスなどにも輸出された。また、ロシア陸軍に向けて、軍馬や牽引用ラクダを供給し、その軍事力を支えた。こうした商業牧畜で裕福になったカルムィクには、木造

＊24
井上 二〇一四。

＊25
井上 二〇一四。

写真3－2　伝統的な住居の前で茶を飲む人びと
マクシム・ペトロヴィチ・ドミトリエフにより1917年以前に撮影。
Romanov Empire – Империя Романовых HPより。

やレンガ造りの住居を建てる者も現れた。

しかし、多くの貧民は、伝統的な移動式住居であるゲルを放棄せざるを得なくなった。それというのも、ゲルはもはや高価なものとなってしまったからであった。それに対し、半地下家屋は、建てるにも直すにも安く済み、長持ちした。*26 こうして、カルムィク貧民の多くがゲルを捨て、定住住居で暮らすようになった。

4　魚食の先にある牧畜民アイデンティティ

●魚に救われるいのち

一九一七年にロシア革命が起き、さらに内戦（第4章参照）に発展すると、カルムィク社会は革命側の赤軍と、それに反対する白軍の両陣営に分かれて戦った。赤軍への協力は、革命家ウラジーミル・レーニンの祖母がカルムィクの血を引いていたためだとも、革命権力がカルムィクの自治権を保障したからだとも言われる。

一九一四年初め、第一次世界大戦の前に、カルムィク・ステップの人口は一四万八〇二五人を数えたが、一九二〇年末までには、約二〇％減の一一万七一九〇人になった。カルムィクの経済基盤である家畜の状況は、壊滅的であり、一九一四年の九三万七八〇二頭から約八六・五％減の一二万六一〇一頭になった。また、種別頭数と一九一四年比の割合は、ウマ四万五二二二頭（六％）、ラクダ三六六一頭（一七・九％）、ウシ四万八四九二頭（二九・九％）、ヒツジ・ヤギ八万九二五七頭（一〇・一％）である。

*26 良質のフェルトに覆われたゲルは、毎年修繕をおこなえば最大で五～六年持つが、一〇〇～二〇〇ルーブルもするものだった。もっとも安いゲルは、薄い羊毛フェルトに覆われ、丈夫にするために石灰や糠を詰めた。それでもおよそ八〇ルーブルし、三年も経てば役に立たなくなってしまった。そのかわり、彼らは、藁入り粘土の日干し煉瓦で作った、半地下の住居に住むようになった。半地下家屋（ゼムリャンカ）は、建屋の半分以上が掘られた穴のなかにあり、穴の周囲には屋根の庇の高さまで盛り土されている。内部は一部屋か二部屋で、屋根は四斜面だった。建材（粘土、草、藁など）は、カルムィク・ステップで簡単に入手でき、補修も容易だった。こうした藁入り日干し煉瓦造りの半地下家屋を建てるのには、約二千個の煉瓦が必要だった。この半地下家屋を建てるのには、およそ七〇ルーブルかかったが、修繕の資金は必要なく、ただ作業時間がかかるだけだったのである。

一九二〇年、ソヴィエト連邦ロシア・ソヴィエト連邦社会主義共和国内に、カルムィク自治州が成立した。しかしカルムィク社会は、内戦と戦時共産主義体制による家畜の激減を経て、深刻な飢饉を迎えたのである。一九二一年に、カルムィク自治州の周辺地域では、戦時共産主義体制（第4章参照）と農産物徴発制度によって深刻な危機的状況にあり、農民蜂起などが頻発した。そのような状況で、カルムィキアを含む南部ロシアでは、一九二一年、二二年、二四年の旱魃によって、経済苦境はさらに悪化した。一九二二年の報告では、カルムィク自治州全人口の約九〇％が、飢餓状態にあったという。自治州は、畜産業の復活や農業の発展を図るとともに、漁業分野の整備に着手した。漁業収入は貴重な財源であり、住民に食料を供給し生命を守る重要産業となった。ソ連初期における生存の危機から、カルムィクを救ったのは、漁業だったのである。

●食肉産業への特化と、ウマ飼育への思慕のはざまで

ソ連政府は、国民経済の疲弊に対抗するために、ネップ（第4章参照）と呼ばれる、新経済政策を採った。ソ連全体では、内戦前の経済水準は一九二六年初めまでに概ね回復されたが、カルムィク自治州では、一九二〇年末まで遅れた。ネップも、カルムィク自治州での個人による家畜の所有には結びつかなかった。

ここで、食肉用のウシやヒツジの頭数が急激に増加したことについて、特筆すべきだろう。カルムィク自治州の、一九二八年の家畜総数一二三万四七五四頭のうち、一二〇万九七一〇頭が食肉用である。ウマは、一九一三年比で

三二・九％、ラクダは三二・九％の回復を示しているにすぎない。当時のソ連全体の食肉用家畜も、二八・五％の回復に留まっていた。つまり、回復したカルムィク経済の中心は、漁業と、食肉生産に特化した畜産に変わったのである。

しかし、牧畜への想いは簡単には変わらない。カルムィク自治州は、一九三五年に、カルムィク自治ソヴィエト社会主義共和国（以後、カルムィク自治共和国）に昇格した。[*27] カルムィク自治共和国の党指導者のひとり、ピュルベーエフは、[*28]「私たちのウマ飼育は大きな役割を担って」おり、カルムィク自治共和国は「赤軍の頑強な乗用馬の主要な供給地のひとつ」であるべきだと主張した。ウマ飼育を強化すべきだ、という彼の訴えは、まさにウマと共に生きてきた遊牧民の心からの願いだった。しかし、食肉生産を重視するソ連の経済志向とは相容れず、ウマ飼育の拡充は実現しなかった。

●失われる伝統的な牧畜文化

カルムィク自治共和国は、一九四一年から今度は独ソ戦の戦場となった。その影響で、一九四三年から十三年間、カルムィクの人々は「敵性民族」の汚名を着せられ、シベリアや中央アジアなどへ強制移住させられた。一九五六年、彼らが名誉回復を受け、ヴォルガ・ステップに戻ってきたとき、そこには家畜のいない、砂塵が巻きあがる荒野が広がっていたという。事ここに至り、カルムィクが連綿と受け継いできた、伝統的な牧畜文化は急速に失われた。たしかに、その後、カルムィク自治共和国の畜産業は大きく回復を見せ、経済の中心

＊27　カルムィク自治共和国の牧畜分野では、一九二六年頃から「富農」が所有する家畜・財産の没収が始まった。一九二九年半ばからは、「全面的集団化」と呼ばれる暴力的な集団化政策が行われた。集団化政策は、牧畜民の集団農場への加入を進め、旧首領層のもつ、生産手段、つまり家畜や飼育施設の暴力的な接収や、旧首領層への暴力や追放を伴うものだった。一九三五年には、第二次五ヵ年計画の目標をほぼ「達成」したと言われる。

＊28　アンジュル・ピュルベーエヴィチ・ピュルベーエフ　一九〇四－一九三八。全ソ連邦共産党カルムィク地域委員会第一書記（一九三四）、カルムィク自治共和国人民委員会議議長（一九三五）などの職を務めたが、一九三七年に逮捕、翌三八年に射殺された。

となったが、牧畜民の伝統的な営みというよりも、工業的畜産が称揚されたのである。

●アイデンティティが歴史を「消去」してしまうこともある

ここまで、牧畜民カルムィクの漁撈について、述べてきた。じつは、ソ連時代に注目を浴びていたのはカルムィクの牧畜ではなく、漁撈のほうであった。

ソヴィエト民族学では、唯物史観、つまり、社会の政治的・文化的特徴は生産様式に規定される、というマルクス主義の社会・歴史理論を根拠とした。カルムィク漁撈民の誕生は、「ツァーリズム」[*29]の結果としてのカルムィク「労働者階級」の誕生とみなされ、貧窮したカルムィク漁撈民は、家畜と牧草地を独占する首領や仏教僧侶と対置された。そして、「階級闘争」の結果としての、カルムィク・ステップにおける革命権力の樹立を、学問的に位置づけたのである。革命にとって、カルムィク漁撈民の誕生は、革命に不可欠な要素と考えられた。

しかし、一九九一年にソ連が崩壊すると、状況は一変した。カルムィク自治共和国は、ロシア連邦のカルムィク共和国となった。ソ連崩壊とともに、ソ連時代にもてはやされたカルムィク漁撈文化は、牧畜の後景に退くことになった。カルムィク・ナショナリズムは最高潮に達し、精力的に牧畜民としてのアイデンティティの模索がおこなわれた。

先に述べたように、カルムィクの伝統的な牧畜文化の多くは、シベリア強制移住政策と、その後の順民姿勢によって、すでに衰え失われていた。そこで、

＊29　ツァーリズム
帝政ロシアの専制政治体制のこと。ソ連史学では、否定的意味をもつ。

カルムィクは、失われた牧畜文化や宗教文化の再現を熱望し、同じモンゴル系諸族、とくにモンゴル国との連帯を強め、民族伝統の喪失を補おうとした。

さまざまな場面でモンゴル国の事例が参照された。同じモンゴル系の牧畜民社会だからといって、時代も地域も異なるのだから、同じままであるとは考えられない。カルムィクのアイデンティティを探す過程は、遊牧民、あるいは牧畜民としての過去を前面に押し出すあまり、カルムィク独自の伝統、つまり漁撈民としての過去を周縁化し、不可視化する結果を伴った。しかし、それだけ、牧畜民でありたいという強い意志が、カルムィクのなかに強く維持されていたともいえよう。

●ふたたび遊牧民の時代がやってきた!?

二〇一〇年代のはじめのころ、筆者が調査でカルムィク共和国に行ったときのこと。あるとき、ステップで馬に乗ってみせるカルムィクの青年が、「自動車は、現代のウマみたいなものですよ。自分は遊牧民だから、自動車を何台も持ちたいんです」と言い、白い歯を見せて笑った。また、あるとき、カルムィク国立大学の教授と雑談していて、話題が、携帯電話を駆使し、世界中あちこちに飛びまわるカルムィクの話になったとき、彼女は、少し興奮しながら、次のように言った。「カルムィクは、とても長いあいだ、土地に縛り付けられてきました。しかし、いま、やっと、カルムィクにふたたび遊牧民の時代がやってきたのです！万歳！」。

【参考文献】

●荒井幸康　二〇〇六『「言語」の統合と分離：1920–1940年代のモンゴル・ブリヤート・カルムイクの言語政策の相関関係を中心に』三元社。
●井上岳彦　二〇一四「カルムィク人はどのように定住化したのか」楊海英編著『中央ユーラシアにおける牧畜文明の変遷と社会主義』名古屋大学文学研究科比較人文学研究室、一一–二七頁。
●井上岳彦　二〇二〇「遊牧から漁撈牧畜へ――定住政策下のカルムィクについて（一八世紀後半～一九世紀中葉）」『地域研究』二〇（一）、三七–五五頁。
●カント　二〇〇一『自然地理学（カント全集一六）』（宮島光志訳）岩波書店。
●長谷川貴彦　二〇一五「メイクシフト・エコノミー論の射程：『福祉』への全体史的アプローチ（論点をめぐって）」『歴史と経済』五七（二）、三三–三九頁。
●宮脇淳子　二〇〇二『モンゴルの歴史：遊牧民の誕生からモンゴル国まで』刀水書房。
●Birtalan Á. (ed.) 2011. *Kalmyk folklore and folk culture in the mid-19th century: philological studies on the basis of Gábor*

魚は、いざという時に、カルムィクの生命を守り続けた。カルムィクの牧畜民は、生き残るため、つまり、定住化のなかの生存戦略として、漁撈という生業を選択した。現在のカルムィクの人びとは、魚も好んで食すが、人びとが魚を食べているとき、そのとき、漁撈をめぐる民族的記憶は、牧畜民アイデンティティの裏に隠れ、もはや見出すことはむずかしい。しかし、牧畜と漁撈とは、確かに固く結びつきながら、カルムィク社会を歴史的に形成してきたのだ。

この章は、牧畜民の魚食という、一見奇妙なテーマに取り組んだ。しかし、忘れ去られた漁撈や魚食をめぐる記憶にこそ、ヨーロッパを生き抜いてきたカルムィクの、牧畜民アイデンティティの生命力が隠されているのではないだろうか。

Bálint of Szentkatolna's Kalmyk texts. Budapest: Library of the Hungarian Academy of Sciences.

● Khodarkovsky, M. 1992. *Where two worlds met: the Russian state and the Kalmyk nomads, 1600–1771*. Ithaca: Cornell University Press.

● Khodarkovsky, M. 2001. *Russia's steppe frontier: the making of a colonial empire, 1500–1800*. Bloomington, Ind.: Indiana University Press.

● Wikimedia commons 2010. File: Kalmyk Khurul Tsagan Aman.jpg (https://commons.wikimedia.org/wiki/File:Kalmyk_Khurul_Tsagan_Aman.jpg)（二〇二一年二月二六日閲覧）.

● Romanov Empire – Империя Романовых n.d. Kalmyks. Astrakhan, South Russia city on Volga River (https://www.romanovempire.org/media/kalmyks-astrakhan-south-russia-city-on-volga-river-b01b4b)（二〇二一年二月二六日閲覧）.

● *Лепехин, И.* 1771. Дневные записки путешествия, Ивана Лепехина по разным провинциям Российского Государства, в 1768 и 1769 году. Санкт-Петербург: Императорская Академия Наук.

● *Тепкеев, В.Т.* 2012. Калмыки в Северном Прикаспии во второй трети XVII века. Элиста: Джангар.

第4章　ソ連はカザフに何をもたらしたのか？

……遊牧民と近代化……

地田　徹朗

カザフスタンの田舎道を車で移動していると、季節や地域にもよるが、大草原の彼方にみえるヒツジの群と馬に乗る牧夫、砂漠をのそのそと闊歩しながら硬そうな草を食むラクダの群、そんな光景をしばしば目にする。カザフはかつての遊牧民であり、今なお多くの人々が牧畜を生業として暮らしている。しかし、カザフの牧畜は一九世紀から今日に至るまで「近代化」の波にさらされつつ、大きく変容を遂げてきた。一年中、家畜や天幕[*1]と共に移動を繰り返していた、かつての遊牧民はもはやカザフには存在しない。

この章では、世界初の社会主義国家であるソビエト社会主義共和国連邦（以下、ソ連）による「近代化」政策が、中央アジア北部の草原地帯に住む、かつては遊牧民だったカザフの生業や社会にどのような変革をもたらしたのかということについて考える。第1節で、ソ連時代以前のカザフ社会と生業について紹介する。第2節で、ソ連という国そのものと、カザフ共和国の成立について述べる。第3節で、カザフ社会に甚大な被害と変革をもたらした、一九二〇年代末から一九三〇年代初頭にかけての強制農業集団化とその内容について検討する。そして、第4節で、集団化以降に出来上がったカザフの牧畜の特徴を踏まえつつ、ソ連はカザフに何をもたらしたのかということについて考えてみたい。

＊1　天幕
カザフではユルタという、牧畜民の移動式住居のこと。骨組みは木製で、そこにヒツジの毛からつくられるフェルトなどを被せる。かつてはラクダの背に乗せて、遊牧民は天幕と共に移動生活を送っていた。写真はクズルオルダ州立郷土史博物館にあるユルタの展示である。

写真4-1　ユルタ（天幕）

1　カザフと遊牧

●カザフという民族

カザフとは、主に中央アジア北部の草原地帯に住む、かつては遊牧を生業としていた民族である。その草原地帯のことを、カザフの民族名を冠してカザフ草原やカザフ・ステップと呼ぶ。カザフ草原では、歴史的に様々な遊牧集団が移動と混血を繰り返してきた。とくに、一三世紀前半、チンギス・ハーン[*2]の西進に伴い、テュルク（トルコ）系の遊牧民がカザフ草原に移動したことの影響は大きかった。そして、一四世紀頃までには現在のカザフとほぼ同じ人種的特徴と、カザフ語によく似た言語が定着したと考えられている。一五世紀にはカザフ・ハン国が成立し、それによってカザフ民族の形成が完了したとの議論がカザフスタンでは通説になっているが、カザフの民族としてのアイデンティティ[*3]が定着したと考えられるのは、一八世紀にカザフが東から攻め入ってきたモンゴル系の遊牧民オイラト[*4]と争うようになってからのことである（当時の勢力図は図4－1参照）。そして、一九世紀にロシア帝国のカザフ草原でのコサックやスラヴ系諸民族による植民地化が進むにつれ、カザフの民族意識はより強まっていった。

それ以前は、父親の系譜を辿ってゆき、それが共通する人々の集団に対してカザフは主たる帰属意識をもっていた。そのような、血縁と系譜に基づく集団のことを、部族といったり氏族といったりクランといったりする。[*5]各自の系譜

＊2　チンギス・ハーン
モンゴル帝国の創始者（在位一二〇六－一二二七）。一三世紀初頭にモンゴル全部族を統一し、中国・中央アジア・イラン・東ヨーロッパを次々に征服し、彼一代で世界帝国の礎を築いた。

＊3　アイデンティティ
自分は何者であるのかということの意識のこと。昨今では、民族やコミュニティなど集団への帰属意識を示す概念として用いられることが多い。

＊4　オイラト
モンゴル系の遊牧民の部族連合のこと。そのうちの、ジュンガル部が一七世紀後半から一八世紀中葉にかけてジュンガル帝国を打ち立て、中央ユーラシアを席巻し、カザフ草原にも攻め入った。第3章と第12章も参照。

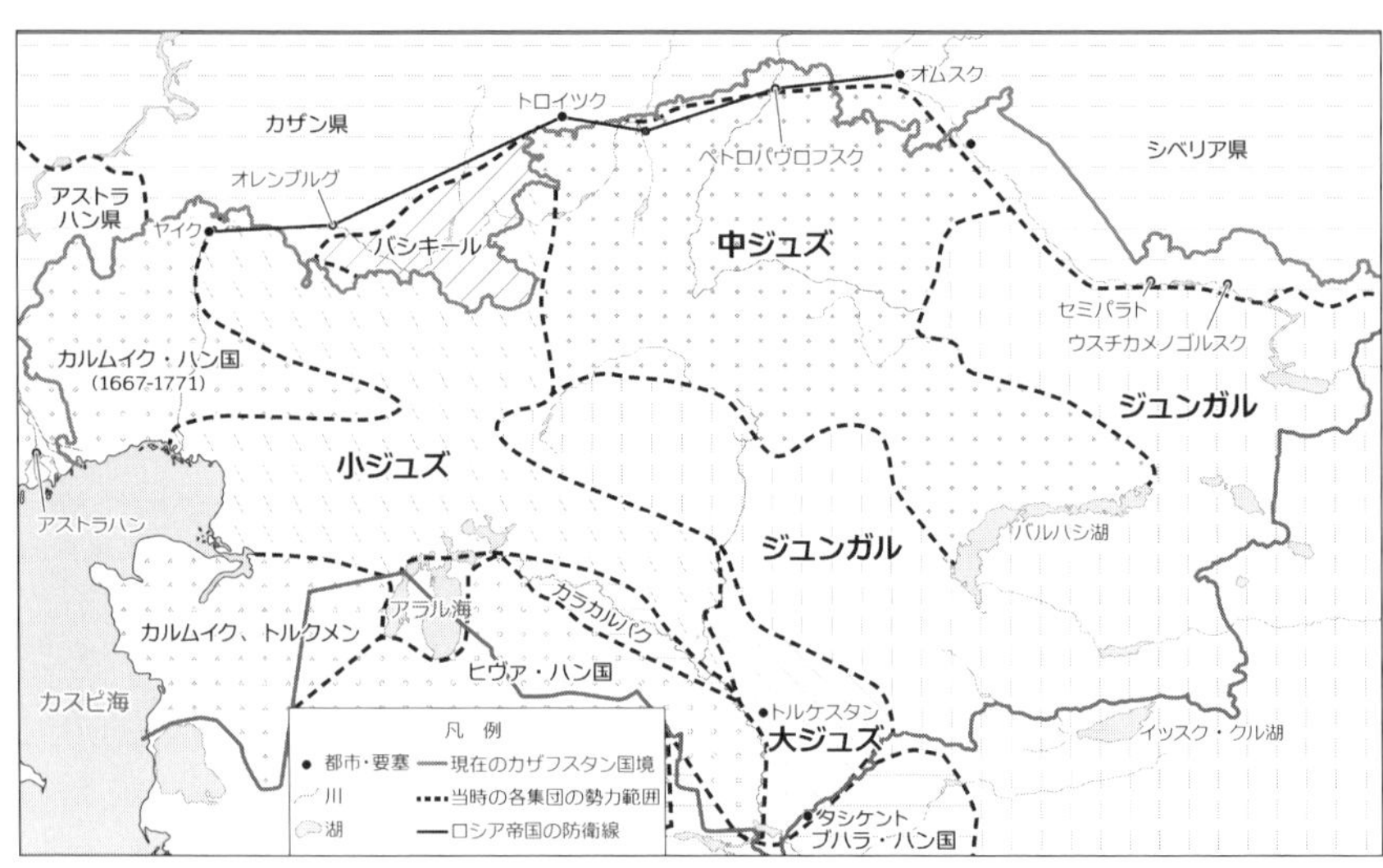

図4－1　17世紀後半～18世紀前半にかけてのカザフ草原の勢力図*7

は口承で伝えられており、必ずしも正確だとは限らなかった。カザフのあいだでは、父系の系譜上、七代までに共通する祖先がいる場合、婚姻関係を結んではならないという族外婚のルールが厳格に守られてきた。このような氏族に属する自由人や奴隷*6のことを、カザフでは「黒い骨」と呼んだ。各氏族は、地理的にまとまりをもった三つの氏族連合を形成し、それはジュズという。カザフ・ハン国は、一八世紀初頭までに政治的な統一を失い、大・中・小の三つのジュズが、それぞれハンを立ててカザフ草原を統治するようになった。

　このハン位に就くことがで

*5（前頁）「部族」は英語でいうとtribeであり、欧米の視点からみた「後進性」のようなイメージがつきまとう。「クランclan」とは、血縁に基づく派閥のような意味で用いられることもあるが、社会人類学的には共通祖先は措定されているがそこに至る成員間の系譜関係がはっきりしないような集団のことを指す。これに対し、「氏族」とは、クランに加えて成員の共通祖先との系譜関係を把握しているリニエッジlineage集団についても含み込む概念である。本章では「氏族」を用いるが、どの語を用いるかは著者によってまちまちである。

*6　奴隷　カザフにとって、捕虜、奴隷売買、負債が奴隷の供給源だった。奴隷の行為に対してはその主人が責任を負い、生殺与奪の権利はすべて主人にあった。

*7　Историко-культурный атлас 2011: Карта 2.2.

*8　トレ　チンギス・ハーンの子孫しかハン位に就けないという規範は「チンギス統原理」と呼ばれる。その男系子孫の系譜に属する人物をカザ

きたのは、トレ[*8]というチンギス・ハーンの男系子孫の系譜に属する人物のみであり、イスラーム[*9]の預言者ムハンマドの男系子孫の系譜に属するとされるコジャと共に、「白い骨」と呼ばれた。白い骨はカザフの貴族層を形成していた。トレはカザフ社会のなかで知的水準が高く、政治的・軍事的な影響力を行使して人々を動員・組織する能力をもっていた。そのような意味で、トレはカザフ社会のなかで大いなる権威をもっていたわけだが、経済的な力を誇示する存在ではなかった。

　血縁や系譜に基づくカザフのアイデンティティは、誰と相対するのかにより、柔軟に伸びも縮みもするものだったと言える。系譜によって、カザフは相手との遠近をはかってきたのである。系譜や氏族への帰属が日常的な重要性をもったのは、遊牧での移動経路や、季節ごとの営地の選定においてであった。定住農耕民のような、境界で囲われた土地への帰属意識や愛着はなかったものの、氏族と遊牧の移動経路上の場所とは紐づけられており、家畜につける焼印[*10]の標（しるし）によって所有主の氏族が区別された。

●カザフにとっての遊牧

　カザフ草原は、夏の酷暑と乾燥により草が夏枯れを起こす。天山山脈やタルバガタイ山脈など、高山が近いところに冬営するカザフは、夏は冷涼で牧草が豊富な山上を目指して垂直移動した。他方で、カザフ草原の中央部、シルダリヤ川[*11]沿いなど低地に冬営するカザフは、良好な草を求めて、夏は北へ北へと遊

フではトレと呼ぶ。第1章を参照。

＊9　イスラーム
七世紀前半に預言者ムハンマドが創始した宗教。信者は唯一神アッラーへの帰依と、神が最後の預言者ムハンマドを通じて啓示した『コーラン（クルアーン）』の教えを信じて従う。イスラームが中央アジア南部のオアシス地域に伝えられたのは八世紀のことだが、それが土着の信仰と混じり合いながら定着していくのには長い時間を要した。一六世紀までにはカザフの遊牧民社会にイスラームの影響が見られるようになったとされているが、それは支配者層に留まり、カザフの牧畜民の間でイスラーム化が大々的に進展したのは、ロシア統治下で様々な人の移動がカザフ草原で起きた一九世紀のことだった。

＊10　焼印
タムガと呼ばれる焼印は、今日でも家畜の所有者を識別するために用いられている。写真はカザフスタンの小アラル海地域の村で撮影したもの。

写真4－2　タムガ（焼印）

牧の移動距離が長くなる傾向があった。いずれの場合でも、冬期にはそれなりの降雪があり移動が困難になるため、特定の冬営地に近親縁者が集って留まることが多く、これがカザフ語でアウルと呼ばれる村落を構成した。ただし、水源が乏しく、冬期の降雪もわずかのウスチュルト台地[*12]やクズルクム砂漠[*13]のカザフは、決まった冬営地をもたずに通年乏しい水と草を求めて複雑に移動していた。いずれにせよ、草原ステップや沙漠が卓越し、乾燥・半乾燥地の厳しい自然条件をもつカザフの居住地域において、長距離の移動をともなう遊牧形態の生業は、エコロジカルな意味で理に適っていたのである。

●ロシア帝国による植民地化とカザフ社会

ロシア帝国の南下と植民地化に伴い、カザフ社会内部の序列関係も変化を余儀なくされた。小ジュズと中ジュズのハン位は、一八二二年と一八二四年にそれぞれ廃位された。大ジュズの地域も、一八五〇年代から六〇年代前半にかけてロシア帝国に併合された。カザフは、シベリアの先住民や他の中央アジア諸民族と同じく、法的には異族人というカテゴリーに含められ、ロシアの身分制度[*14]の枠外の存在とされた。当初、帝政ロシアはトレを懐柔してカザフ草原の統治の仲介者として利用しようとしたが、そのカザフ社会での貴族的な地位は法的には剝奪されていった。それでも、カザフ社会におけるトレの権威や影響力は、その後も残ったという。そして、第1章で詳述された、カザフの民族知識人の第一世代を多く輩出したのもこのトレからだった。

＊11　(前頁) シルダリヤ川アムダリヤ川とならび、アラル海に注ぐ中央アジア二大河川の一つ。ウズベキスタン東部、フェルガナ盆地でキルギスから流れてくるナルン川とカラダリヤ川が合流することで形成される。全長約二二〇〇キロメートル。

＊12　ウスチュルト台地
カザフスタン西南部のマングスタウ半島からウズベキスタン北西部にかけて、二〇万平方キロメートルにわたって広がる台地。主に荒涼とした岩石砂漠からなり、移動牧畜以外の生業は成り立たない。

＊13　クズルクム砂漠
日本語ではキジルクム砂漠ともいう。アラル海の西南、カザフスタンとウズベキスタンとにまたがって広がる砂漠。水があるところではオアシス農業が営まれるが、水辺から離れたところではカザフがラクダなどの移動牧畜を営んでいる。

＊14　ロシアの身分制度
一八世紀初頭にヨーロッパ諸帝国をまねて導入された。皇族、世襲貴族を頂点として、聖職者、商人、職人、農民、コサック(後述)などの身分があり、それぞれが特定の法的地位、特権、義務を有していた。

帝政ロシアは、征服が完了した小ジュズと中ジュズの地域から、土地を境界線で区切って、行政区画をつくって統治するという行政制度を導入した。カザフ草原は、遊牧民の貴重な放牧地というよりも、巨大な無主地とみなされた。征服した土地には最初にコサック[*15]の入植が行われ、穀倉地帯である中央ロシアやウクライナから、土地なし農民の移住と入植が後につづいた。彼らは、水資源へのアクセスがよく、農耕に好適な部分から次々に占有していった。それらは、本来はカザフの遊牧の移動径路にあたる土地だった。一八九一年、遊牧民が利用する土地は国有とされ、遊牧民の定住化が推進されることになった。一九〇五年革命[*16]の後、ストルイピン[*17]政府は独立自営を目指すロシア農民のカザフ・ステップへの入植を奨励し、カザフが放牧などで利用していた土地を次々と収用した。カザフによる面的な土地利用に大きな制限が加えられることになり、カザフの元来の遊牧径路は狭められ、分断された。結果として、遊牧形態の生業を放棄し、「半遊牧」とも称される夏期のみ家畜を伴って移動する生業形態がカザフ牧畜民の間で一般化した。ただし、定住農耕に完全に移行するカザフも数多く出た。

かくして、カザフ草原はロシア帝国の植民地と化した。遊牧民は「後進的」であり、定住農耕への移行がカザフの唯一の「近代化」の道だという考え方が、植民地官吏や植民者のあいだで広まった。植民地化により、カザフ草原全体がロシアの市場とより密接に結びつくようになり、カザフの間に貧富の差が生まれた。同族の親類縁者を部下として従え、数多くの家畜を保有していた豊かな

＊15　コサック　一五世紀後半、当時のロシア帝国の南部・南東部の辺境地域に、農奴制から逃れた農民や没落貴族、犯罪者などが武装化して結成した社会集団のこと。帝国の版図の拡大と共に、帝国によるコサックの活用が進み、一八世紀半ば以降、帝国の辺境防備と植民地化のためにまずコサック軍団が送り込まれるようになった。

＊16　一九〇五年革命　一九〇五年一月、ロシア帝国の首都ペテルブルグの労働者・民衆による示威行動である「血の日曜日事件」を発端として始まった革命運動のこと。二十世紀初頭のロシアの社会混乱を背景としており、日露戦争でのロシアの敗北は市民の不満に拍車をかけた。同年十月に、皇帝ニコライ二世の名で市民的自由と国会（ドゥーマ）の開設を約束する「十月詔書」が発布され、革命の動きは沈静化した。

＊17　ピョートル・ストルイピン　ロシア帝国の首相（在任一九〇六－一九一一）。一九〇五年後の反動政治を率い、社会主義者など革命派を容赦なく弾圧した。経済政策としては、自作農の創出による健全な中産階級の創出を目指し、カザフ・ステップへのロシア農民の入植を奨励したが、志し半ばにして一九一一年に暗殺された。

牧畜民や、家畜その他の取引をしていた商人層などがバイと呼ばれ、トレと並んで社会的・政治的な力をもつようになった。また、一部のカザフは現地人官吏として登用され、帝国政府とカザフ社会との仲介者としての役割を担うようになった。一九世紀後半、ロシア式の教育を受けたカザフの新鋭の知識人の一部はアラシュという政治運動を起ち上げた。彼らのなかには、遊牧の放棄と定住化はやむなしと考える者もいた。*18

●植民地化への反発と武力反乱

帝政ロシアによる植民地化とそれに伴うカザフ社会の変容は、カザフ人牧畜民の不満や怒りを否応なしに高じさせ、騎馬の扱いに熟達していたカザフはしばしば武力反乱を起こした。一九世紀中葉に起きたケネサル反乱*19は、後に英雄叙事詩（第12章参照）に刻まれた。そして、そのなかでも最大のものが、いわゆる一九一六年反乱である（第1章参照）。これは、第一次世界大戦中、帝国政府がカザフを含むアジア系の成人男子を戦地の後方支援に当たらせようとしたことが引き金となって起こった。しかし、実際のところは植民地化によるカザフへの圧政に対する積年の不満が、動員令が出たことで爆発したものと捉えることができよう。

*18　アリハン・ボケイハノフ、アフメト・バイトゥルスノフ、ミルヤクブ・ドゥラトフらがアラシュ派の知識人の代表的人物である。宇山一九九七。

*19　ケネサル反乱　カザフ・ハン国の再興を目指してロシア帝国に反旗を翻した武装反乱で、一八三七年から四七年までつづいた。反乱を率いたのは、カザフの三つのジュズを束ねてハン国を統治していたアブライ・ハンの孫にあたるケネサルであり、中ジュズのハン位の復活を宣言し、自前の行政・司法・徴税機構を整備しつつ転戦した。徐々にロシア軍に追い詰められ、最後はクルグズ（キルギス）との戦いに敗れて捕縛され、処刑された。

2　社会主義国家ソ連とカザフ自治共和国の成立

●革命と内戦

一九一七年、ロシア二月革命により皇帝ニコライ二世が退位し、ロシア帝国が崩壊すると、アラシュ派のカザフ知識人はアラシュ・オルダ党を結党した。同年十月には、レーニン[*20]率いるボリシェヴィキ[*21]が十月革命を起こしてソビエト政権を樹立し、世界初の社会主義国家が誕生した。しかし、ロシア国内には反ボリシェヴィキの軍事勢力が割拠し、凄惨な内戦[*22]が始まった。これに対し、ロシアの連邦のなかでの自治を模索していたアラシュ・オルダ党は、反ソビエト側の白軍と連携しつつ、自治政府アラシュ・オルダを創設した。ところが、白軍勢力が右傾化してカザフの民族的な利益に配慮してくれないと判断するや否や、一九一九年春から、ソビエト政権下での自治を受け入れるようになった。

ソビエト政権が内戦を勝ち抜くため、徹底した国家による経済統制と穀物徴発を軸とした戦時共産主義を導入すると、カザフ牧畜民の経営にも打撃を与えた。一九二〇年から二一年にかけてカザフ・ステップで起きた夏季の旱魃（かんばつ）は、冬季のジュト[*23]につながり、飢饉を引き起こした。その結果カザフの保有家畜頭数は激減した。カザフ・ステップ全体で経済が荒廃するなかで、ボリシェヴィキはバイや富農から特別税を徴収し、カザフ・ステップの食糧事情の改善を目指していく。このような国家による階級闘争[*24]の原則にもとづいたカザフ社会への介入は、後の農業集団化の時期に全面的に展開されることになる。

＊20　ヴラジーミル・レーニン　一八七〇－一九二四。暴力革命による社会主義国家の建設を主唱したボリシェヴィキのリーダー。十月革命後はソビエト政権の人民委員会議議長（首相に相当）に就任した。

＊21　ボリシェヴィキ　ロシア社会民主労働党が分裂し、その左派を中心にして形成された政党。ヴラジーミル・レーニンが率いた。暴力革命と中央集権的な組織統制を特徴としており、それはソ連共産党に引き継がれた。

＊22　ロシア内戦　十月革命後にボリシェヴィキを中心とするソビエト政権（赤軍）と、それに反対する諸勢力（白軍）との間で生じた戦争のこと。一九一八年五月から、諸外国による軍事干渉も起こり、本格化した。一進一退の攻防が繰り広げられたが、一九二〇年初頭までには赤軍の優勢が決定的になった。

＊23　ジュト　冬季の雪氷害にともなう家畜の大量死のこと。モンゴルではゾドという。詳しくは第8章を参照。

●新経済政策（ネップ）

白軍との内戦は、一九二〇年には赤軍の勝利で帰趨が決し、一九二一年、戦時共産主義にかわって経済における市場的な要素を部分的に許容する経済政策が取られるようになった。これは、新経済政策（ネップ）と呼ばれた。ネップ下で、荒廃の一途を辿っていたカザフの牧畜も回復していった。

これにより、カザフ牧畜民の間で通年での遊牧も復活しつつあった。一九二六年の国勢調査の結果によると、カザフの全経営のうち、二六・二パーセントが定住的、六五・七パーセントが夏季のみ移動、一・一パーセントが夏季と冬季の一部に移動（この二つは半遊牧に相当する）、六・三パーセントが年間をつうじての移動（つまり、遊牧）、〇・七パーセントがその他であった。[*25] ただし、遊牧に限らず、長距離の移動をともなう牧畜を成立させるためには、移動する集団の単位（世帯など）ごとに、ある程度の家畜の頭数が必要である。このような状況下で、多くの家畜を擁するバイの地方での権威は増していった。ボリシェヴィキにしても、自らの政権基盤を安定化させるために、地方の名士たるバイを政権側に取り込まざるを得なかったのである。結果として、末端レベルのソビエトや共産党組織ではバイや彼らの腹心が実権を握るようになっていった。[*26] 豊かなバイは統治機構のなかで自らの氏族の利益を追求し、貧しいカザフはますますバイの力に服するようになっていった。これは社会主義イデオロギーを掲げるボリシェヴィキにとって、由々しきことこの上なかった。

ネップ下では、工業は未成熟で工業製品の価格が高騰するいっぽう、農産物

＊24（前頁）階級闘争　ドイツの社会主義者カール・マルクスからロシアのレーニンに受け継がれた考え方。資本主義社会では、資本家階級と労働者階級の間での闘争（階級闘争）があり、社会主義社会を築くということは、階級闘争の結果として必然的に労働者階級（プロレタリアート）の独裁を出現させるとされた。

＊25　奥田　一九八二：二五八－二五九。

＊26　ただし、ソビエト政権によりレッテル貼りされた、この「バイ」なる社会的カテゴリーは曖昧なもので、本来の意味である家畜を多数保有して経済力があった人物だけでなく、トレなど庶人の間での権威を維持していた旧支配階層の人物も含まれることがあった。

の国による調達価格は低かった。[*27] カザフ牧畜民、とくにバイは、国庫に食肉を納めるのではなく、市場を通じて家畜や食肉を売却することを好んだ。以上のことすべてが、ソビエト政権側によるバイへの不信感を招いたと言える。

●行政境界とジュトによる避難

レーニン率いるボリシェヴィキ政権は、ロシア帝国とは異なり、革命当初から諸民族の自決を約束していた。レーニンは、民族自決を帝国からの分離権の付与と考えていたが、同時に、権利の獲得と行使とは別問題で、大きな国家の維持が望ましいと考えていた。そして、支配的な大民族のナショナリズムは絶対悪だが、少数民族のナショナリズムは必要悪だとも考えていた。それにより、少数民族内部での階級闘争が促進され、最終的には労働者階級の民族を超えた連帯がむしろ強まるとのビジョンを抱いていた。ボリシェヴィキ党内では、民族自決に反対する論者もいたが、最終的にはこのような思想と戦略が受け入れられてゆく。そして、一九二二年、ロシア連邦、ウクライナ、ベラルーシ、ザカフカス連邦からなるソ連が成立し、連邦構成共和国、自治共和国、自治州、自治管区といった、民族自治領域が整備されてゆく。一九三〇年代中葉までは、さらにその下に自治地区、自治村ソビエト、自治コルホーズ[*28]（集団農場）まで設置され、すべてが一定の領域をもつ境界線で囲われた。

カザフの民族自治領域について言えば、一九二〇年八月、カザフ自治共和国――一九二五年までは「キルギス自治共和国」と呼ばれた――が創設された。

＊27　このように、ネップの結果として、工業製品と農作物の価格差が大きく開いていったことを「鋏状価格差」と呼ぶ。これがネップの大きな問題点だとされ、その後のスターリンによる急激な社会主義化――「上からの革命」と呼ばれた――の呼び水となった。

＊28　コルホーズ　ソ連の集団農場のこと。コルホーズ形成当初は、集団化の度合いに応じた複数のコルホーズの形態が想定されていたが、最終的に、個人が私的に保有できる宅地付属地や少頭数の家畜などを除き、すべて集団所有とし共同労働を営むアルテリ型に落ち着くことになった。

その後、数次にわたる領域と境界線の変更を経て、一九三六年に連邦構成共和国であるカザフ共和国に格上げされた。

帝政ロシア時代から地方の行政区画は設定されていたが、民族原理に基づく自治領域の境界は、人々のアイデンティティとより密接にかかわっており、境界線などお構いなしに移動するカザフ牧畜民にとって不都合なものだった。旱魃やジュトが見込まれるさいに、緊急避難的に家畜と共に他民族の自治領域に移動して越冬しようとして、現地の行政当局とトラブルになったケースもあった。[*29] ただしソ連という主権国家の国境は絶対的なものであり、そこを越えてしまうと、ソビエト当局も手出しはまったくできなかった。地方のバイたちのなかには、同じ氏族やアウル（村）の構成員と共にいわばこの国境の「壁」をしたたかに利用して、ジュトであれ政治的なものであれ、危機が迫ると中国領などソ連国境の外に家畜と共に逃避しようとする者もかなりの数いた。

それ以外にも、ジュトが見込まれたさいに地方のソビエト機関が住民を干し草刈りに強制的に動員したり、羊毛などの予約買付により資金を前払いしたりといった社会主義的な対応策も取られたが、どれもあまり功を奏さなかった。カザフ牧畜民にとって、ジュトの回避方法はあくまで移動であり、バイなど地方の名士は上からの命令に対してサボタージュで応じることもあった。

*29 地田 二〇二〇：一九―二一。

3　強制農業集団化とカザフの牧畜の壊滅

●バイの追放策

一九二〇年代後半、ソ連当局は工業・農業双方の分野について、急速な社会主義化に舵を切る。まず、重工業を最重要視する経済計画を導入し、一九二八年から第一次五ヵ年計画を開始した。そのあおりを受けて消費財の生産と農村への供給は縮小し、農民の側は国への穀物や家畜の供出をさらに渋るようになる。ネップの限界であった。一九二七年から二八年にかけて穀物調達危機が生じ、都市部で食糧不足が顕在化すると、ソビエト当局は「非常措置」と称して農民から穀物や家畜を強制的に徴発し、様々な税の徴収の強化に乗り出した。

これに加えて、カザフ・ステップでは、潜在的にソビエト政権に反発する可能性がある、名の知れた地方の名士を七〇〇人ほど特定し、彼らの世帯から最低限の生活の維持に必要な家畜や財産のみを残してすべて没収し、彼らの現在の冬営地から遠く離れた地域に強制移住させるという、バイの追放策が打ち出され、一九二八年の秋口に実行に移された。

ここでも、多くのバイが財産徴発から逃れようと、様々な策を講じた。彼らは、持ち前の機動性をいかんなく発揮し、沙漠やステップの深奥部に逃げ込んだり、中国領に越境して徴発から逃げおおせたりしようと試みた。危機のさいに移動するというのは、牧畜民の性（さが）なのである。それ以外にも、家畜を同じ氏族の世帯に分け与えて自らの保有頭数を少なく見せかけたり、まだ生き残っていた市場まで移動して家畜を売り払って現金化したり、意図的に家畜や財産を隠匿したり、ジュトで家畜が死んだと過少申告したりして、難から逃れようとした。これらもきわめて牧畜民的な危機対応だったと言えるだろう。

これに対する当局側のバイへの対応は、冷酷なものだった。バイの追放策は、カザフ牧畜民のあいだでの社会・政治・経済関係を、階級原理に則って国家が統制・再編する試みでもあった。目指したのは、牧畜地域での氏族的な帰属に基づくカザフの序列関係を壊すことだった。それは、以下で述べる、強制的かつ全面的な農業集団化のプロセスのなかで、さらに徹底されることになる。

追放策の対象になったのは、著名なバイだけでなく、旧支配階層のトレ、宗教指導者コジャ、アラシュ・オルダ運動への参加者や支持者も含まれていた。ソビエト当局が提示した「バイ」と「トレ」との境界は曖昧で、名のある地方名士が軒並みターゲットになったのである。[*30]

●全面的集団化と定住化政策

一九二八年の「非常措置」は、その名のとおり一時的・例外的な措置と当初は考えられていたが、それはボリシェヴィキ内部での政治闘争の末、スターリン派[*31]が勝利することで継続されることになった。一九二九年秋には全面的な農業の集団化（コルホーズ化）の方針が確認され、階級としての富農の絶滅が目指されることになった。カザフの移動牧畜地域の集団化は一九三三年までに完了させるとされたが、後に一九三二年末までと目標時期が早められた。

＊30　地田　二〇二〇：三〇―三二。

＊31　ヨシフ・スターリン　一八七八―一九五三。レーニン亡き後、権力闘争の末にソ連の最高指導者となった人物であり、独裁者。一九二〇年代末から急激な社会主義化へと舵を切り、強制農業集団化を断行した。一九三〇年代後半には、潜在的な危険人物を物理的に排除する大テロルを指揮した。目的を達成するためには人的な犠牲は厭わないという姿勢は一貫していた。

カザフ自治共和国の指導部は、どのような形態での集団化を実現するのかで意見が割れていた。アラシュ派からボリシェヴィキに転向したカザフの幹部陣のなかには、アウルでの氏族的な紐帯を活かして小規模なコルホーズをつくることで、カザフを社会主義化することは可能だと考える者もいた。他方で、ヨーロッパ系の人物を中心としたタカ派の指導者たちは、可能な限り複数の氏族や民族を混成させて大規模なコルホーズを組織し、わずかな宅地付属地での私的営農を除いて、土地・家畜・農具を共同利用に付すという方針を示した。そして、まず後者の方針が採用されることになる。これは取りも直さず、従来のカザフ社会を行政的な手法で解体して再編するということに他ならなかった。ここに、生き残っている「バイ」から財産・家畜を収奪してコルホーズに配分してゆくという富農の撲滅策が加わった。そして、牧畜民も余剰穀物の強制徴発の対象となった。

強制農業集団化とコルホーズの形成は、理念的には、貧しいカザフの経済的な強化を目指すものだった。コルホーズに真っ先に集められたのは貧しいカザフであり、彼らを定住化させるという方針が取られた。しかし、その目的とは裏腹に、拙速に形成されたコルホーズには何ら生産活動に必要な機材や設備がなく、家畜を集めてきても食べさせる飼料すらないような状況だった。当然ながら、家畜はバタバタと死んでいった。

これに対し、比較的豊かなカザフは、家畜と共になんとかカザフスタンの領域外に逃げおおせようと必死になった。中国領で移動牧畜を営む親族を頼って越境するカザフは後を絶たず、北のロシアや南のウズベキスタン、トルクメニスタンに、なかにはソ連国境の外、アフガニスタンやイランにまで逃げおおせるカザフ牧畜民もいた。それができないと判断されれば、カザフは保有する家畜を屠ってしまい、コルホーズ向けに徴発されるのを是が非でも避けようとした。一九二八年と一九三四年との比較で、カザフスタン全体の家畜頭数は九割減少し、遊牧・半遊牧地域については、じつに九七・五パーセントも減った。[*32] 集団化によってカザフの牧畜は文字どおり壊滅状態に追い込まれたのである。

●反乱、飢餓、逃避

カザフのなかには、集団化に反発して武装反乱を引き起こす集団もいた。通年での遊牧が残っていたカザフスタン西部のマングスタウ半島では、一九二九年から三一年にかけて、勇猛果敢なことで知られていた小ジュズのアダイ氏族が大規模な武装反乱を引き起こし、反乱はソビエト権力により容赦なく鎮圧された。マングスタウ半島からは、二万世帯のカザフが、南のトルクメニスタンのカラクム砂漠に逃げ込んだという。[*33] 沙漠やステップの深奥部は、遊牧民にとって身を隠すのに格好の場所なのである。これと同じ時期、カザフ自治共和国全体で三七二の武装反乱があり、八万人以上のカザフが加担した。[*34] 自らを危機におとしいれる敵とは戦う。これも牧畜民の矜持（きょうじ）であった。

前述のとおり、急ごしらえで新造されたコルホーズの状況は惨憺たるものであり、集まった貧しいカザフからは家畜も穀物も奪われた。一九三〇年には、

*32 Pianciola 2004: 165, 168.

*33 Огайон 2009: 184.

*34 Правда о голоде 2012: 300.

自治共和国内の食糧が枯渇し、カザフスタン全土で大飢饉が発生した。素寒貧（すかんぴん）になったカザフは、コルホーズから脱走し、自治共和国の内外に四散した。逃げる体力を失ったカザフは飢えで野垂れ死んだ。劣悪な衛生状態から、伝染病も蔓延して死者の数を増やした。飢饉は一九三二年末まで断続的につづいた。

一九三〇年から三三年にかけて、富める者も貧しき者も含めて、カザフの半数に相当する二〇〇万人以上が故郷を離れた。そのうち八〇万から一二〇万人が自治共和国外に逃れたと推測されている。*35 逃避先では、家畜を失ったカザフは肉体労働に従事することになるが、そこでも多くのカザフが斃死（へいし）した。カザフの帰還政策がようやく始まるのは、一九三二年秋まで待たねばならなかった。一九二八年から三三年の間に、一一五万～一七五万人のカザフが死亡した。*36 この間にカザフの人口の三分の一が物理的に失われたことになる。*37

●集団化路線の見直し

このような拙速な集団化による悲惨な顛末を目の当たりにして、カザフ自治共和国の内部からも、集団化の方針について異論が出されるようになった。ソ連の指導者スターリンを非難するのではなく、その意向を受けてカザフスタンでの集団化を指揮していた自治共和国の指導部に、非難の矛先は向けられた。

一九三二年九月、カザフスタンのコルホーズにおいて「さまざまな氏族の人為的な機械的結合」*38 を非難するソ連共産党中央委員会の決定が発布された。これにより、従来考えられていた、新設の定住的な大規模コルホーズではなく、

*35 Огайон 2009: 214, 235.

*36 死者数の推計には幅があるが、これは共和国外への逃亡、共和国外にいる多数のカザフ人の存在など確定できない要因が多々あるためである。Козыбаев, Абылхожин и Алдажуманов 1992: 28; Огайон 2009: 330.

*37 一九二六年の全ソ国勢調査では、カザフ自治共和国のカザフ人は三六二万七六一二人だったのに対し、一九三九年の全ソ国勢調査でのカザフ共和国のカザフ人は二三二万七六二五人だった。

*38 奥田 一九八二：二七二。

それ以前から存在した移動牧畜の冬営地（アウル）に、単一の氏族からなる小規模のコルホーズを組織することが許容されることになった。そして、一定の頭数の家畜を各世帯が私的に保有することが許可された。しかし、カザフ牧畜民の多くが方々に四散してしまっている状況で、彼らが必ずしも故郷のアウルに戻れたわけではなかった。とくに、自治共和国外から帰還するカザフは、綿作や砂糖大根栽培や漁業のコルホーズなどに労働力として配分された。

4　ソ連はカザフに何をもたらしたのか

●カザフの牧畜、その後

集団化の要件が緩和され、自治共和国外に逃避したカザフの帰還が進むことで、コルホーズの形成と定住化が進んでいくという、じつに皮肉な状況が生じた。そして、一九三六年から三八年にかけて、コルホーズでの土地・家畜・農具の共同利用の度合いを高めることが再び推進された。しかし、この段階では、氏族単位での小規模なコルホーズには手をつけられることはなく、牧畜民にとって家畜が共有なのか私有なのか、その境界は依然として曖昧なままだった。

カザフ牧畜民の定住化については、スローガンが叫ばれるだけで、そのためのまともなインフラが整備されることはついぞなかった。実質的には、従来の半遊牧的な移動牧畜が継続されたと言ってよい。ただし、一九三〇年代初頭、集団化と定住化のなかで、遊牧民の物資の輸送手段だったラクダの頭数が激減したこともあり、牧畜民の移動距離は縮減された。かつてのような通年の移動を伴う遊牧形態の生業を行うことは、多くの地域で困難になった。一九四〇年代から五〇年代には、カザフ草原における移動牧畜の意義や利点が見直されてゆく。その後の、カザフの移動牧畜の組織原則や移動サイクルは、じつは集団化以前のそれとそれほど変わらなかったと指摘されている。[*39] かつてはカザフの後進性の象徴と見なされた移動式住居（天幕、ユルタ）は専門工場で生産されるようになった。

ただし、集団化のプロセスのなかで、氏族に基づくカザフ内部での階層構造は徹底的に破壊された。移動牧畜の径路は、ソビエト機関が策定するようになった。フルシチョフの時代には、氏族単位の小規模な牧畜コルホーズは合併されてゆき、複数の氏族が混交する大規模なコルホーズがつくられた。氏族について公に語ることはタブーとなったが、それでもカザフの基層的なアイデンティティとしてソ連時代を通じて消え去ることはなく、氏族や系譜はカザフの人々の遠近をはかる物差しであり続けた。氏族は、慢性的な物不足の状態にあったソ連で、しばしば相互扶助の単位にもなった。[*40]

一九九一年一二月、ソ連が解体し、カザフスタンが独立すると、すべての経済セクターが、否応なしに市場経済化改革の混乱に巻き込まれていった。牧畜も例外ではなかったが、それでも、牧畜民には家畜がいたため、都市住民と異なって、食うに困ることはなかったと言われている。牧畜コルホーズは、農業協同組合に姿を変えて存続するか、解体して世帯ごとの個人経営に移行するかした。農地の私有化は進んでおらず、農業企業が国から土地を賃貸して大規模

*39 Абылхожин 1997: 146.

*40 Schatz 2004.

な牧畜が営まれることもあるが、カザフスタンの多くの牧畜地域では、トラックやバイクなど文明の利器を用いつつ、移動牧畜が営まれ続けている。

●ソ連はカザフに何をもたらしたのか

それでは、ソ連はカザフに何をもたらしたのだろうか。ソ連の肯定的な側面として、カザフのあいだでの教育の普及と識字率の驚異的な向上、工業化の進展や、乾燥地・半乾燥地での水利・灌漑施設の整備などが、しばしば取り上げられる。そして、なによりも今日の独立カザフスタンの前身である、民族自治領域をカザフに与えたのもソ連だった。しかし、牧畜そのものやカザフ牧畜民に対して、ソ連が何をもたらしたのかということを考えると、何よりもまず集団化の悲劇のことを想起せざるを得ない。そして、その「成果」とはあくまで政治的なものだった。つまり、カザフの氏族の有力者が社会から排除され、カザフ牧畜民全体を社会主義国家ソ連の統制下に置くことができた、ということである。

ヨーロッパで生まれた近代国家というものは、そもそも不確実なもの、不可視なものを好まない。一八世紀半ば以降、産業革命や植民地の拡大に伴い、自国の領土や植民地に境界線を引き、領土内部の土地、天然資源、人口と労働力を正確に測り、それらを可視化・可算化することで合理的に利用しよう、住民から正確かつ最大限に徴税をしようという気運が高まった。一九世紀のロシア帝国によるカザフの植民地化は、カザフにこのような「近代的」な発想を持ち込むことになった。それは、移動を前提とした彼らの伝統的な社会のあり方とは相容れず、衝突をするなかで、徐々にカザフ社会が作り変えられてゆく過程だったと捉えることができる。その意味で、帝政ロシアによる植民地時代とソ連時代とは連続的に捉える必要がある。

これに対し、二十世紀になると、人間そのものや社会全体を合理的に統御しようという、いわば社会工学的な発想が前面に押し出されるようになる。[*41]社会主義建設を志し、プロレタリアート独裁を自認したソ連という国家、そして、ソ連を率いたスターリン自身は、農村社会全体を労働者の生活・生産空間に組み込もうとしたのである。それが強制農業集団化だった。しかし、カザフの集団化の顚末が示していることは、生業と自然環境とがエコロジカルな意味で密接に結びついているカザフのような牧畜社会において、拙速な社会改造を試みることは、それがごくわずかな期間であっても、想像を絶する悲劇を引き起こすことがあるということだ。[*42]二十一世紀に住む我々の世界にあっても、インターネットの普及やＡＩの進化に伴い、人間社会を合理的に統御しようとする人間の欲望は止まることを知らず、技術的にますます高度化している。それが今後、世界中の牧畜という生業や牧畜民社会にどのような影響を及ぼしてゆくのか、二十世紀に起きたカザフの悲劇を一つの教訓として、我々は注視してゆく必要があるだろう。

＊41　このような二十世紀的な社会工学的な発想のことをスコットは高度近代化主義 high modernism と呼んだ。このような発想が実際に人間社会に対して適用されたのは何も社会主義国家だけではない。Scott 1998.

＊42　それはさながら、伝統的な何かを破壊することで近代的な何かを創り出す、イノベーションを生み出すという、いわゆる「創造的破壊」の極端な形だと言うこともできるだろう。

【参考文献】

- 宇山智彦　一九九七「二〇世紀初頭におけるカザフ知識人の世界観：M・ドゥラトフ『めざめよ、カザフ！』を中心に」『スラヴ研究』四四、一－三六頁。
- 奥田央　一九八二「遊牧からコルホーズへ：いわゆる共同体の社会主義的転化の問題によせて」岡田与好編『現代国家の歴史的源流』東京大学出版会、二五七－二八九頁。
- 地田徹朗　二〇二〇「全面的集団化前夜のカザフ人牧畜民（一九二八年）：『バイ』の排除政策と牧畜民社会」『地域研究』二〇（一）、一三－三六頁。
- Kindler R. 2018. *Stalin's Nomads: Power & Famine in Kazakhstan*. Pitsburg: University of Pittsburg Press.
- Pianciola N. 2004. Famine in the steppe. The collectivization of agriculture and the Kazakh herdsmen, 1928–1934, *Cahiers du monde Russe* 45 (1–2), pp. 137–191.
- Schatz, E. 2004. *Modern Clan Politics: The Power of "Blood" in Kazakhstan and Beyond*. Seattle: University of Washington Press.
- Scott, James C. 1998. *Seeing Like a State: How Certain Schemes to Improve the Human Condition Have Failed*. New Haven: Yale University Press, 1998.
- *Абылхожин Ж. Б.* 1997. Очерки социально-экономической истории Казахстана. XX век. Алматы: Университет «ТУРАН».
- Историко-культурный атлас. 2011. Историко-культурный атлас казахского народа / Под ред. Ерофеева И. В. Алматы: Print-S.
- *Козыбаев М.К., Абылхожин Ж.Б. и Алдажуманов К.С.* 1992. Коллективизация в Казахстане: трагедия крестьянства. Алма-Ата: Институт истории и этнологии АН РК.
- *Огайон И.* 2009. Седентаризация казахов СССР при Сталине: Коллективизация и социальные изменения (1928–1945 гг.). Алматы: Санат.
- Правда о голоде 2012. Правда о голоде 1932–1933 годов / Под ред. Аягана Б.Г. Алматы: Литера-М.

第2部　境遇

ヨーロッパの諸原理の浸透により、牧畜民の社会は「近代化」の荒波にもまれてきた。しかし、国民国家の成立と市場経済化、さらにはグローバリゼーションの影響を被りつつも、彼らは、牧畜民としての矜持や誇りを様々な形で保とうとしてきた。第2部では、このような現代の牧畜民がおかれた「境遇」についてみていきたい。

第５章　ヒマラヤ牧畜民の暮らしに大切なものは何？

……交換と分業……

宮本　万里

遊牧や牧畜という言葉は、どこまでも広がる草原に駆ける動物と、移動しながらゲルのような大きなテントに暮らす遊牧民の姿を我々に想起させる。しかし、牧畜民のなかには、山岳地において比較的狭い範囲での季節的な移動を繰り返しながら暮らす者たちもいる。

本章では、世界の大山脈の一つとして知られるヒマラヤ山脈の小さな王国、ブータンの牧畜民の生活を紹介する。この山脈は低緯度に位置するため低地は亜熱帯気候だが、森林限界を超えた高地は農作物も十分に育たない寒冷気候となり、家畜に頼って生きる人々が多く住む。[*1] 彼ら高地牧畜民の生活は低地の生活とは全く異なるものだ。農耕の比重が高い民と、家畜への依存度の高い民は、生業のみならず、信仰や慣習、言語でも異なる特徴を持ち、しばしば異なる文化的単位とみなされた。

ブータンでは、近代化と国民統合へ歩みだした一九五〇年代以降、遊動性を伴う移動耕作や移牧は発展への障害と認識され、焼畑耕作民や牧畜民の定住化が進められたが、高地の牧畜民たちは必ずしも主流社会による周縁化や階層化の力に屈したわけではなかった。[*2] では、高地牧畜民は、主流社会や国家の持ち込む様々なまなざしや制度にいかに対峙し、自らの生業と暮らしを適応させて

＊1
ブータンの位置するヒマラヤ東部は、北部を中国のチベット高原に接し七〇〇〇メートルを超える大山脈が連なる寒冷気候であるが、南部はインド国境に接し、標高一〇〇メートルに満たない亜熱帯気候の低地となる。

＊2
例えば、高地牧畜民はしばしば役人に対する農産物や労働力の無償提供をしぶるなど、非協力であったことが知られている。

きたのだろうか。ここではとくにブータン中西部にくらす〈ラガップ〉と呼ばれる人々に注目し、高地の限られた資源を農耕民などの他者と日常的に交換しながら紡ぐ彼らの生と、その変容について考えてみたい。

本章は四つの節で構成される。第1節では、山岳高地の牧畜民、特にラガップの特徴を簡単に示す。次に第2節において、高地牧畜民と定住的な農耕民の間で結ばれてきたネップと呼ばれる相互共益関係を、モノやサーヴィスの交換や分業という視点から多元的に分析する。その上で、第3節では、定住化や経済開発を目指す政府の施策が、人々の暮らしやネップ関係に与えた影響について考察する。そして、第4節では、ラガップがそれでもヤクを飼い続ける背景と、そこにみる彼らの主体性の発露について考えてみたい。

1　山岳高地の牧畜民

山岳高地に住まう牧畜民の特徴とは何だろうか。搾乳や耕作用にウシ数頭を所有する有畜農耕民を国民の定型とし、水田の広さとウシの頭数が豊かさを示す西部中間山地の主流社会に対し、寒冷高地の人々は、ヤクやヒツジなどの家畜へ大きく依存し、耕作地を持たない者も多い。これらの高地牧畜民は、北西部ではジョップ、北東部ではブロックパ、中西部ではラガップなどと呼ばれ、その名称はしばしば貧しさや野蛮さのイメージを伴ってきた。

これらのうち、ジョップやブロックパと呼ばれる牧畜民の一部は、独自の民族衣装や慣習を持ち、北部国境の厳しい環境に生きる〈孤高の山岳民族〉として扱われ、観光政策でも国家主導の多文化主義の証左として描かれた。[*3]他方で、ラガップと称される牧畜民は、しばしば特徴的な文化を持たず、飛び地的な高地を生存圏とする、農耕社会の周縁の民とみなされてきた。しかし、農耕社会に隣接する彼らの生活様式は、山岳高地の牧畜社会における生業の多様性と農耕社会とのつながりの重層性を、一層鮮やかに我々に示してくれる。

2　ラガップの暮らしと境界

山岳高地を居住地とする牧畜民社会は、農耕中心の主流社会からは異なる文化的単位として周縁化された一方、両者は生産物やサーヴィスの交換をとおした強固な相互扶助関係を維持してきた。ラガップの暮らしにおける他者との関係や交換の動態を見ていくと、〈ネップ〉と呼ばれる低地の農耕民との相互共益的な関係が浮かび上がってくる。

●ネップ関係と多様な交換財

ネップはブータン国内では一般に低地の農耕民と高地の牧畜民の間でお互いや二者の関係性を指す言葉として使われる。それは「信頼のおける友人」、「中央の谷々のヤク、牛の所有者とその放牧請負人」であり、その関係は「互いに宿泊所、食事などの面倒をみてやる関係」とされるほか、[*4]「交易パートナー関係」や「擬制親族」、「制度化された友人関係」などとも言われる。[*5]それでは、ラガップにとってのネップとはいったいどのようなものだったのだろうか。

＊3　ラヤ（ガサ県）やメラ・サクテン（タシガン県）の牧畜民は、独自の民族衣装を纏った姿が観光地図などに描き込まれ、高地の暮らしを象徴する観光資源として活用されてきた。

＊4　月原　一九九二。

＊5　稲村　二〇一四。

ワンディ・ポダン県には、高地のN村を主村としてヤクの放牧を行う牧畜民がいる。彼らは夏のあいだ良質な牧草を求めて標高五〇〇〇メートルを超える国境地域まで上昇するが、冬が近づくと徐々に高度を下げ、最終的には標高約三八〇〇メートルにある複数の放牧地を循環的に利用しながら春を待つ。冬のあいだの主な滞在村をB村とする〈B・ラガップ〉は、低地の複数の農牧村とネップ関係を結び、乳製品や肉を穀物やトウガラシ（写真５―１）と交換した。谷あいに面したK村の家々もネップの一つであり、秋の収穫期には毎年、B・ラガップの数世帯が乳製品や森林産品を持ち込んだ。

B・ラガップの共同体では、女性が家畜の世話と乳製品づくりを担当し、男性は主食となる穀物の確保に責任をもつ。家畜の乳量の少ない冬期には、シンレップと呼ばれる、約二〇センチ四方の平らな木片も交換財となった。男性たちは放牧の合間に一日四〇枚ほどの木片を削り、一定量になると背負って山を降りた。二枚ひと組約七〇セットが一軒分として取引され、通常三年から五年の頻度で行われる屋根の葺き替えの際には、農民の多くがこれを求めた。

写真５-１　B村の軒下に広げられたトウガラシ

●他者への配慮と排除の契機

ネップは、異なる資源を交換しつつ互いを支え合う関係だが、そこには相手に対する繊細な配慮があり、それはチョムと呼ばれる手土産の交換にも現れている。

チョムの交換はブータン社会一般に見られ、農民であればコメやトウガラシ、牧畜民であればバターやチーズ、都市の住民であれば茶葉、マッチ、織布などを家族や親戚を訪問する際に持参した。ネップ関係では、牧畜民はバターや乾燥チーズ（写真5－2）や乾燥肉（写真5－3）をチョムとして持参し、農耕民の側も返礼として竹笊数杯分のザオという炒り米（写真5－4）やアラ*6という自家製蒸留酒を渡した。これは、農耕民が高地を訪れる際も同様であり、チョムに加えて相手が帰路で食べる食材も与えた。このような気前の良い土産の交換は、高地牧畜民と農耕民との安定的な関係に寄与してきたといえるだろう。

他方で、互いの家で寝場所を提供し合う関係性のなかには、一定の非対称性と排除の契機も見出すことができる。

ブータンの一般的な家屋は二階建ての構造であり、住居部は主に二階部分に位置する。家主は一般に訪問客を仏間などの最良の部屋に滞在・宿泊させるが、日雇い労働者や呪術者などは、二階の踊り場や、キッチン、居間の扉の近くなどに寝かせることも多かった。そしてB・ラガップも、ネップの家に滞在中、当たり前のように、台所兼居間の隅や階下の穀物貯蔵室、あるいは野外に積まれた干し草（写真5－5）の上などを寝所として提供された。動物の毛皮や毛織物を身に着け、異質な匂いや振る舞いを持ち込む高地牧畜民は、農耕民の生活に不可欠なパートナーであったが、しかし決して同等には扱われなかった。彼らは親しくも異質な、異形の他者であり続けたのだ。

*6　アラ
ブータンの蒸留酒。原料は各地で異なり、コメ、ムギ、トウモロコシ、ヤマイモ、ソバなどが使われる。

写真5－2　燻蒸される乾燥チーズ

写真5－3　ラガップの女性と放牧小屋の囲炉裏の上に吊られた乾燥肉

写真5－4　一晩水につけた生米を炒って作るザオ(右)。バター茶に入れて食べる

●屠畜[*7]を介した祭祀の共有

牧畜民の生業を構成する労働の一つには、家畜を屠るという行為がある。高地民の飼育するヤクの肉は、市場で穀物や生活必需品と交換できる貴重な交換財だ。とくに秋は、越冬の準備のため、より多くの雄ヤクが肉畜として売られ、屠られた。そして、こうした屠畜の習慣や技術は、低地の農耕民にも利用されてきた。

ワンディ・ポダン県の定住的な農村で広く飼育されてきたブタは、その肉が、土地神への供物や、親族への食事に不可欠な資源とみなされてきた。祭祀や法要のたびにブタが屠られたが、その担い手としてしばしばラガップが呼び寄せられた。一般にラガップは、準備のため法要の前日には到着し、ブタを屠る。屠畜方法は棍棒を使った撲殺であり、ブタの鼻の付け根を殴打する。食用にはブタの体毛を焼き切る必要があり、着火した麦藁などが使われる。体毛を焼き切ると、ナイフで表皮を削ぎ落とし、その後ようやく解体を行う。屠畜者の報酬は現物で支払われており、一番良い腹部の肉約五キロに加えて、ジュマと呼ばれる腸詰の加工品五キロ分ほどが手間賃となる。豚を飼わない高地民にとって、農耕民の祭祀は家族に豚肉を食べさせることのできる貴重な機会ともなっていた。

屠畜を終えたラガップは、法要の客として食事と酒を振る舞われたが、その給仕は他の客とは離れた場所で行われた。仏教僧を最上位とする儀礼空間において、殺生を行う屠畜者は、僧侶や親族、隣人とは異なる〈ケガレ〉た存在と

写真５－５　屋外に積まれた干し草

＊７
「屠畜」「屠殺」という言葉は日本ではときに差別などと結びつけて使用されたことから、その漢字使用を制限し、ト畜やト殺などと表記されることも多い。しかし利用を忌避することでかえってその言葉に負のイメージを定着させ、ひいては差別の実態や事実を覆い隠し、解決を困難にするという考え方も一般的になりつつある。ここではブータン牧畜民の誇るべき生業の一部として、あえてそれらの漢字をそのまま使用する。

して認識され、それを根拠とした差別的なふるまいが様々な形であらわれることもあった。[*8] しかし同時に、彼らが農民の身代わりにブタを屠ることで、農耕社会に深く結びついた仏教世界や、土着の神々への儀礼空間は、真正さや浄性を維持することができたのだった。その意味で両者は、儀礼が導く神々の祝福や恩寵を共有する、一つの宗教共同体の成員でもあった。

●物乞いをとおした〈貸し〉の回収

ネップ関係は、これら継続的で恒常的なモノとサーヴィスの交換によって維持された。しかし、この交換は必ずしも同時に起こるわけではなかった。

牧畜民は当然ながら、牧草が多く家畜の乳量が増す夏の間に、より多くの乳製品を産出できた。しかし、農耕民の収穫期は主に秋であり、したがって、牧畜民が夏のあいだに与えたチーズやバターの多くは、パートナーへの貸しとして記憶される。そして、その負債はラガップが低地へ移動する秋に、コメやムギなどの穀物の形で回収された。逆に農耕民の立場からすれば、牧畜民が秋に穀物を前借りし、夏にその貸しを乳製品などの形で返済しているともいえる。互いに借りを作り続けるという関係は、一面から見れば両者の平等性を示唆するが、農耕民のなかには、冬期に行われるコメの供与を、〈貸し〉の回収ではなく、他者への〈施し〉と理解する者もいる。

冬期に、交換財を持たずネップの世帯を訪ね歩き、トウガラシやコメの分配を要求する牧畜民の行為は、しばしば物乞いを意味する〈ランバ〉と呼ばれた。

＊8
ラガップの男性によれば、供物を多く持参した際には仏間に招かれる場合もあったという。しかし、B村出身の農民の男性によれば、ラガップは仏間には入れず、軒下などに寝かせたとし、扱いや関係性には個人差があったといえる。

しかし、乞われた相手が自由に断ることもできるはずの施しという行為が、実際に不成立に終わることは少ない。ラガップがランバに訪れるB村では、笊数杯分のトウガラシなどを、即時的な対価を求めず「いつもあげる」とする世帯が多くを占める。ある年配のラガップの男性は、以前ランバに自分が行ったさい、自分のネップである農耕民はいつも親切だったといい、その理由を尋ねると、「互いに必要なものを交換しているのだから、相手も良くしてくれるのは当然さ」と答える。

このように、ラガップにとってランバは、農耕民が借りを返す行為であり、自らの要求は正当なものなのだ。他方で、農耕民がランバというとき、そこには〈施す者〉として自己を上位に、〈施される者〉としてラガップを下位に置こうとする意識が見えかくれする。しかし〈物乞い〉に対して「いつも〈必要なものを〉あげる」と語る農耕民たちは、ランバが基本的にはネップ関係の内部で行われていると考えるからこそ、物乞いに来るラガップにも、当たり前に施しを与えるのだ。

●農耕社会の〈他者〉として

このように、中西部ブータンのネップ関係は、単なるモノを介した交易パートナーを超えて、屠畜などのサーヴィスの交換と、互いの共同体の祭祀を滞りなく行うための様々な配慮が含まれていた。しかしながら、これら二者の関係が、〈疑似親族〉を超えた実際の婚姻関係に発展することは稀だった。

B・ラガップが属するカジ郡の長は、ラガップと農耕世帯のあいだに存在した格差は解消されたと言い、その理由をラガップの経済的な地位の上昇に求めた。そして、以前は考えられなかった両者の婚姻関係も、現在は「起こりうること」だとする。しかし、B・ラガップとネップ関係にあるK村やB村の女性たちに尋ねると、彼女たちは笑った口を手で覆いつつ、身をよじりながら、その可能性を否定する。〈異質な他者〉であるラガップの男性との結婚は、彼らが獲得した富や豊かさに関わらず、現在もまだ彼女たちの想像の範疇の外にあるようだ。他方で、集団としてのB・ラガップも、農耕民との結婚を殊更望んでいるわけではなかった。ある年配のラガップ男性は、共同体の外で結婚したい若者がいれば「止められない」としながらも、「自分の村の娘らは自分たちで面倒をみたい」という。それは、B・ラガップがこれまで内婚集団[*9]として機能してきた可能性を示すとともに、牧畜民と農耕民のあいだに横たわる境界が、いかに強固に維持されているのかを物語るものでもあった。

3　ネップ関係の変化

それでは、こうしたネップ関係は、近年どのように変化しつつあるのだろう。道路や電気の敷設による定住化や、近代学校教育の普及による牧童の不足は、多くの牧畜社会で牧畜放棄を導いてきた。ここでは、ブータン政府の高地政策をたどり、人々の順化および抵抗のプロセスを多面的に描き出してみたい。

＊9　内婚集団
所属する集団内で配偶者を求めねばならない婚姻の規制を持つ集団のことを指し、親族集団や部族集団、身分・職業・宗教・地域などに基づく社会集団に認められる。

●冬の定住村の形成と共同体の分節化

Ｂ・ラガップは高地にＮ村という定住村をもつが、各世帯のうちの数名は、常に家畜とともにおり、一年の大半を放牧地で過ごす。全ての村人が放牧地からＮ村に戻るのは、八月と九月の二ヶ月間のみである。この月に、牧畜民は共同体の繁栄や、家畜の豊穣を願う集合的な祭祀を共同で行う。また、世帯ごとの家神を祀る年法要も、この時期にまとめて執(と)り行い、全ての祭祀が終わると、人々は再び家畜を連れて放牧地へ戻った。

村人は一〇世帯ほどで一つのグループを作り、四～五箇所の放牧地に対して用益権をもち、各放牧地には世帯ごとに簡素な放牧小屋を持つ[*10]（写真５―６）。彼らは秋になると高地の定住村から徐々に高度を下げて移動を行い、春を迎えると再び同じ放牧地を辿りながら高地の村へ戻る。彼らの放牧形態は、基本的には、一年中家畜を追って移動を続ける「純遊牧」[*11]に近いといえる。

Ｂ・ラガップの一部が冬期に定住するＢ村には、定住型の農牧民が常駐する他、夏期には温帯や亜熱帯の低地から数世帯が涼を求めて移住した[*12]。そもそもＢ村にラガップが家を建て始めたのは二〇〇四年ごろであり、およそ一五世帯が村に土地を購入した。また二〇一三年には、村から徒歩数時間の距離にあるＤ村に、国王が各世帯一五ディスマル[*13]の宅地を用意し、下賜(かし)した。その土地は、しばらく手付かずで放置されていたが、近年にわかに「ブータン式」住居（写真５―７）の建設がすすみ、Ｂ・ラガップにとってもう一つの冬の定住村を形成しつつある。

＊10　放牧小屋
木造の小屋は壁や屋根を補強しながら毎年繰り返し使用され、一ヶ月後には小屋の入り口を閉じて別の放牧地へ移動する。

＊11
Kazanov 1994.

＊12
山岳地域の放牧や農耕ではトランスヒューマンス（季節的移住）の習慣がよく知られている。これは、夏と冬、それぞれの季節に標高の異なる場所に村を持つ習慣である。Ｂ村の場合は、農耕民や牛を飼う牧畜民にとっては冷涼な夏の村であるが、ヤクを飼う牧畜民にとっては暖かい冬の村となる。

＊13　ディスマル
一〇〇ディスマルはおよそ一エーカーに対応する。

これらの事例は、高地牧畜民が低地に土地を獲得したことで新たに冬の村が形成されたことを示すが、それが複数箇所に渡ることによって、牧畜民の共同体自体が分節化しつつあることも示唆している。

低地に家を持つという牧畜民の経験は、ネップ関係の質も大きく変えつつある。従来、乳製品などの産物は、その都度滞在する放牧地からもっとも近いネップの村へ運んで穀物や野菜と交換した。しかし現在では、低地に建設した家を中継地とし、そこに敷かれた道路を使って自家用車で運搬することが可能となっている。移動時間が短縮されたことで日帰りが可能となり、ネップ関係を特徴づけた宿や食事の相互提供も不要となりつつある。

このように、儀礼における屠畜のサーヴィスや、食事、酒、チョム、寝場所の供与をとおした場の共有が、両者の豊かな結びつきを醸成してきたネップ関係は、現在、生産物の直接的で共時的な交換関係のみが残存する、一元的な交易パートナーへと急速に収縮しつつある。

●冬虫夏草は頼れる資源か

低地の村落での半定住生活とともに、ラガップの生活世界や経済状況に大きな変化をもたらしたのが、ブータンでヤツァ・ゲンボとして知られる冬虫夏草[*14]採集の解禁である。

およそ五〇〇〇メートルを超える寒冷高地に生息する冬虫夏草（写真5－8）は、中国など東アジアを中心に、漢方薬として高値で取引される希少な薬草で

写真5－6　簡素な放牧小屋

写真5－7　D村に建設されたブータン式住居。多くのラガップがピックアップ・トラックを所有する

＊14　冬虫夏草（ヤツァ・ゲンボ）　子嚢（しのう）菌類で、土中の昆虫類に寄生した菌糸から地上に子実体（きのこに相当するもの）をつくる。冬は虫として過ごし、夏には花になると考えられたことから、冬虫夏草と名づけられた。

ある。ブータンでは厳しい森林管理政策が実施され、林産物や薬草類の自由な採集が制限されてきたが、二〇〇四年に国王は「高地民」にのみ排他的な採集権を与えることを決めた。採集権は各世帯最大三名に与えられ、用益権を維持する放牧地に対して採集の権利を主張できた。資源保護の観点から、採集期間は六月に限定され、期間が終わると各郡で競売が行われた。

ラガップが多く住むワンディ・ポダン県のセフ郡とカジ郡では、ほとんどの高地牧畜民に採集権が与えられたが、牧畜の継続という観点からみると、両者がたどった道は対照的だ。まずセフ郡では、村人はおおむね冬虫夏草の採集に従事し、それによって得られる現金が徐々に村人の生活を支えていった。以前は一〇〇頭以上のヤクを所有する者も少なくなかったが、現在は二〇頭から三〇頭平均にまで縮小し、最終的には牧畜自体を放棄する者も出はじめている。

ある若い夫婦の世帯は、子供の就学による牧童の不足からヤクを売り、牧畜を放棄する一方、冬虫夏草の採集には毎年夫婦で参加し、現金収入を得ていた。他方で、一人親世帯の女性は、子供の就学のために同じくヤクを全て売ったが、冬虫夏草採集も危険が伴うため一人では行けず、機織りなどで少額の現金を得て暮らしていた。

冬虫夏草というオルタナティブな資源の登場は、牧畜民に今までとは違う夢を与え、子供の教育などへの投資を増やした。しかし、それが結果的に牧畜の放棄を促し、ヤクを〈生活に不可欠な家畜〉の地位から引き下ろすことにもなった。それに伴い、セフのラガップと農耕民の間に存在したネップ関係もまた、

写真5-8　冬虫夏草（ヤツァ・ゲンボ）は収穫後に乾燥し、泥などの汚れを取ることで初めて商品となる

急速に消滅しつつある。

対するカジ郡のB・ラガップにとって、冬虫夏草の採集適地である五〇〇〇〜六〇〇〇メートルの高地は、徒歩七日間の道のりで遠いうえ、与えられた放牧地での採集量は決して多くはなかった。隣県の放牧地で盗掘を行う例も報告されているが、境界侵犯が露見すれば、全ての収穫物を森林保護官や侵入先の牧畜民に奪われることもあり、冬虫夏草は決して安定的な収入源とはみなされていない。

セフ郡の例と同じように、児童の就学による牧童の不在は、カジ郡でも労働力の不足や家畜頭数の減少を引き起こしている。しかしB・ラガップにとって、ヤク飼養はたんなる生業である以上に、共同体の成員としての義務と考えられている。N村の村長は、ヤクを完全に手放す者がいないのは、それが「昔からの習慣」であり、手放せば「村人に何を言われるかわからない」からだという。B・ラガップにとって、共同体への所属とヤクの飼養は切り離しがたく結びついており、その放棄が共同体からの排除につながるという危機感を、村長や村人の発言は示していた。そして現在も、B・ラガップは、規模を縮小しながらも全ての世帯で牧畜を継続し、高地の放牧小屋を渡り歩きながらヤクと共にある暮らしを維持している。それは、農耕世帯に必要な乳製品や肉などの資源を準備し、ネップ関係の維持に貢献してきた。

●「高地民」から「国境防衛の戦士」へ

冬虫夏草採集が解禁された当初、この新たな生業の出現は、〈貧しい牧畜民〉に対する経済振興策として歓迎されたが、資源の枯渇に危機意識を高めた森林局は、徐々に採集の抑制と牧畜の再興も促していく。その施策の一つが、二〇一〇年から実施された「ノマド・フェスティバル（遊牧民祭り）」だ。

森林局と観光協会の肝いりで開催されたこの祭りでは、当時の農林大臣が冬虫夏草への依存を「非持続的」と断じ、「環境を維持し文化を保護すればエコ・ツーリズム開発のような新たな機会も到来する」と述べて「遊牧民」社会の観光資源化を推進した。[*15] しかし二〇一四年には開催地の知事が、祭りを「遊牧民が辺境の国境防衛に果たしてきた不可欠な役割を、一般市民が理解するためのプラットフォーム」として位置付け、[*16] 二〇一六年には名称も「ロイヤル・ハイランダー・フェスティバル（王立高地民祭り）」へ変更された。[*17] 祭りの対象は「遊牧民」から「高地民」へと狭められたのだ。

この祭りにおいて観光協会は、高地民の生業を「持続可能」で「革新的」だとし、その文化を「ブータンの誇り」として改めてアピールしていく。さらに高地に移動した会場には、高地民の夏の住居であるヤク毛の黒いスパイダーテント（写真5－9）が張られ、彼らの暮らしが再現された。その上で、牧畜民同士の交流も促し、国内各地の高地民がその「価値、知識、技術、そして高地とヤク牧畜に関する最上の慣習」を交換し、学び合うべきとした。

こうした文化保護への欲求は、その消失が急速に進んでいるという認識と無

*15 WWF 2011.

*16 Ministry of Agriculture and Forests, Royal Government of Bhutan 2014.

*17 Dzongkha Administration, Gasa, Royal Government of Bhutan n.d.

写真5－9 硬いヤク毛で編んだ小さな布を継ぎ合わせて作るスパイダーテント

関係ではない。スパイダーテントの設計者は絶えて久しく、テント用の布の織り手も減少し、修復は困難になっている。高地民の衣装も、市販の毛織物やダウンジャケットが、ヤク毛や羊毛の毛織布（写真5－10）や動物の皮にとって変わった。このように打ち捨てられつつあった技術の復興や保存は、北部国境問題が先鋭化して改めてナショナルな課題として認識され、政府の注目を集めた。そこでは、北部高地牧畜民の文化や生活様式という、主流社会にとっての〈異文化〉が、〈我々の文化の一部〉として読み替えられ、〈ブータン文化〉や〈ブータンの誇り〉として再定位されるプロセスをみることができる。

　しかし、こうした政府主催の〈高地牧畜民文化〉保護政策が、B・ラガップに与えた影響は限定的だ。祭りには例年三名の代表者のみが参加しており、彼らは、政府が交通費や食費を支払い招待していることに感謝する一方、自らが祭りの主体であるという意識は薄い。ラヤやメラ・サクテンなど北東部や北西部の高地牧畜民が、独自の民族衣装やテントを持ちこみ、政府主催のお仕着せの祭りのなかで観光資源としての役割を強いられる一方、ラガップは特別な文化資源を持たない周縁的な存在として扱われた。国境に接しない飛び地の高地民である彼らは、国境防衛の戦士として政府の青写真に合致するものでもなかった。

　このように、B・ラガップは実際のところヤクを飼うことを共同体の属性とし、遊牧的な生活を送りながら高地に留まるという、政府が思い描く高地牧畜民の姿を体現していたが、その価値が国から顧みられることは稀だった。中国

写真5－10　ラガップの女性たちが使い続ける毛織りの肩掛け。防水効果があり雨具にもなる。一枚の織り布を首元のピンで留めて着る

との国境問題が顕在化し、[*18] 国王が北部高地牧畜民の村々を訪ねた二〇一七年にも、[*19] B・ラガップの村が王の訪問や観光地化の対象地域となることはなかった。彼らは道路も電気もない低開発状態に置かれたまま、ときおり政府から気まぐれに与えられる資源や注目を受け流し、低地に分節的な定住村を生み出しながら、ヤクの飼養を自らの属性とする共同体を強固に堅持し続けている。

4　高地牧畜民の主体性

ブータンの政治経済の中心である西部の中間山地では、コメを作り、ウシを飼い、チベット仏教のドゥク派を信仰する人々が主流社会を構成してきた（第10章参照）。他方で、これらの属性を共有せず、ヤクに依存して遊動的な生活様式を維持する高地牧畜民は、雪に覆われた大山脈の麓に暮らす、タフだが貧しく野蛮な牧畜民として周縁化されてきた。そして、開発の文脈においても、「低開発」状態に留め置かれてきたといえる。しかし、これらの高地牧畜民と農耕民とは、互いに異なる文化的単位として認識しつつ、ネップと呼ばれる相互に共益的で補完的な関係を作りだしてきた。

農耕民は、屠畜労働の従事者や物乞いとして高地牧畜民を他者化し、周縁化したが、同時にもっとも重要な年次儀礼にさいして彼らを招き、儀礼のあいだは客人としてもてなし、仏教神や土地神の祝福や守護を共有するなど、親族関係や友人関係の末端に包摂してきた。しかし、彼らの訪問時に与える寝所や給仕の順位は「疑似親族」や「友人」といえるほど平等ではなく、その関係性に

＊18　ブータン＝中国国境問題
北部国境の画定は中国とブータン両国の長年の懸案事項であったが、二〇一七年に中国軍の領土侵犯が明らかになると、ブータンの保護者を自認するインドが自国軍を北西部国境地域（ドクラム）に展開し、両軍は国境において二ヶ月間の睨み合い演じた。その後インド軍が撤退し、問題は一定の収束をみている。

＊19
北部高地の防衛上の脆弱性が白日の下に晒されたのち、国王は高地の牧畜村を訪ねてヤク放牧を継続するように要請した。また、同年十月には首都で初の高地民会議を開催して、北部十県から三五〇名の高地民を呼び寄せた。Kuensel 2017.

は常に潜在的な排除や抑圧の感覚が埋め込まれていた。

他方で、高地牧畜民の側から見ると、農耕民が与えるコメやムギなどは、自らの持てる資源と技術を放出した対価であり、農耕民が物乞いと認識した振舞いも、高地牧畜民にとっては夏期の貸しを回収する行為に他ならなかった。農耕民のネップの家では下座に身をおき、遠慮がちに振る舞いながらも、自らを〈農耕民の温情にすがり一方的に利益を享受する受益者〉とは決してみなさず、相互に資源を交換する、対等なパートナーと考えてきたのだった。

しかし、高地民の暮らしに不可欠であったネップ関係は、冬虫夏草採集の解禁による代替的な収入源の開発や、政府の再定住政策による共同体の分断によって現在徐々に失われつつある。それは一方で、高地と低地の人々を垂直的に結びつける山岳地の歴史的な経済構造を改変し、山岳高地の暮らしを支える知恵と、交易パートナーであり、施主と屠畜者であり、客であり物乞いであるような、複雑で豊かな関係性の喪失を意味した。しかし他方で、それは農耕民からの経済的自立を可能とし、ネップ関係が内包してきた主流社会の既存の階層性や非対称性からの解放を導いたともいえるだろう。

では、こうした変化は、高地牧畜民にヤク飼養という属性を完全に放棄させる力として働いたのだろうか。すでに述べたように、B・ラガップの夏の定住村や放牧地は、中部の飛地的な高地にあり、冬虫夏草の採集適地からは遠く、採集量も不安定で非持続的である。「ヤツァゲンボ（冬虫夏草）はいつ採れなくなるかわからない」と話す彼らは、資源が枯渇する可能性を認識しており、そ

【参考文献】

- 稲村哲也　二〇一四『遊牧・移牧・定牧：モンゴル・チベット・ヒマラヤ・アンデスのフィールドから』ナカニシヤ出版。
- 月原敏博　一九九二「ブータン・ヒマラヤにおける生業様式の垂直構造」『ヒマラヤ学誌』三、一三三－一七六頁。
- 月原敏博　二〇〇〇「移動牧畜の類型と遷移に関する考察」『人文研究』五二（八）、四七－七一頁。
- 宮本万里　二〇二〇「ネップ関係からみるブータンの高地牧畜民社会とその変容：北部国境防衛と定住化の狭間で」『地域研究』二〇（二）、七九－九五頁。
- Dzongkhag Administration, Gasa, Royal Government of Bhutan n.d. Royal Highland Festival (http://www.gasa.gov.bt/tourism/royal-highland-festival/)（二〇二〇年一一月三〇日閲覧）.
- Kazanov, A. M. 1994. *Nomads and the outside world*, 2nd ed. Madison: University of Wisconsin Press.
- Kuensel 2017. Take development to the highland (October 20, 2017) (https://kuenselonline.com/take-development-to-the-highland/)（二〇二〇年一一月三〇日閲覧）.
- Ministry of Agriculture and Forests,

の場合には再びヤクに頼る生活が待っていることを知っている。だからこそ、彼らにとってヤクは、共同体を結びつけるシンボルであるのみならず、暮らしを支える、持続的で頼りがいのある資源であり続けているのだ。

　経済的な格差が是正され、低地への移住が進み、農耕民のネップとの間にも通婚の可能性があると言われる現在においても、高地牧畜民社会は低地の農耕民社会と完全に融合することはない。

　しかし、二者間に未だに横たわる境界線は、必ずしも農耕社会の持つ眼差しのみに起因するものではなかった。Ｂ・ラガップは自ら自律的な内婚集団であることを望み、また農耕社会との差異を明確にし、共同体の成員を結びつけるシンボルであり資源として、ヤクを飼い続けることを選択している。そこには、ブータンの主流社会からしばしば異質で野蛮な他者として描かれた貧しい周縁の民の姿はなく、いわば〈誇り高き高地民〉として自己を認識し、共同体の独自の規範を堅持し、主流社会による均質化の力に抗しつつ生きようとする、高地牧畜民の力強い主体性をみることができる。

Royal Government of Bhutan 2014. 5th Nomads' Festival (February 23, 2014) (http://www.moaf.gov.bt/5th-nomads-festival/)（二〇二〇年一一月三〇日閲覧）.
● Van Driem, G. 1998. *Dzongkha*. Leiden: Research School of Asian, African and Amerindian Studies.
● World Wide Fund for Nature (WWF) 2011. Second Nomad's Festival (March 23, 2011) (https://www.wwfbhutan.org.bt/?199741/Second-Nomads-Festival/)（二〇二〇年一一月三〇日閲覧）.

第６章　エチオピアの牧畜民は農耕民になるのか？

……生業と国家……

田川　玄

一九七〇年代、アフリカ北東部エチオピア南部の原野に、キリスト教の伝道団が牧畜民に布教するため教会を建てた。二〇〇九年、昔を知るオランダ人神父は、土を耕すことをとても嫌っていた牧畜民のボラナが、周囲の土地を農地に変えてしまったことを嘆きながら語った。ボラナは、他の牧畜民と同様に家畜とともに生きることに強い誇りをもち、農耕や狩猟採集などの生業を見下していた。ところが、そのボラナがかつて家畜を放牧していた原野を耕作地にして農耕を行っている。

どうして、土を耕すことをあからさまに嫌悪していた牧畜民が、二〇世紀終わりから自ら農耕を学びはじめ、今や多くの人にとって生きていくうえで必要な生業となったのだろうか。

天候不順から旱魃（かんばつ）が続き、家畜の多くが死んでしまったからか。限られた放牧地に家畜を過剰に放牧してしまい、家畜の食べる牧草が再生できなくなるほど生態環境が荒廃してしまったからなのか。しかし、家畜の増減や生態資源の悪化は、人類が牧畜を営むようになってから常に直面してきた問題であり、それを乗り越えてきたはずであるし、また、同様のことは他の生業でも起きている。そもそもボラナは、ある程度は農耕が可能であった土地に、そのような選択をしてこなかったのである。

根本的には牧畜は、人と家畜と自然（雨と牧草）の三者から成り立つ生業である。とくに牧畜民ボラナの住む半乾燥地帯では、規則的に雨が降るわけではなく、その時期と場所は気まぐれである。このため、牧畜民は家畜をともない広い空間を状況に応じて移動してきた。

ところが、一九世紀の終わりに、アフリカの牧畜民は近代国家によって統治されることになった。近代国家は境界で分けられた領土の統治を行う。アフリカでは、人びとの生活空間に関係なく恣意的に国境線が引かれ、国内では統治のための空間である行政区分が作り出された。こうしたなかで、移動を必要とする牧畜という生業は圧迫され、代わりに定住的な農耕が拡大していくことになる。

この章では、近代国家の統治制度が浸透するにつれて、牧畜社会がどのように変化しているのか、主に農耕に注目して明らかにしていきたい。

第1節では、牧畜民ボラナの現在の生活の一端を知ってもらうため、集落の一日を大まかに描く。第2節では、ボラナ社会についての歴史・社会・生態環境などについて簡単に述べ、彼らの牧畜のあり方を示す。第3節では、一九世紀末から現在まで近代国家がどのようにボラナ社会に影響を与えてきたのか、歴史的なプロセスを記述したのちに、第4節でボラナにとって農耕がどういうものであるのかを示す。最後に第5節で、農耕をはじめた彼らは牧畜民と呼びうるのかについて考えてみたい。

1　集落の一日

朝六時ごろに夜が明けると、人びとは寝床から起きはじめる。妻は炉に薪をくべて火を起こし、夫は家畜の様子を見にウシ囲いに向かう。妻と娘は、ウシの名前を呼び、仔ウシと母ウシを引き合わせて手早く搾乳する。妻は家屋に戻ると、ケニア製アルミ鍋で沸かした湯に紅茶の葉、ミルク、多めの砂糖を入れてミルクティーを作り、中国製のホウロウのカップになみなみと注いで、夫や子どもに飲ませる。温めなおした昨日の夕食を食べることもある。

午前七時前後に夫がウシ囲いの扉を開けると、ウシたちは列を作り、ぞろぞろと放牧地に向い、その後を槍を携えた牧童が追っていく（写真6－1）。大人のウシとは別に、仔ウシとヤギやヒツジは集落の近くに放牧する。いくつかの世帯が、共同で家畜を放牧することが多く、それらの世帯から当番で子どもが牧童となる。腹をすかせた牧童が、ミルクティーが少ないなどと駄々をこね、大人に叱られてべそをかきながら放牧に向うこともある。

家畜の仕事でもっとも重労働なのは、三日に一度のウシへの給水で、大人の男が担う。乾季は近くの水場が干上がってしまい、遠くまで行く必要があるため、夜の明けぬうちに出発して夜遅くに帰る。掘り抜きの深井戸で家畜に給水するのであれば、バケツリレーのように、数人がかりの人力で長時間水を汲み上げつづける（写真6－2）。

写真6－1　朝、集落のウシ囲いの出入り口から放牧地に向かうウシたち

写真6－2　家畜の給水のために井戸水をバケツリレーで汲みあげる男たち

女たちは薪拾いや水汲み、炊事といった家事で忙しい。昼過ぎから夕食の準備をはじめる。白いトウモロコシの粒を芯から剥がして、臼(うす)に入れて杵(きね)でついて硬い殻をとり、アルミ鍋に入れて長時間煮る。小さな娘たちが手伝うことも多い。水は、大人であれば三〇リットルのプラスチックの樽を紐で背中に結えて運ぶ。乾季に貯水池が干上がると、町の近くのポンプ式井戸まで行かなくてはならない。

寡婦や貧しい世帯の妻は、切り出した薪を背負って町に売りにいく。これも相当な重労働だ。人によっては隠れて炭を作って売る。炭を町で売ることは違法である。少女たちは毎日ミルクを売りに町に出かけるのだが、ミルクを文字通り水増しして小遣い稼ぎをする。

耕作がはじまる季節になると、多くの男や女は畑に向う。時期ごとに耕起、播種、除草、収穫、脱穀などの農作業に従事する。ただし、畑は必ずしも集落の近くにはなく、時間をかけて往復しなくてはならない。農繁期には、人びとは一日の大半を農耕に関わることで過ごす。

昼間の集落には老人と幼子しか見かけないが、夕方になると家畜も人も集落に帰ってくる。はじめにヤギやヒツジの群れが放牧から帰り、その後でウシの群れが帰ってくる。家畜の鳴き声で集落は騒々しい。夫は家畜がすべて戻っているのかを調べるが、ときどき迷子になる家畜がいる。そうなれば、周囲の集落で保護されている迷子がいないか、深夜であろうが見つかるまで訪ね歩く。

放牧から帰ったウシは、朝と同じように搾乳される。トウモロコシ粥を食べミルクティーを飲み、九時ころに寝床に入って眠る。夜に家屋に入れられたヤギがつながれていた紐を外してごそごそ動き回り少々騒々しいが、だれも気にせず寝入っている。

2　ボラナの牧畜システム

●歴史

ボラナは、オロモ[*1]と呼ばれる大きな民族集団の一分派である。オロモは一六世紀にエチオピアの東南部の山地から大移動をはじめ、エチオピアとケニアの現在の居住地に拡がったといわれている。ボラナも、この大移動の波のひとつの結果である。ホームランドでは農牧民であったボラナの祖先は、現在の居住地への移動によって、牧畜に特化したと考えられている。[*2]

口頭伝承では、ボラナが追い払ったり同化したりした先住者のことが語られる。ボラナは優れた牧畜民と見られてきたが、ボラナ自身によれば、同じオロモ系の先住集団のほうがよほど優れていたという。また、この地域には厳しい乾季にも枯れることのない深井戸が集まっている地域があるが、この井戸はボラナではなく、先住者によって掘削されたといわれている。つまり、ボラナは先住者の資源や技術を奪いあるいは継承することによって、現在の地域でウシの牧畜に高い価値をおく生活に変化していったのである。

＊1　オロモ
エチオピアの最大民族。一九六〇年代に首都アジスアベバでエリート層によりオロモの民族運動がはじまったが、近年まで地方ではオロモというアイデンティティは広まってはいなかった。オロモはエチオピア帝国から抑圧されてきた。

＊2
Haberland 1963.

●牧畜システム

ボラナの居住地は、標高がだいたい八〇〇メートルから二〇〇〇メートルのあいだの、年間降水量が平均五〇〇ミリ程度の半乾燥地帯である。季節のサイクルは、大雨季は三月から五月、小乾季は六月から九月、小雨季は一〇月から一一月、大乾季は一一月から二月となっている。この地域の植生（しょくせい）は、樹木の茂る山間部、棘のあるアカシア科の木と潅木の点在する丘陵、僅かな潅木が所々に点々とする草原に分けられる。

こうした半乾燥地帯に、ボラナは、数戸から数十戸の世帯からなる集落を作る（写真6−3）。集落は、家屋と家畜を入れる囲いから成る。ボラナの集落は数年に一度移動する。乾季になると、主に独身者が大人のウシの群とともに集落を離れ、牧草と水をもとめて牧畜キャンプで暮らす。集落には、遊動に耐えられない若い家畜と母ウシ、小家畜が残される。雨季になるまで、牧畜キャンプは集落に戻らない。雨季に降雨がなく旱魃（かんばつ）になると、さらに遠くまで家畜群を移動させ、ときには他の民族が居住する地域に至る。

ボラナは現在、大型家畜のウシとラクダ、小型家畜のヤギとヒツジ、乗用のウマとラバ、荷物を運ぶロバ、そして家禽のニワトリを飼養するが、ウシ、ヤギ、ヒツジの組み合わせがもっとも一般的である。なかでもボラナは、ウシに文化的にいちばん高い価値をおく。[*3] ウシのミルクは、生乳や発酵させたヨーグルトとして飲むほか、脂肪分のバターを取り出す。また、結婚のために花嫁の親族に贈る婚資や、親族や大切な他人への儀礼的な贈りものになる。儀礼では、

写真6−3　ボラナの集落

＊3
東アフリカのウシに高い価値をおく牧畜民について、数多くの人類学的研究がある。アメリカの文化人類学者ハースコヴィッツはこうした牧畜文化を「ウシ文化複合」と呼ぶ。Herskovits 1926.

天神への供物として屠られる。肉は料理され、皮はなめして敷物などの家具に用いる。まとまった現金が必要となった場合は家畜市場で売る。

水は、貯水池と井戸からえている。貯水池は、かつては人力で掘られたが、二〇世紀後半から、政府機関が重機を使って掘ったものが多くみられる。貯水池の多くは乾季に枯れてしまうが、その場合は井戸に頼ることになる。ボラナには、乾季にも枯れない深さ一〇メートルをこえる深井戸が集まっている地域があり、そこは宗教的儀礼的な中心地である。井戸には所有者と管理者がいるが、決して排他的に使用されるわけではなく、水汲みや補修を手伝ったり、所有集団との関係を作り上げたりすることによって、幅広い人びとが使うことができる。

放牧地は誰でも自由に使うことができる。また、アフリカ大地溝帯のいくつかの火口跡から塩が産出され、人と家畜の食用にされただけでなく、近隣の民族との交易品にもなっていた。

●民族間の関係

東アフリカにおいて、牧畜はひとつの民族社会の内部で完結するものではなく、他の集団との多様なネットワークのなかで成り立っていた。[*4]

ボラナも、周囲の民族集団と多様な関係を築いていた（現在の民族集団の分布は図6−1参照）。西方の山地の農耕民コンソ[*5]とは、ボラナの家畜や塩と、コンソの織物、金属加工品、土器、穀物、コーヒー豆やたばこを交換していた。ま

＊4
イギリスの社会人類学者スペンサーは、こうした牧畜社会の特徴を「牧畜連続体」という概念でとらえている。Spencer 1997. また、ドイツの民族学者シュレーは、集団自体が様々な契機に分裂と融合をしており、アイデンティティは揺れ動いていたことを示している。Schlee 1989.

＊5　コンソ
山地に段々畑をつくる農耕民。農耕民以外に、鍛冶や土器づくり、機織りといった職能集団が存在する。ボラナとコンソは通婚関係があり対等な関係であった。

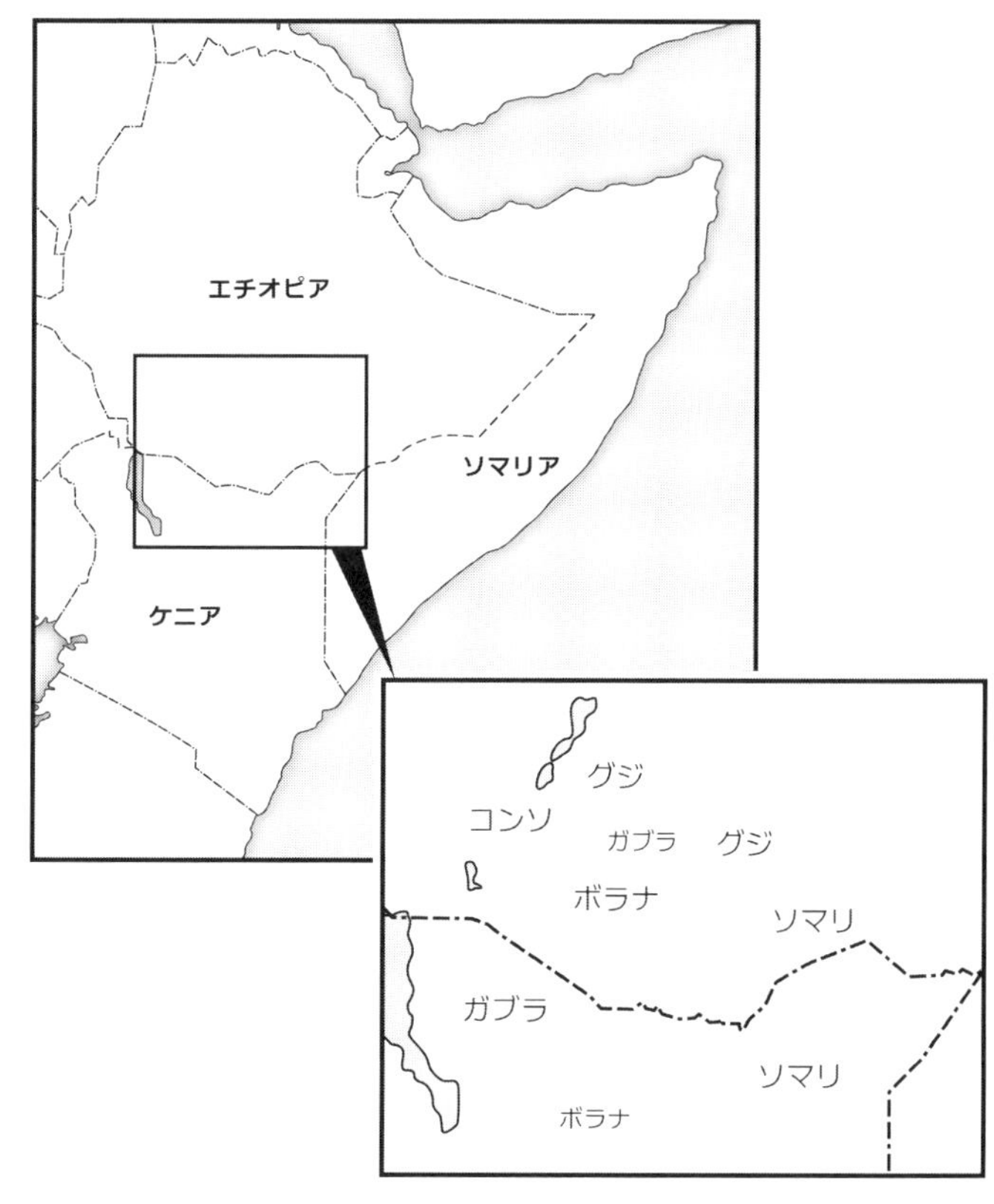

図6－1　現在のボラナと周囲の主な民族集団の分布

た、北方には略奪や戦いあう敵対関係のオロモ系地域集団の農牧民グジがいるが、ボラナは家畜と交換して、穀物やコーヒー豆などを手に入れた。一九世紀には、インド洋沿岸からの商人のキャラバンが象牙を求めてやってきたが、ボラナは交易の仲介者のソマリ系集団と特別な関係*6を結び、儀礼的に優位な立場

*6
この関係はボラナではティリソ(*tiriso*)、ソマリではシェーガット(*sheegat*)と呼ばれる(第2章参照)。ティリソ関係を結んだ集団はボラナの宗教的リーダーに定期的な儀礼的贈り物をした。ボラナは、周囲のいくつかの民族集団とティリソ関係を結んだ。

を築いていた（第2章参照）。

ラクダ牧畜民ガブラ[*7]もボラナと特別な関係にあった。彼らはボラナと同じ言語を話し、類似の社会制度をもち、他の明確な外部者とは異なる関係であった。ラクダは樹の葉を食べるが、ウシはイネ科の草本を食べるため、それぞれの家畜が必要とする生態資源は異なる。また、ボラナはラクダに高い価値を認めていなかったということもあり、ボラナとガブラの共生関係が成立したと考えられる。このほか、ボラナの領域には狩猟民ワータ[*8]が遊動しており、ボラナの儀礼には特別な役割を担っていた。

ボラナは軍事的な優位さによって、この地域の深井戸群や塩の産出する火口跡、そして優良な放牧地を押さえて、牧畜に必要な生態資源を獲得したが、同時に周囲の民族集団と儀礼的な関係を取り結んだ。一九世紀までボラナは、現在のエチオピアからケニア北東部にかけて政治的経済的儀礼的に優越した立場を確立しており、ある研究者はこうした秩序だった民族関係を「ボラナによる平和」と呼ぶ[*9]。

このようなボラナの牧畜システムは、次の三点にまとめられる。

第一に牧畜に適した生態環境、乾季にも枯れない深井戸群、塩などのミネラルといった資源の存在、第二に周囲の民族との多様な関係の構築、第三に地域において優位者の立場を作り上げたことである。

＊7　ガブラ
ケニア側に居住するガブラ・マルベとエチオピア側のガブラ・ミーゴという二つの集団がある。日本語文献でガブラについては曽我二〇一九などを参照のこと。

＊8　ワータ
ボラナ社会で被差別的な位置におかれ、同じワータとのみ結婚した。社会主義政権によってボラナとして公的に認められた。なお現在、狩猟は行っていない。

＊9
Schlee 1989.

3　近代国家への組み込み

●植民地化――辺境化

東アフリカの牧畜社会は、一九世紀の終わりごろに、大きな試練を経験する。ひとつはウシの感染症である牛疫であり、もうひとつはヨーロッパ列強による植民地化である。牛疫によって、アフリカのウシの多くが失われ、飢饉が引き起こされた。

ボラナも、一九世紀に拡がった牛疫と、それに続く深刻な飢饉に襲われた後、[*10] まもなくエチオピア帝国とイギリス帝国のふたつの勢力によって植民地化された。ボラナの主な居住地はエチオピア帝国の一部となり、象牙などの貢物が課された。しかし、ボラナの居住地は、首都アジスアベバから遠いうえに、冷涼な高地に住む支配者にとっては、農耕に適していない不毛な低地と見なされ、他の地域と比較すると、制度的には厳しい収奪が行われなかったといわれる。

いっぽう、イギリスにとっても、ケニア北東部は植民地に利益をもたらさない不毛な土地でしかなかった。つまりボラナの住む地域は、どちらの帝国にとっても関心が薄い辺境でしかなかった。

●帝政後期と社会主義政権――近代化

ボラナ地域における統治の近代化は、ようやく一九四〇年代からはじまっ

＊10　牛疫だけでなく、人の感染症である天然痘の流行も大きな打撃を与えた。

た。貯水池の掘削や家畜の予防接種のほか、現金による徴税がはじまり、家畜はその対象となったが、実際に十分な施策が行われなかった。治安的には、一九六〇年代にソマリ民族主義が盛り上がるとともに、ソマリ系の武装集団の活動がケニア北東部で行われた。*11

一九七四年にエチオピアの帝政が終わり、社会主義を標榜する軍事政権が誕生する。この時代は、地方統治の近代化は強化され、また牧畜地域の開発のために政府機関が設立された。政府の政策として、道路の建設、土木機械による貯水池の掘削、商業的畜産を目指した政府の大規模牧場の設立、定住化と農耕の奨励、学校の建設、家畜への予防接種、放牧地の野焼きの禁止、家畜の売買への徴税が行われた。

野焼きは、放牧地の保全と再生ための在来技術であるが、当時の政府はそれを非合理的な生態資源の破壊と見なし、厳しく禁止した。政府による大規模牧場のために、大きな面積の優良な放牧地が囲われたが、失敗に終わっている。いっぽうで貯水池の掘削は、家畜や人の水資源へのアクセスを容易にした。また、この時期、隣接するオロモ系地域集団である農牧民グジの方法を導入し、いくつかの集落が共同で、乾季の牧草の確保を目的とした放牧禁止区域を設けるようになった。なお、このころの農耕は、鍬を使って小さな面積を耕す程度であったと聞く。

家畜の売買については、消費地から遠く、家畜市場の数も少なく、また社会主義政権であったので市場経済が発展しなかったため、家畜を商品として売り

*11
ソマリ系集団によるボラナの放牧地や井戸への圧迫は一九世紀からはじまっていた（第2章参照）。Bassi 2010. また、一九三〇年代にイタリア領だったソマリアからイタリア軍がエチオピアに侵攻した際に、ソマリ系集団が現地兵としてイタリア軍に参加しており、この混乱期にソマリ系集団がボラナの領域だった地域に移動している。

買いすることは十分には広がらなかったようだ。治安の面では、一九七〇年代に、エチオピアと隣国のソマリアの間で戦争がおき、ソマリア軍や武装集団がボラナの広い地域を占領することもあった。[*12]

全体としては、社会主義時代においても、ボラナへの国家の影響は大きくはなかった。[*13]

●現政権――強化される統治と市場経済

主にエチオピア北部で展開されていた長い内戦の末、一九九一年にエチオピア人民革命解放戦線が政権を樹立したのち、新憲法によって、エチオピアは主として民族を単位とした州から構成される連邦制となった。[*14] オロモが多数を占める地域にはオロミア州が形成されたが、ソマリ州とのあいだに州境をめぐる紛争が起きている。ボラナの住むケニア国境の商業地である町とその周辺地域においても、その帰属をソマリ系集団が主張したことから、現在まで両州の境界が確定されていない。この州境問題は、民族集団の居住地だけでなく、水資源や放牧地の所有と使用をめぐる問題でもあり、しばしば武力紛争を引き起こしている。[*15] オロミア州内でも、当初ボラナ県であった行政区域から、二度にわたってオロモ系農牧民グジの多く住む地域が切り離され、新たにグジ県と西グジ県が設置されたが、その都度、ボラナとグジとのあいだに武力衝突が起きている。

いっぽうで、現在の政権では行政組織が細分化され、最末端では住民五人に

*12 オガデン戦争と呼ばれる。エチオピアのオガデン地方にはソマリ系集団が多数を占めており、ソマリアは大ソマリ主義を掲げオガデン地方の併合を目論んだが、最終的にはソマリアが敗退した。

*13 Hogg 1993.

*14 連邦制は、九つの州と二つの自治区から構成される。九つのなかで本章と関連するのは、ボラナ、グジ、ガブラが居住するオロミア州とソマリ系集団の居住するソマリ州、コンソの居住する南部諸民族州である。なお、エチオピア人民革命民主戦線は二〇一九年に解党している。

*15 民族単位の行政区分は、それまで必ずしも明確な境界によって区切られていなかった生活空間を分断してしまった。その結果、それまで共生関係にあった集団間で紛争が多発している。

よって組織される五人組制度が設立されている。こうした制度がどれほど機能しているのかはともかくとしても、人びとは少なくとも、こうした行政組織に所属しているという認識をもつようになっている。エチオピア帝国に征服されていた時代は、ボラナはいざとなればブッシュに逃げ込み、ときには国境をこえてケニアに逃げ出してエチオピア国家からの統治をかわしていたが、今や細かい統治の網がかけられている。

　また、現在の政府は経済を自由化し、市場経済の商品として家畜の売買を奨励する開発政策をとる。この政策のもとで、政府は国際機関の開発援助を受け、各地に商業的な取引を行う家畜市場を建設した。

　それぞれの家畜市場では、特定の曜日に取引が行われる。取引が行われる日には、家畜を売りに来たボラナ、地域内外からの家畜商人、家畜商人とボラナとのあいだにたつ仲介業者、売買に対する税を徴収する役人、売買された家畜を積み込むトラック、飲食店、衣服、日用品、食料品の露天商、そのほか知人や親族に会うための人びとが市場に集まり、相当なにぎわいとなる。

　買われたラクダは防疫を受けて中東に輸出され、ウシは国内の施設で肥育されてから、食肉としてエチオピア国内で消費される。近年はラクダもウシも価格が高騰しており、ボラナは商品としての家畜を認識するようになった。去勢していないウシが市場で高い値がつくため、市場の需要に応えるために、ボラナはウシを去勢しなくなった。[*16]

　これまでの植民地化から現在までの歴史をみると、市場経済の発達により家

*16　牛群には種オスとして一、二頭去勢しないウシを残すほかはすべて去勢していた。去勢する理由は肉がつくことと牛群の管理がしやすくなるためである。かつては去勢ウシのほうが高値で取引されていた。

畜の経済的な価値は高まったが、国家政治、国家間の戦争、民族紛争によって、ボラナが牧畜のために使うことのできる空間は縮小してきた。すでに述べたように、牧畜は不確実な気候のなかで、広い空間で時間的に偏在する牧草などの生態資源を利用するため、家畜を移動させることによって成立するが、牧畜民はかつてのように自由に広い空間を移動できなくなった。そのなかで、農耕というボラナにとって新しい生業が広まっていく。

4　牧畜民にとっての農耕

農業局の職員によれば、ボラナが農耕をはじめたのは、一九七〇年代の飢饉によって家畜を失った避難民によるものであった。実際に農耕が普及しはじめたのは一九八〇年代で、耕作地は一九九〇年代以降も拡大し続けている。

ボラナの居住地は、地理的に比較して、標高が低く降雨が少ない地域と、標高一五〇〇メートル前後で降雨の期待できる地域とに分けられる。前者は、降水量が少なく農耕には適していないため、耕作地は拡大しておらず、県の農業局は牧畜地域として区分しているが、後者では広く農耕が行われており、それは帝政期に建設された町から比較的近い。

この地域で農耕をはじめた人たちは、帝政期に近隣の山地から移り住んだ農耕民である。彼らは農耕に適した肥沃な場所に耕作地を開き、二頭立てのウシに犂（すき）を引かせる牛耕[＊17]で、自家消費用だけでなく商品作物も栽培していた。

ボラナは、こうした身近に住む農耕民から耕作の方法を学んだようだ。二回

＊17　牛耕　エチオピア高地でみられる犂（すき）による耕作方法。

の雨季にあわせて播種（はしゅ）をするのだが、近年は旱魃が頻発しており、とくに小雨季の降雨は当てにならない。主要な作物は、主に自家消費のために栽培されるトウモロコシである。比較的土地が肥えている畑であれば、小麦やテフ*18を換金作物として、また、インゲン豆も自家消費と換金作物として栽培される。

一九九〇年代までに他の人よりも早くに農耕をはじめた人たちは、自らが土地を囲い込むことによって耕作地をえていたが、二〇〇〇年代に入ってからは役所に申請して土地を取得するか、耕作用に土地を囲い込んでいる所有者から金銭を支払い譲り受ける。それが無理ならば、広い耕作地をもつ親族や知人から一画を借りて耕すことになる。

農耕は、牧畜よりも人手を必要とし手間もかかる。雨季のはじまりを見きわめて土を起こし、播種、除草、収穫まで多くの作業が必要で、近隣の人びととの共同労働が不可欠である。また耕起（こうき）のためには、ウシ二頭で一つの犂を引くことから、少なくとも二頭のウシが必要である（写真6－4）。ところが、犂を引くことを学んだウシの所有者は少ない。農繁期はだれもが耕作用のウシや人手を必要としており、それらを依頼するために近隣の集落を回らなくてはならない。ぼやぼやしていると、播種のタイミングを逃してしまう。働いてくれる近隣の住民たちには、ミルクティー、コーラなどの清涼飲料水、ビール、蒸留酒などの飲み物や食事でもてなす必要がある。このための費用もかかる。このように農耕に人手と手間がかかるということは、人びとが自分の耕作地から遠く離れた場所に移り住むことがなくなることを意味する。耕作地が近いほうが

＊18　テフ　エチオピア高地で栽培化された穀物で、発酵させてクレープのように焼くとインジェラと呼ばれる主食になる。エチオピア高地地域や町では欠かせないエチオピアの国民食ともいうべき食物だが、ボラナは日常的に好んで食べることはない。

写真6－4　ウシに犂を引かせて畑を耕す

楽であり、共同労働のためには、近隣との関係の維持が大切になるからだ。

農耕が広まると牧畜を圧迫する。牧草が豊か茂る放牧地は、作物の栽培にも適した耕作地であるため、農地が増えれば良好な放牧地が減る。その結果、全体として放牧地の面積が減るだけでなく、必ずしも良好ではない放牧地に何度も多くの家畜が放たれる。つまり、過放牧となり、放牧地は荒廃していく。ボラナはこの状態を嘆く。「人も家畜も昔より増えた。けれども、どこに家畜を放牧したらいいのか。周囲は耕作地だらけだ。家畜は耕作地のあいだを通って放牧地に向うようになった」。

このような耕作地の広がる地域の住民に対して、政府は家畜を減らして農牧民として生きることを奨励する。具体的には、農耕では収穫を増やすために化学肥料と農薬を使うこと、牧畜ではウシを二、三頭といくらかの小家畜を残し、他は市場で売り払うことを勧める。とはいえ降雨に依存する農耕であるため、定期的な旱魃により、年による収量の増減は激しい。けっきょく、農耕は安定的な生業とはならない。

貧しい世帯は政府による無償の食糧給付や、道路工事や土壌流出防止ための溝の掘削、放牧地を荒廃させる藪の除去などの公共事業の対価として、食糧や金銭の需給を受けることになる。同様の事業はＮＧＯによっても行われているが、どちらにせよ生活保障を受けるためには、住民は行政組織によって作成された名簿のなかに名前が記載される必要がある。

また、農耕の広がっている地域では、人口密度が高くなる。これに対して政府は、定住化を前提した公衆衛生政策として、野外で用を足すのではなく穴を掘ってトイレを作ること、家畜を家屋に入れないこと、料理小屋を家屋のそばに建て、家屋のなかでは料理をしないことを指導する。各行政組織に配置された開発普及員が、こうした指導を行う。

歴史的に、エチオピアの国家統治の前提となる生業は農耕であった。例えば、帝政期に征服された地域では、当初、北部の農地制度を用いて、軍人が支配地の農民に貢納と労役を課した。帝政を倒した政権は、社会主義的な政策により農地解放を行い農民組合を組織したが、牧畜社会には合致しない改革であった。つまり、エチオピア国家にとって牧畜は長らく関心の外にあり、そのためボラナは牧畜を続けることができた。ただし、すでに述べたように頻発している戦争や紛争は、ボラナの使える牧畜の空間を明らかに縮小させてきた。同時に、度重なる旱魃による打撃により、牧畜民は家畜が成長するまでの時間と空間を必要とする牧畜から、限定した時間と空間で成立しうる農耕という生業へ導かれる。

５　生計の多様化と牧畜

それでは、もはやボラナを、牧畜民というひとつのイメージでとらえることはできないのであろうか。農業局の分類のように、農耕に適さない標高の低い地域の牧畜民と、農耕が可能な標高の高い地域の農牧民、という分け方も成り立つのかもしれないが、生計活動の多様化にも注目する必要がある。

牧畜や農耕以外の生計活動には、すでに触れたミルクの売買、薪や炭の販売、政府やNGOによる支援の需給、小商いや公設市場の家畜売買の仲介業のほかにも、筆者が知る限りでは、市場での露天の飲食店、バイクタクシーの運転手、門番や夜警、砂や岩を扱う協同組合の設立と運営、道路工事などの建設現場の日雇い、僻地の小学校の代用教員などがある。

こうした多様な生計活動のいくつかを組み合わせることによって、人びとは生活を維持している（第３章参照）。ただし、彼らは困窮した状況をただ単に受動的に受け入れているのではない。例えば、もし望んでいない支援物資であれば転売して必要なものを手に入れるように、主体的な活動をしている。

貧困世帯だけが生計を多様化させているわけではない。大きな家畜群をもつ裕福な世帯は、しばしば広大な耕作地を所有しており、さらに町にも賃貸用の不動産を所有するなど多様な生計活動（あるいは投資活動）を行っている。[*19]

しかし、ボラナの人びとにとって、牧畜が生計活動全体のなかの一部でしかなくなったというわけではない。多くの世帯は多様な生計活動を展開しつつ、今も家畜を殖やすことに大きな関心を払っている。こうした関心をもちつづけることができるのは、排他的に囲いこまれる耕作地とは異なり、たとえかつてのように広大ではなく荒廃もしているとはいえ、いまだ放牧地はだれでも使える資源であり続けているからであろう。

また、集落の一日で描いたように、彼らのもっとも身近な生活空間のなかには、つねに家畜がいる。開発指導員は家屋に家畜を入れないように指導するが、

＊19　牧畜と関連した活動として、一九九〇年代には裕福な商人が私的に放牧地を囲いこむことがはじまっており問題視されていた。

多くの人びとは仔ウシやヤギを家屋に入れており、二、三頭しかウシを残さないという考えも受け入れていないようにみえる。

冒頭部で筆者は、根本的には牧畜が、人と家畜と自然の三者から成り立つ生業であると述べた。ここでいう自然とは、開かれた生態資源のことも意味する。旱魃で痩せこけた家畜をケニアから連れて現れた牧童は、エチオピアの見知らぬ土地で排除されることはなかった。同様に、遠くから家畜を連れて深井戸に現れたボラナは、たとえそれが商人から移動を依頼された家畜であっても、拒絶されずに給水を受けることができた。どちらも近年、直接に筆者が見聞きした出来事である。つまり、今も牧畜のための生態資源は開かれており、人びとが家畜を介して結びつくことができる。ここで繰り返し強調した「開かれた」とは、単に資源が存在しているということではなく、すべての人が使うことができるという、ボラナの行為規範を含意する。この意味において、ボラナは今も牧畜民であり続けているといいうるのではないだろうか。

【参考文献】

●曽我　亨　二〇一九「難民を支えたラクダ交易——治安・旱魃・協働」太田至、曽我亨（編）『遊牧の思想：人類学がみる激動のアフリカ』昭和堂、九一—一一五頁。
●田川　玄　二〇〇五「民俗の時間から近代国家の空間へ——オロモ系ボラナ社会におけるガダ体系の時間と空間の変容」福井勝義（編著）『社会化される生態資源　エチオピア　絶え間なき再生』京都大学学術出版会、二九五—三二二頁。
●宮脇幸生、石原美奈子　二〇〇五「「地方」の誕生と近代国家エチオピアの形成」福井勝義（編著）『社会化される生態資源　エチオピア　絶え間なき再生』京都大学学術出版会、一—三二頁。
●Bassi, M. 2010. The Politics of Space in Borana Oromo, Ethiopia: Demographics, Elections, Identity and Customary institutions, *Journal of Eastern African Studies* 4(2), pp.221–246.
●Belete Bizuneh 2008. *Agrarian Polity and its Pastoral Periphery: State and Pastoralism in Borana Borderlands (Southern Ethiopia)* 1987–1991. Ph.D. thesis, Boston University.
●Gufu Oba 1998. *Assessment of Indigenous Range Management Knowledge of the Booran Pastoralists of Southern Ethiopia.* GTZ Borana Lowland Pastoral Development Programme. Unpublished Research Paper.
●Haberland, Eike 1963. *Galla Süd-Äthiopiens.* Stuttgart: W. Kohlhammer.
●Helland, J. 2001. Participation and Governance in the Development of Borana: Southern Ethiopia. In M.A Mohamed Salih, Ton Dietz and Abdel Ghaffar Mohamed Ahmed (eds.), *African Pastoralism: Conflict, Institutions and Government.* London: Pluto Press, pp. 56–80.
●Herskovits, M. 1926. The Cattle Complex in East Africa, *American Anthropologist* 28(1), pp. 230–272.
●Hogg, R. 1993. Continuity and Change among the Borana in Ethiopia. In J. Markakis (ed.), *Conflict and the Decline of Pastoralism in the Horn of Africa.* London: Macmillan, pp. 63–83.
●Schlee, G. 1989. *Identities on the Move: Clanship and Pastoralism in Northern Kenya.* Manchester: Manchester University Press.
●Sobania, N.W. 1980. *The Historical Tradition of the Peoples of the Eastern Lake Turkana Basin c.1840–1925.* Ph.D. thesis, University of London.
●Spencer, P. 1997. *The Pastoral Continuum: The Marginalization of Tradition in East Africa.* Oxford: Clarendon Press.

第7章　トルコの遊牧民(ユルック)は時代遅れか？

……帰属意識と文化……

田村　うらら

遊牧民あるいはノマドというと、どんなイメージをもつだろうか。近年、「ノマド・ワーク」や「ノマド的ライフスタイル」のように、オフィスや一つの家(ホーム)に縛られない身軽で自由な感じ、ややもするとスマートなイメージさえもが浸透しつつあるようだ。

しかし、世界各地の歴史を少し紐解いてみると、最低限の荷物しか所有せず簡素なテント暮らしをしながら家畜とともに移動を続ける遊牧民たちは、じつは時の権力者からは制御し難く「粗野で」「時代遅れ」とみなされがちで、さまざまな形で定住化が進められてきたことがわかるだろう。トルコの遊牧民、ユルックの人びとも例外ではない。

本章では、ユルックたちが「遅れた」「粗野な」存在とみなされてきたこれまでの状況と、ユルックが「我々トルコ人の誇るべき基底文化」としてにわかに表舞台に登場するようになった近年の変化について、帰属意識の広がりの観点から考えてみたい。本章の構成であるが、まず、ユルックの概略を紹介する（第1節）。次に彼らの近代化における生活スタイルの変化を追いかけながら、どのような要因が変化の引き金になっているのかを明らかにする（第2節）。そして既存のユルックの定義を覆す、移動もせず家畜も持たない「新しいユルック」

が中心となり、いかに大勢の一般市民を巻き込んだ「ユルック文化」の塗り替えと復興が行なわれているのかを示したい（第３・４節）。

１　トルコの「遊牧民」、ユルックとは？

●ユルックはどこから来たか？

「ユルック」とは誰か。ユルックとは、現トルコ共和国内に居住してきたテュルク系遊牧民とその末裔たちを指す、とここでは定義しておこう。「ユルック」という語は、トルコ語の「歩く（*yürümek*）」という動詞が語源とされる。家畜とともに家畜の水と草を求めて歩く、という「移動性」が重要な核であったことがうかがえよう。それと同時に、ユルックは、生業（牧畜）と移動性に基づく集団であることも確認しておきたい。

現在のトルコ共和国のあるアナトリア半島に、今のイラン周辺でトルクメンと呼ばれていたテュルク系遊牧民が移入してきたのは、十一世紀後半である。さらに遡れば、中央アジア一帯（第４章参照）、果ては北方モンゴルへと移動の歴史を辿ることができる。つまりユルックは、テュルク系民族の中でも、遥かユーラシアの北東部から長い時間をかけてアジアの西端へと移動した遊牧民集団なのである。

●家畜とともに生きるユルック

現在、トルコ共和国に居住するユルックは、大多数のトルコ国民と同じくト

写真７−１　トルコ中南部ウスパルタ県の山岳地帯で夏営するユルックのテント。

ルコ語を話し、スンニー派のイスラームを信仰している。遊牧、すなわち遊動しながらの牧畜を生業としてきた彼らは、家畜を「マル（*mal*）」と呼び、「財産」と同じ語彙を用いる。移動するユルックの大半が主として飼養するのは、ヤギとヒツジである。かつてはそれに加えて、家財一式などを担がせるためのラクダもよく飼育されていた。彼らの一番の財産である家畜を増やし、健康に飼養しつづけるためには、当然豊富な水と草がつねに必要である。家畜のために彼らは移動するのだ。

地中海性気候に属するトルコでは、夏季の約半年間はめったに雨が降らず、乾燥する。夏は低地の草はほとんどまばらになってしまい、何より暑い。そこで、標高差による気温と植生の差を利用し、夏季は涼しく雪解け水が枯れず、草原が広がる高地にチャドルとよばれる黒山羊の毛で織られたテントを立てて夏営（かえい）し（写真7―1）、冬季は暖かな低地一帯で暮らす、という生活パターンをユルックは続けてきたのである。

ただし、テント暮らしで勝手気ままに移動を続けるというイメージほど、遊牧生活は甘くはない。数百もの自分の所有する家畜が、移動中に国有林に入ったと言っては罰金を取られ、畑に入って作物を荒らしたと言っては訴えられたりする。かつては、放牧地の権利を巡ってほかのユルック集団[*1]と抗争になることもしばしばだったという。このような移動を困難にする要因は、時代を追うごとに厳しいものとなった。

支配者側からしてみれば、住民の生死や婚姻などを把握するにも、徴税する

＊1　ユルック集団
ユルックの起源であるオグズ族は、二四の支族に分かれており、さらにそれぞれ数個から数十個の大小の氏族集団に分かれている。かつて広く遊牧が行われていた時代には、通婚・放牧地用益権などの実際の集団運営上重要であったのは、この氏族の単位である。ユルックの集団の種類とその変化についての詳細は、田村　二〇二〇参照。

にも、住民が一箇所に定住してくれなければ不都合が多いことは、十分に想像できることである。オスマン帝国（一二九九―一九二二）の頃から、緩急や地方差はあれど、ユルックにたいする定住化圧力があったため、定住が進んだ地域や部族集団も多数存在する。

しかし、近代国家であるトルコ共和国（一九二三―）成立後、その圧力は主に、土地所有と利用をめぐるさまざまな法律という形の実効性をもって、ユルックたちに迫った。とくに、ユルックたちが放牧地として利用してきた広々とした土地を国有林化し、そこでの放牧を禁じた一九六〇年代の森林法改正は、ユルックの定住化を急激に後押しする決定的要因となった。[*2] これにより、ユルックが家畜を連れて森を横切りながら移動する、という生活パターンが、非常に困難になった。そこで、かつての冬営地や移動ルート付近の村に住居を構え、定住するユルックが増えたのである。彼らは、家畜を囲いの中で飼養しながらの生活を続けつつも、限られた土地や草などの制約から、保有家畜数を減らしていったり、干し草も喜んで食べる乳牛の飼育や、農業に鞍替えしたりしながら、移動しない暮らしに徐々に適応していった。

*2　松原　一九九〇。

2　ユルックの近代化

前節ではとくに、ユルックの定住化という、権力側からの圧力により生じた変化について述べた。しかし、ユルックたちが、おしなべて嫌々ながら定住化を選ばざるを得なかったわけではない。定住化を選ばなかったユルックたちも存在し、彼らは近代化に合わせて移動スタイルを変容させてきた。さらに、とくに当時の若い世代を中心に、自ら進んで家畜と生きる生活をやめることを選択した人も多い。本節では、これらの二者を順に追いかけながら、ユルックの近代化をみてみよう。

●近代化とユルック生活の変化

家畜を中心として回る生活を続けてきたユルックにとって、さまざまな法的制約ができたからといって、いきなり移動も家畜も手放して別のなりわいで暮らすというのは、とくに一定以上の年齢層には困難であったろう。村やその周辺に定住しつつ家畜を飼養し続けた人もいれば、さまざまな困難を克服しながら移動を続けたユルックもいた。

かつてユルックは、家畜を連れてラクダと共に、何週間もかけて歩いて移動していた。現代になっても移動を続ける人々の多くは、全国的な自動車等の普及と道路の整備を背景に、半年に一度、トラクターやトラックを用いて半日〜一日の移動に限定する、という適応戦略を取るようになった。これはつまり、夏営地と冬営地の固定された二箇所のみで居住・放牧するということである。このような、固定した夏営地と冬営地の二箇所往復で行なう牧畜を移牧という。現在家畜を飼養し移動するユルックの大半は、このような移牧に従事しているのである。[*3] そうすることで、移動途中に国有林や私有地に立ち入ってしまうことによるトラブルに見舞われることもほぼない。また、それまで山の斜面をの

＊3
なお、こうして一九八〇年代にはラクダを荷駄獣として飼育し季節遊動をするユルックは激減し、二〇一九年時点では、トルコ全土でサルケチリ氏族のわずか数世帯が残るのみと言われている。

ろのろ歩いていたところが、トンネルができて通れなくなり、トンネルを通ったら中の自動車の音にラクダがパニックになり荷が散乱する、というような惨劇を見ることもなくなったという。

彼らの多くは、冬営地に普通の都市民や農民と変わらぬ家屋を建て、そこで住所登録し、子供たちを近隣の学校に通わせ、家畜を売っては土地を買い、冬季は農業を兼業する。家畜囲いに通う以外は、何ら他の人々と違わぬ生活である。夏営地である山にも簡易的な固定住居を持つ人もいて（写真7－2）、自家発電装置と衛星アンテナで、世界中のテレビチャンネルが視聴できたりもする。

●移動しないユルック、家畜のいないユルック

しかし他方で、そうまでして家畜と生きることにこだわらないユルックたちも多数いる。彼らになぜと聞けば、「そりゃ、快適な生活の方がいい」と口を揃える。家で蛇口をひねれば水が出て、携帯がどこでも通じて、停電もなくテレビやインターネットが見たいだけ見られて、朝早くに叩き起こされないという快適な生活に慣れたら、もう戻れないというのだ。つまり、現代的な生活の快適さに魅力を感じたため、ということらしい。

一九七〇年代から八〇年代にかけて、モータリゼーションの進行と同時に、トルコ共和国全体として電力が農村部にまで届き上水道の整備も進むなど、さまざまな局面で近代化が進んだ。その時代の流れの中で、固定インフラに依存しないユルックの遊牧生活の困難さが際立って来たのである。もちろんそれに

写真7－2　トルコ中南部ウスパルタ県の夏営地に建てられた簡易住居。

加えて、前述のように移動生活の制約が年々厳しくなった状況もあるだろう。兄弟が多く、家畜を相続したところで立ち行かず、都市に出て働かざるを得なかった事情の人もいる。

個別事情はあるにせよ、とくに八〇年代当時の若年世代以降は、外国や都市に出て賃労働をしたり、下働きから独立して事業を立ち上げたり、さらには教育を受けて出世したユルックが続出している。ちなみに彼らによく聞いてみれば、村には親族や雇い上げた牧夫がいて、家畜群を飼育し続けている者も一定数いるのは興味深い。少なくとも子供時代の彼らは、遊牧か移牧かあるいは定住村で家畜との生活を送った人々であり、良きにつけ悪しきにつけ「ユルック」としての自意識をもっている。しかしユルックという自意識をもちつつも、自らは移動も家畜飼育さえもしないという「新しいユルック」なのである。

●定住民にとってのユルック

ところで、この「新しいユルック」や、既存村落の周辺に定住したユルックたちとある程度関係が深まってくると、頻繁に話題に上るのが「ユルック差別」ともいうべき事象であった。端的に言って「われわれユルックは村人（先住の定住農耕民を指す）から時代遅れ、粗野な奴らと嘲笑され、差別されてきた」と言うのである。さまざまなケースはあろうが、その理由として定住ユルック自身が挙げたのは、動物の臭い、移動生活からくる所有物の少なさ＝貧しいという連想、言葉少なで声が大きいこと、などであった。とくに子供同士は、学校などで「ユルックは臭い」「粗暴」とあからさまに言われたり、避けられたりしたという話は枚挙にいとまがない。また、同じ村に居住していてもユルックと村人のあいだでの婚姻がタブーとされたり、ヤギ・ヒツジの臭いや移動をめぐってたびたび対立し、疎ましがられ、近所づきあいの面でも明らかに、先住の「村人」とユルックのあいだに溝があったというのである。そんな生活に嫌気がさして、都市に出て賃労働などで懸命に働き、ユルックらしからぬ生活を志向したことも一理あるだろう。しかし、重要なのは、このようなユルックに対する「家畜と暮らす時代遅れで粗野なユルック」といった負のイメージが、近年まで民間レベルでも非常に生々しく残っていたことである。これが、近年いかに変わってきたのかを次節で見ていきたい。

3　「あたらしいユルック」による文化協会の設立ラッシュ

家畜と生きる生活を離れたユルックたちは、都市で事業を興したり賃労働をしたり、公務員や政治家になったりと、さまざまな場所で多様な職に就いた。彼ら多様な移動も牧畜もしない「あたらしいユルック」たちが、「じつは自分はユルックである」という自意識を燻(くゆ)らせてきた。彼らの活躍を紹介しよう。

●ユルック文化協会の活性化

遊動人口がいよいよ激減する二〇〇〇年代後半から二〇一〇年代半ばにかけて、トルコでは「〇〇ユルック＝トルクメン文化協会」[*4]という名前の団体が続々

＊4　トルクメン
ユルックに付加されている「トルクメン」とは、同じくテュルク系の民族である。ユルックにあたる人々もアナトリア移入以前はトルクメンと総称されていた。トルクメンとユルックの差異については、アナトリア北方もしくは先んじてアナトリアの平地に移住した集団をトルクメンとするなど諸説ある。ユルック協会等の共通見解としては、両者は分別困難であるとして、このような連名スタイルが現在は標準となっている。

と誕生した。ユルックの名を冠した協会は、それまでにも各地に点在してはいたのだが、それが急に設立ラッシュとなり、既存のものも合わせると、協会等の総数は三百に達したとの報告もある。[*5] それらの近年に設立されたユルック協会のほとんどは、都市部住民の「あたらしいユルック」が中心となり結成されてきた。また設立目的に「ユルック文化の継承」を前面に押し出し、実際の活動内容の大半が、ユルック文化祭典などの主催となっているのが特徴である。その一例として、南西部ムーラ県ミラス市を本拠とし、二〇一一年に設立された「ミラス・ユルック－トルクメン文化協会」の代表の生い立ちと設立動機を[*6]紹介しよう。

二〇一一年の設立当初から協会会長のＭ氏（男性）は、ミラス周辺で一九八四年にユルック一家に生まれ、現在は獣医である。高校まではミラス市内の公立校、のち地方都市の大学に進んで獣医学を学び、獣医資格を得てミラスに戻って開業した。周辺村民が飼養するウシ・ラバ・ヤギ等の家畜の病気・出産等に対して往診するのが、Ｍ氏の通常業務である。

自身は、高校進学と同時に学業のため街で定住し、遊牧生活を終えたが、両親・祖父母を含めた一家は、数百頭のヤギを中心とする家畜とともに、八〇年代ごろまでは季節移動を繰り返す遊牧生活を、そして二〇〇七年まで二拠点間の移牧生活を送っていた。愛玩用ペットではなく、ユルックとして相手にしてきた動物を主な対象とする獣医となったのも、自分の育ってきた環境から来る家族のような家畜への愛着からである、と説明した。二〇代後半という若さで

＊5
Tuztaş Horzumlu 2017.

＊6
Ｍ氏に対する、インタビュー（二〇一五年九月実施）を元に構成。

このような団体を自ら設立した契機については、息子の誕生が大きいという。「あのユルックの生活を、息子たちの世代は生きることなく育つのだと、息子を育てながらふと気がつき、何かせずにはいられなかった」と述懐した。ユルックのかつての姿について、上の世代から生々しく聞くとともに、少年期まで実際に自身も移牧生活を営んだことから、自分のルーツであるユルック文化を次の世代へ引き継ぎたいという意思となり、それが直接の設立動機となっていることが窺える。

●ユルック文化協会の活動と連帯

では、それらの設立ラッシュを迎えた数多くのユルック文化協会は、現在どのような動きをみせているのだろうか。近年の全国的な連帯と組織化の動きについて考えてみたい。以下、トロス・ユルック–トルクメン連盟会長Ｋ氏（一九六八年生まれ男性、ウスパルタ県ウスパルタ市在住）へのインタビュー[*7]をもとに、文化協会等の目的と現状について述べる。なおＫ氏は、ユルックの中心地とも言うべき、トロス山脈[*8]一帯の諸協会を束ねる連盟の会長であるばかりでなく、さらに諸連盟や協会をトルコの全国規模で束ねるユルック連合[*9]の会長補佐をも兼任する人物である。

Ｋ氏によれば、ユルック文化協会等の設立目的は、第一に「失われようとしているユルック文化の次世代への継承」である。また、現役のユルックたちの生活維持の助けになることも目指している、という。実際の活動内容は、夏季

＊7　二〇一七年九月、ウスパルタ市のＫ氏自身のオフィスにて実施。

＊8　トロス山脈　別名タウロス山脈。トルコ地中海沿岸部にそそり立つ急峻な山脈で、諸峰の標高は三〇〇〇～三七〇〇メートルで、万年雪を冠する山もある。

＊9　ユルック連合　正式名称和訳は「トルコ–テュルク世界のユルック・トルクメン連合」である。

のシェンリッキやショレンと呼ばれる祭典（以下シェンリッキと一括する）と冬季の会議の開催に集約される。いずれも、各地方の協会同士が連携し、互いの人員派遣や共同開催を通して密な横の連帯が図られる場でもある。

夏季に行われるシェンリッキは、全国で大小四〇～五〇回ほど開催される、幅広い市民の参加を促す娯楽性の高い祭典である。開催目的は、「一般市民と次世代ユルックたちにユルック文化に親しむ機会を提供すると同時に、大切にする意識を喚起すること」であるという。

他方、冬季の会議は、各地の協会の主導的立場にいるメンバーのみならず、有識者や政治家等も巻き込みながら、「現役ユルックの現状と彼らが直面する問題を全国規模で共有し、解決に向けて具体的な行動を起こすこと」を目指している。たとえば、現役ユルックにとってもっとも大きな問題である森林法について有識者会議を重ね、ヤギ放牧と森林破壊の因果関係の再検討を促し、二〇一四年には森林法の部分改正が実現した。

各地で散発的・自発的に誕生してきた市民団体であるユルック文化協会が、法制度を変革させるほどの実体的な活動母体となり得たことの背景として、こうした「横の連帯」を制度として「縦に組織化」してきた経緯[*10]とそのダイナミズムは看過できない。各地の協会は複数連帯し、上位組織である連盟や同盟にまとまり、さらにそれら諸団体が連帯して、より上位の全国組織である連合の結成へと展開した。そして、全国各地の連盟・協会が合同して、二〇一六年五月には連合が結成され、結成から約一年後には百以上の団体が加盟するに至っ

*10　ユルック集団の構造と変化についての詳細は、田村　二〇二〇を参照のこと。

たという。

これらの団体の活動の中心を担うのは、都市に住む事業主などの「あたらしいユルック」であり、家畜を親族や牧夫に託すか、あるいはすでに家畜さえ手放して事業等に専念する人びとである。都市に居を構え、牧畜とは直接関係のない事業を営みつつも、「我らユルック」の声と文化を代表する彼らの存在は、近年のユルックをめぐる動態を探るに、きわめて示唆に富むものであろう。

4　ユルックの祭典と帰属意識

国内各地でユルック文化協会が近年急増するのに相まって、新たに開始されるシェンリッキも各地で増加している。これら協会が主催する祭典は、前述のとおり、ユルック文化を広く一般市民に紹介する娯楽性の高いイベントである。本節では、いかにユルックの祭典が、ユルックの後進性イメージの払拭に貢献しており、市民を巻き込んだ帰属意識の覚醒の場となっているかを見てゆこう。

●国内最大のユルック祭典

ここでは、シェンリッキのうちトルコ国内最大規模の祭典、「エルトゥールル・ガーズィー追悼およびユルック・シェンリッキ」をとり上げたい。[*11] このシェンリッキは、毎年九月第二週目の週末を中心に三日間開催される祭典である。エルトゥールル・ガーズィーとは、オスマン帝国の始祖である初代皇帝オスマンの父と伝えられる人物である。[*12]

＊11　筆者は二〇一七年と二〇一九年に参加して参与観察および聞き取りを行ない、前後日程や過去の祭典についても関係者への聞き取りなどから情報を収集した。

＊12　彼の没した一二八一年の翌年から、生前の拠点地であり廟のあるトルコ中西部ビレジック県ソユットで毎年開かれている追悼行事がこのシェンリッキの原型とされ、たとえば二〇一九年の祭典は第七三八回と数えられていた。

ソユットは、市域人口一万四千人程度の小さな田舎町であり、町のはずれにエルトゥールル・ガーズィーの廟を擁する。もっとも近い主要都市エスキシェヒルから四二キロメートル、幹線道路から入った田舎道を長々と通らなくてはならず、外からのアクセスは決して良くない。しかし毎年この祭典のために、トルコ全国からユルック文化復興に熱心な人々が集結し、周辺の都市部やソユットからの一般客を含め、じつに推定のべ一〇万人以上の来場者を誇る。

開催期間中には、全国から集まった大小さまざまな遊牧民協会等がそれぞれテントを立てて、思い思いの接待や展示・パフォーマンスを行なう。テントの数は五〇余りにのぼり、来場者は歩きながら自由に足をとめて、叙事詩・民族舞踏・民族音楽のパフォーマンスを見入ったり、テント内に入ってくつろいだり、タイミングが合えばさまざまな飲食物のふるまいを受けたりして楽しむ。そのほか、公式プログラムとしてオスマン軍楽隊とユルックたちのパレード（写真7―3）や、毎日行なわれる式典、騎馬競技大会、コンサートなどがある。

●繰り返される祭典メッセージ

ここで、政治や国家との関係についても言及しておこう。最終日のプログラムには、毎年多くの政治家が招待を受けて参加している。たとえば二〇一七年には、当時の首相のビナリ・ユルドュルム氏が、自らが二四支族のうちのひとつの子孫でもあるとして参加し、公式スピーチを行なった。相次ぐイスラーム過激派集団によるテロに続いて、たくさんの市民の死者を出したクーデター未

写真7―3　パレードの様子。

遂の翌年でもあり、国家をゆるがす勢力に対して、毅然とトルコ国民は団結し立ち向かうのだというメッセージを発している。

なお二〇〇七年には、エルドアン首相[*13]が、二〇一四年にはダヴトオウル首相[*14]が参加するなど、首相・大統領・国民議会議長・閣僚級の現役大物政治家が、近年続々と参加している。会場のアクセスの悪さなどを考えると、これは驚くべきことである。彼らは霊廟参詣ののち、トルコ人の一体性・団結の重要性、加えてユルックとオスマン朝とトルコ共和国の連続性を強調するスピーチを行なうことが恒例となっている。

筆者が二〇一九年の祭典に参加し観察したところ、一万人を超えると思われるトルコ市民が、巨大な式典会場を埋めつくした。トルコ大国民議会議長を筆頭に次々と続く大物政治家たちのスピーチに、聴衆のほとんどは、ヒマワリの種を齧り（かじり）ながらもよく耳を傾け、愛国主義的なフレーズにはたびたび拍手が湧き上がっていた。スピーチはじつに二時間を超えて続き、なかでも共通して繰り返されたのは、「この地に、我々の敬愛するエルトゥールル・ガーズィーが、たった四〇〇のチャドル（テント）のユルック勢と共に来て秩序をもたらし、のちのオスマン帝国の礎を築いた」という歴史語り[*15]と、父祖への賛辞であった。

すなわちオスマン帝国の始祖の父、かつユルックの一大支族の長とされるエルトゥールル・ガーズィーは、ユルックとオスマン朝を架橋する偉大なる人物であり、彼が眠るかつての拠点地ソユットこそが、その連続性の象徴的な場所であるというメッセージが繰り返されたのである。さらに、偉大なるオスマン

*13　レジェップ・タイイップ・エルドアン
当時首相。二〇一四年より、第一二代大統領である。二〇〇三年以来政権与党の公正発展党の党首でもあり、長らくトルコのリーダーとして国際政治においても存在感が強い。

*14　アフメット・ダヴトオウル
当時首相。政治学者・政治家。二〇一六年に首相を辞任するまで、長らくエルドアンの側近として、政権運営を特に外交面から支えた。

*15
歴史学的に言えば、エルトゥールルについては、実在したかどうかさえも含め、史実としてはほとんど何も明らかになっていない。「オスマン帝国始祖の父」としてのエルトゥールルについての具体的な描写は、オスマン帝国期に編纂された「歴史」に基づく。林二〇〇八。

帝国を築いた祖先たちは、ヨーロッパ列強に屈せず、アタテュルク率いる独立戦争[*16]に打ち勝ち、トルコ人のトルコ共和国を築いたのだという歴史語りが続く。ここでは、ユルック・オスマン朝・トルコ共和国三者の連続性が強調される。ユルックに対する二つの政治権力の圧力は不問に付されるばかりか、ユルックは「我々トルコ人の誇るべき共通基盤」へと昇華されるのである。

●参加者にとっての祭典の意味

さて、一般参観者にとって、このイベント参加はどのような意味をもつのだろうか。ほとんどの参加者がエルトゥールル・ガーズィー廟への参詣(さんけい)を行うようで、つねに廟の周りは人で溢れていた（写真7−4）が、参詣じたいは五〜一〇分程度のものである。一般参加者は、開催期間中の昼間は、常時数十のテントを回ったり廟に参詣したりできる状況であり、自分のペースで好きなパフォーマンス等を楽しむ市民の姿が終始見られた。公式プログラム上の式典などと違って、ユルックテントブースめぐりは、公式イベントの「裏番組」として祭典期間を通して楽しむことができるのである。事実、参加者らに聞き取りを行なったところ、大半の般参加者は、とくに何かのイベントを目指して来るというよりも、土日に日帰りで行ってテントめぐりをして、接待や舞踏パフォーマンスなど（写真7−5）を楽しみながら、たまたま興味のある行事があれば参加してみる、というくらいのスタンスで来ていた。

彼らにこのシェンリッキの感想を問うと、みな満足な様子で「とても素晴ら

*16　（トルコ）独立戦争　オスマン帝国は第一次大戦で同盟国側として参加し敗戦を喫し、その後の独立戦争でムスタファ・ケマルが先頭に立ち、勝利の末トルコ共和国を建国した。独立戦争での勝利がなければ、大戦後の講和条約によりオスマン帝国領土の大半を失うことになっていたため、ムスタファ・ケマルは、「トルコの父（アタテュルク）」と称され建国のヒーローである。

写真7−4　祭典期間中のガーズィー廟の人だかり。

しい。私たち自身の文化を経験する機会だから（一二歳、女、ソユット在住で家族と毎年参加、傍点は筆者強調、以下同様）」「初めて来たら、楽しめて良かった。子供たちに私たちの伝統文化を見せてやれて満足（三六歳、男、車で一時間半の地方都市から夫婦と子供二人で参加）」などの意見が多く聞かれた。他にも、「祭りの雰囲気が賑やかで楽しい」「ショッピングや普通の旅行とは違う経験ができる」「子供達にはすばらしいトルコ文化に対して誇りをもってほしい」「我々の伝統文化を忘れないようにしたい」などの感想が共通して聞かれた。ユルックの舞踏・衣装・音楽に、オスマン朝の軍楽すべてを含めて「子供達に伝えたい、誇るべき私たちの文化」として、楽しんでいるのである。なお、このように語る一般市民には特段、自分たちがユルックの出自であることへの意識があるわけではない点には、注意を払う必要がある。彼らは「トルコ人」として、そこにごちゃまぜのまま提示された、ユルックやオスマン朝に由来するすべてを、「自分たちの伝統文化」ととらえて楽しんでいたのである。

会場でさまざまな客層に話しかけていると、より明確に「ユルック」あるいは「ユルックの末裔」であると自認する人々にも出会った。彼らは、「ユルック文化」の素晴らしさと復興の必要性を実感していると語った。夫婦・友人同士などで参加する中高年層にこのような人が多く見られたが、若い世代の男性の姿もあった。彼らはとくにイベントが行なわれていないテントにもたびたび足を運び、ホスト役である当該テントを出したユルック文化協会の会員等や、居合わせた同様なゲストたちと長々としたおしゃべりを楽しんでいた（写真7

写真7-5　テントブース周辺での舞踏パフォーマンスを楽しむ人々。

―6）。そこでは、辿（たど）れるかぎりの互いの出自を紹介しあい、すでに失われてしまった遠い親戚関係を手繰り寄せあい、関係がなさそうだとわかったときでも、知りうる限りの関連情報が交換されていた。

ユルックを強く自認し、関心をもつ人々にとって、ソユットは年一回の最大の「ミーティング・ポイント」つまり出会いの場所であると、彼らは私に説明した。実際にソユットの祭典で、このようなテント訪問とおしゃべりを繰り返すことによって、数百キロ離れた土地に親族を何組も「発見」し、それ以来互いの地元のシェンリッキや結婚式などに招き合うなどの交流が続いていると、ある定住ユルック女性（五〇代）は語った。

このように、参加者のユルック出自意識の有無により、この祭典の意味はやや異なるようだ。数組のグループが何をするでもなく休んでいたあるテントで、筆者が「あなたはどこからですか、ご自身はユルックですか」と問い始めたところ、家族連れのある中年女性が「そりゃ当然よ、ユルックでなければここに何の用があるというの?」と微笑んだ。それに反応して、別グループの老年女性二人組のうちのひとりが「私たちはユルックじゃないけどね、来たよ。だって、けっきょくここにあるのは、みな我々の文化だもの、トルコ人だから」と会話に参入したのである。

この会話が示すように、この祭典は、ユルックを自認する人にとっては、自分のルーツの文化を慈（いつく）しんだり、つながりを発見しに集まる場でありつつも、いっぽうそうでない人にとっては、「トルコ人」としてユルック文化を自分た

写真7-6　ユルックテントブース内で交流する人々。

ちの一部として受け入れ楽しむ場になっている。

5　生業から文化へ——希求されるユルックの面影——

前節では、トルコ国内最大のユルック文化祭典を追いかけた。この祭典は、全国のユルック文化協会等関係者が一堂に会し、国のトップ政治家がスピーチを行なうという点で別格ではある。しかし、地方で行われるユルック文化の祭典等も、規模が小さく集客範囲は狭いものの、地元有力者や政治家のスピーチがあり、ユルックの舞踏パフォーマンスや振る舞いがあるなど、内容と発せられるメッセージは大同小異である。近年では、既存の大きな別の祭典に、ユルック・パレードや舞踏などのパフォーマンスがイベントとして付加されることも増えているようだ。

たとえば、筆者の参加したあるユルック・パレードは、長らく続く伝統的オイル・レスリング大会[*17]の前日に付加される形で、「ユルックの移動」という名称で、ユルックが季節遊動をしていた時代の「再現」が、周辺のユルック文化協会の協力のもと行われていた（写真7−7）。ラクダ・ウマや、台車をつけたトラクターなどとともに、思い思いに衣装を着飾り練り歩き、楽器を打ち鳴らし踊る人々が連なり、沿道にはたくさんの観光客と市民が、列をなして拍手をしたり声援を送ったりする平和な姿がそこにあった。皮肉にも、数十年前は、この「移動」こそがユルックにとって、定住民や行政官とのトラブル発生の山場であったはずなのだが。

＊17　オイル・レスリング
トルコ語で「ヤール・ギュレシ（油まみれの相撲）」と呼ばれ、革パンツをはいた男性二人が全身にオリーヴオイルをかけて組み合う、全国的にさかんな伝統競技。

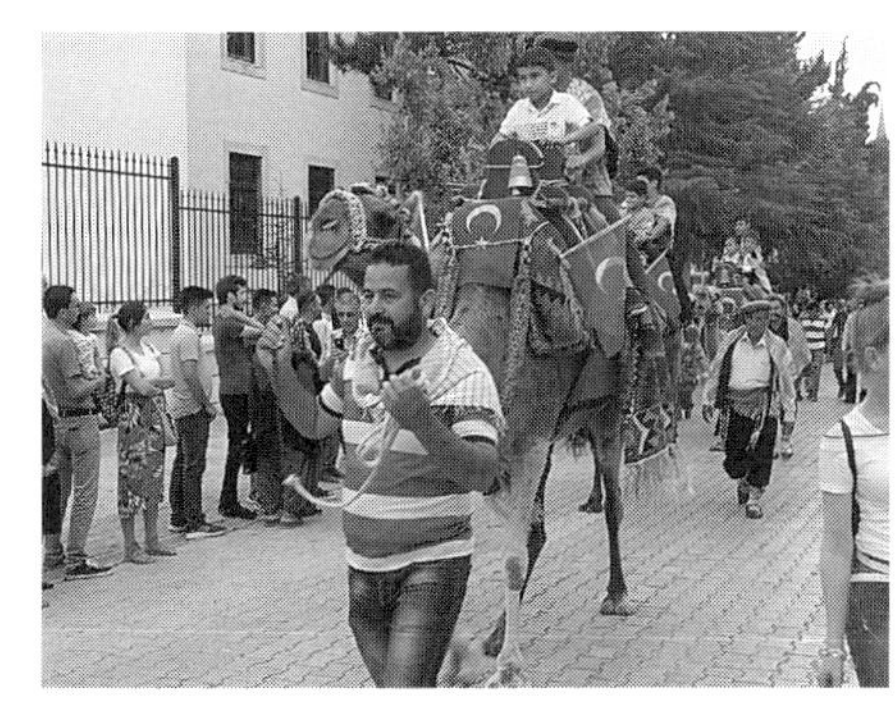

写真7−7　ユルック・パレードの様子。（トルコ南部アンタルヤ県）

トルコのユルックは、もともと遊牧という生業と移動を基とする集団であった。しかし、近年の公的な場で存在感を急激に増しているのは、生業としての生々しく泥臭い部分が除去され、全トルコ人で楽しみ慈しむべき文化として昇華された、ユルックの姿である。「ユルックは時代遅れか？」という問いにたち返っておこう。少なくとも公共的な文脈においては、誇らしい自らのルーツとして称揚と憧憬の対象となっており、「否」というべきであろう。ある村落部に定住し家畜を飼養するユルック老年男性は、「さんざんユルックをバカにしておいて、ここへきて急に『私はユルック』という人がキノコのように出てきた。まったくどうしたことか」と、呆れ顔で筆者に漏らしたことがある。村落部である種の被差別の苦労をかいくぐってきた彼の言葉が示す通り、新しい局面に入っていることは確かである。

民族文化復興自体は、急速な変化により「失われゆく伝統文化」を活性化・復元する目的で、世界各地に見られてきたことである。しかし、ユルックのそれは、二〇世紀初頭に打ち出された「国民国家」という民族と国家の関係のように見えて、じつは生業集団までもが文化として国家を代表する象徴にすげ替えられてしまう、という意味で、多分に現代的事象と言えよう。

【参考文献】

●田村うらら　二〇二〇「公共化するユルック：トルコにおける「遊牧民」の連帯をめぐって」『地域研究』二〇（一）、五六―七八頁。
●林佳世子　二〇〇八『オスマン帝国500年の平和』講談社。
●松原正毅　二〇〇四『遊牧の世界：トルコ系遊牧民ユルックの民族誌から』平凡社。
●松原正毅　一九九〇『遊牧民の肖像』角川書店。
●Tuztaş-Horzumlu, Ayşe Hilal 2017. Yörük Kültürünü Tanıtmak: Dernekleşme Faaliyetleri ve Yörük Şenlikleri, *Türkiyat Mecmuası* 27(2), pp. 239–255.

第8章　土地の私有化はモンゴルになぜなじまない？

……移動と開発……

上村　明

現在のモンゴル国は、一九二四年から一九九一年まで世界で二番目の社会主義国だった。正式に社会主義経済から市場経済に移行したのは一九九二年のことである。

市場経済は商品の取引によって成り立つ。しかし、物が商品になるためには、まず私有財産でなければならない。他人の物だけでなく、誰のものでもない物や共有の物を売ったり買ったりすることはできない。つまり、私有財産であってはじめて売買できるのだ。したがって、私有財産は市場経済の基盤といえる。しかしながら、私有財産であり商品であることがなじまないものもたくさんある。モンゴル国の土地、とりわけ国土の七割以上を占める牧地がそのひとつだ。

この章では、土地の私有化はモンゴルになぜなじまないのか、という問いについて考えてみる。この問いは、「牧畜民たちはなぜ移動するのか」という問いと表裏一体をなしている。土地が私有財産つまり商品となるためには、どこからどこまでがその人の土地か、柵を立てるなどして、境界をはっきりさせる必要がある。そのような境界は、しばしば自由な移動をさまたげるからだ。

しかしながら、「牧畜民たちはなぜ移動するのか」という問いに答えることはそう簡単なことではない。基本的には、牧畜民は家畜の食べる草のある場所に移動する。しかし、移動の理由や移動先の選択には、地域差や時代性も反映される。移動の理由や移動先の選択には、そのほかのいろいろな要素がかかわってくる。そこには、地域差や時代性も反映される。

この章の第１節では、モンゴルの牧畜の実践からこの問いについてくわしく見てゆく。そして、第２節では、一九九〇年代から実施された牧地の私有化を目指す開発プロジェクトの理念と実例によって、第３節では、牧地の財産権を定める立法とそれに対する国民の反応をとおして、表題の問いに答える。第４節では、この問いがわたしたちの現在の生活ともつながっていることを示す。

１「牧畜の国」モンゴル

モンゴル国は牧畜を国民のアイデンティティの基礎においている国だ。遊牧は民族文化の基盤と位置づけられ、一九九二年の新憲法は五条五節で「家畜は国民の富であり、国家の保護をうける」と規定し、六条三節では牧地の私有化をみとめない。現在の牧畜民は、就業者数全体の三割にもみたないが、牧畜に関連する産業に何らかのかたちでたずさわっている人たちは人口の約半分いるといわれている。二〇世紀初めまではいくつかの大規模寺院や軍事拠点、漢人やロシア人などの商人がお

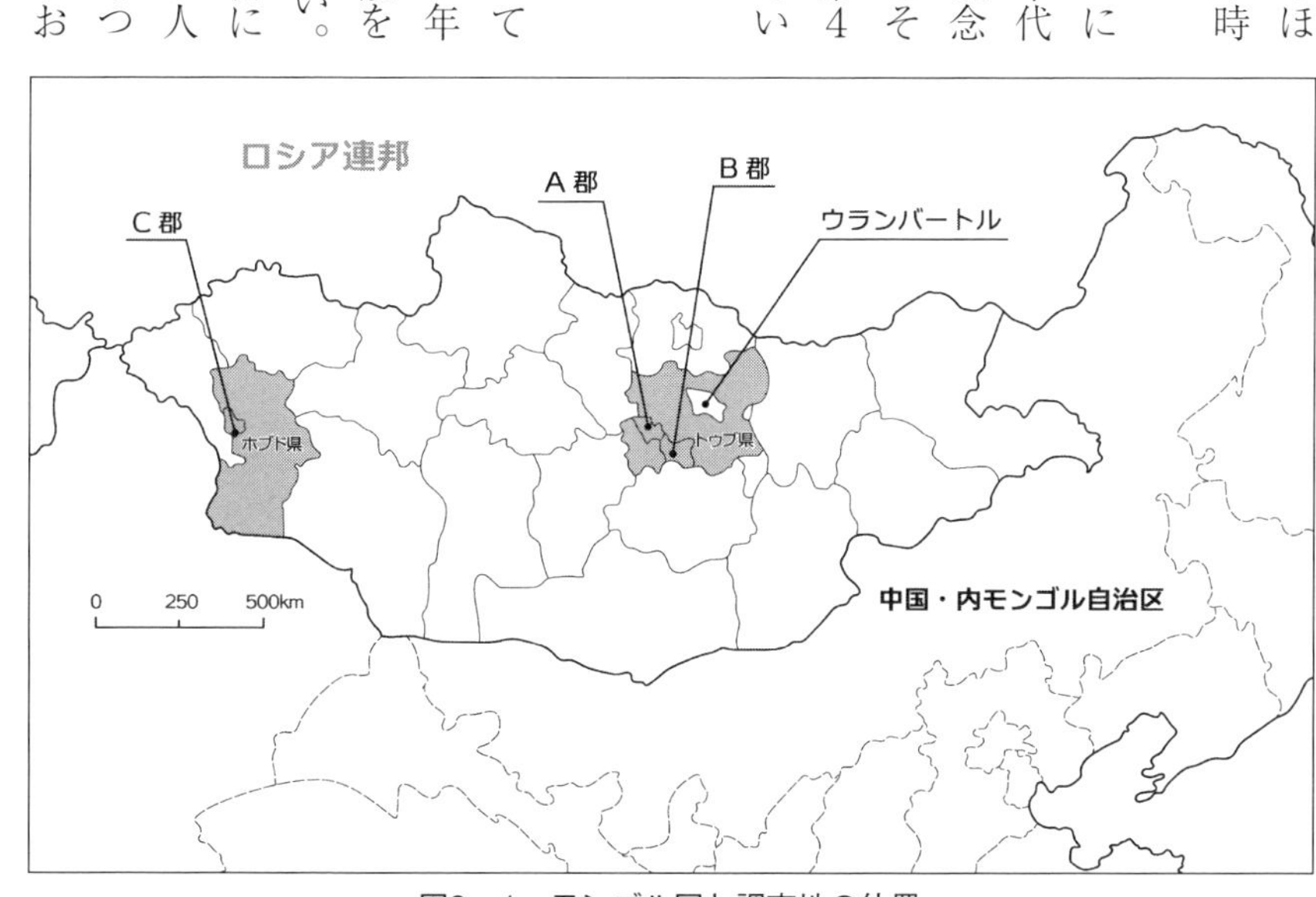

図8－1　モンゴル国と調査地の位置

く住む交易都市をのぞくと、役人や僧侶も含めほとんどが移動生活を送っていた。そして、移動民である牧畜民と定住地に住む非牧畜民の人口が逆転したのが七〇年代末のことなので、現代の都市住民も二代か三代さかのぼれば牧畜民だったということになる。いまでも都市住民と牧畜地域との結びつきはつよい。

しかし、一九九〇年代初めからモンゴル国とそこでおこなわれる牧畜は、おおきな環境の変化にさらされた。ひとつは、ソ連崩壊によって一九二四年からつづいた社会主義体制がゆきづまり、社会主義計画経済から資本主義市場経済へ移行したことである。それによって、大きな市場であるウランバートル市など大都市へのアクセスのよい場所に、牧畜民たちが大量の家畜とともに移動してくるようになった。もうひとつは、二〇〇〇年代から顕著になった地球温暖化の影響である。これによって、夏にまとまった雨が降るという降水の年間パターンが変化し、夏には干害が起こり、冬には大雪が降ってきびしい寒さになったりと、気候の変動がはげしくなった。さらには、いまや牧畜にかわって国内総生産にしめる割合で最大の産業となった鉱山業の開発によって、一部の地域では自然環境の深刻な破壊が起こっている。

●移動牧畜と牧畜資源

モンゴルでこれまでいとなまれてきた牧畜は、移動しながらおこなう移動牧畜*1である。牧畜は、家畜*2に牧地に生える草を食べさせることで成立している。なので、草がなくなったら草のあるほかの場所に移動しなといけない。人が刈

＊1　移動牧畜（mobile pastoralism）ケンブリッジ大学の社会人類学者C・ハンフリーとD・スニースの用語。通常、移動をおこなう牧畜は、英語ではnomadism、日本語では「遊牧」とよばれている。「遊牧」とは「遊動的な牧畜」という意味である。しかし、これらの用語は、移動する牧畜民を「後進的」と決めつける価値観や、その反対に「束縛を受けず自由に生きる人々」とみるロマン主義的なイメージとともに用いられてきた。ハンフリーらは、このようなステロタイプから牧畜研究を解放するため、mobile pastoralismという用語をつかうことを提唱した。Humphrey & Sneath 1999.

＊2　モンゴルの牧畜で飼われている家畜は、ウマ、ウシ、ラクダ、ヒツジ、ヤギの五種類で、「五畜」と呼ばれる。ウシにあたるモンゴル語「ウヘル」には、ヤク（写真8－1）と、ヤクとウシの混血

写真8－1　ヤクの種牡

り取った草を家畜に与えればよいと思うかもしれないが、モンゴルでは草が刈りとれるほどたかく生えている場所はすくないし、人間が刈って運んでくるよりも、家畜をその場所に連れていって家畜自身に草を食べさせた方がよほど効率がよいし、コストもひくくなる。基本的に、牧畜民は、雨が降って草がよく生えた場所へ移動すると考えてよい。

降雨量の変動は、年間降水量が二〇〇～八〇〇ミリメートルのモンゴル国を含む乾燥・半乾燥地帯ではおおきい。一般に、降水量は、すくないほど時間的にも空間的にも変動の幅がおおきくなるといわれている。おなじ地域の中でも雨の降る場所にばらつきがでてくるし、ことし雨の降ったおなじ場所に来年も雨が降るとはかぎらない。雨が降らず草が生えなければ、ほかの場所に移動するほかない。そのため、牧畜民は移動先の選択肢をなるべくたくさん用意する。降水量のすくなく変動のおおきい、このような牧畜をいとなむ環境は、非均衡的エコシステムとよばれる。*3

非均衡的エコシステムとそれに対する均衡的エコシステムのふたつは、一本のスペクトラム（連続体）の両端であり、その間の閾は年間降水量の変動係数が三〇％、または年間降水量が三〇〇～四〇〇ミリメートルにある。それより変動がおおきいか降水量がすくなければ、非均衡的とみなすことができる。*4

モンゴルの森林ステップ帯は平均年間降水量が約二五〇ミリメートル、変動係数が約二八％、砂漠性ステップ帯では一〇〇ミリメートル以下と五〇％だから、モンゴル国のほぼ全域が非均衡的エコシステムにあるといえる。*5

も含まれる。これらの動物は、草食性と群居性という性質をもつ。このことが、囲いのない開かれた牧地での多数の家畜の放牧を可能にしている。

*3　均衡的／非均衡的エコシステム　降水量がおおく時間的な変動が小さい地域では、生育する草の量も一定する。そして、草の現存量はそれを食べる動物の数により、連続的かつ可逆的に増減する。つまり、生物界内で植物と動物の量的関係は均衡する。このようなエコシステムを「均衡的エコシステム」とよぶ。均衡的エコシステムでの牧畜では、ある画定された牧草地のなかで持続的に家畜が飼育可能な最大頭数、つまり牧養力（環境容量）を算出し、それ以下に家畜の数を抑えることが重要とされる。これに対し、降水量がすくなく変動がおおきい地域では、非生物界の降水量によって生育する草の量がおおきく変化するので、草の現存量と動物の数は均衡しない。このようなエコシステムを「非均衡的エコシステム」とよぶ。非均衡的エコシステムでは、牧養力の概念は意味がなく、空間的な降雨量の偏差をとらえて、草がよく生えている場所に機敏に移動する「機会主義的移動」が適している。

そのいっぽうで、モンゴル国の降水量は夏に集中し、降雨量、温度、日照の三条件がそろう夏が、草の成長期である。秋には、温度がたかければ草は成長するが、冬と春は草がまったく成長しない。冬と春では、草のよりおおく残っている場所に移動することになる。

しかし、草といっても家畜が食べられる草と有毒な成分を含み食べられない草があるし、草の嗜好性は、家畜の種類によって異なる。つまり、ある家畜種が好んで食べる草や食べない草がある。さらに、この嗜好性は季節によっても変化する。有毒成分をもつ草でも、冬や春になると枯れて毒性がなくなり、家畜がよく食べるようになる草もある。単純に植物のバイオマス（現存量）がおおいだけでは、移動先の選択の理由にならないのだ。

移動した場所のまわりに家畜が食べるのに適した十分な草があるかどうかのほかに、川や泉、井戸など、水が近くにあることも大切だ。とくに、冬には積雪を人と家畜の飲み水にすることができるが、夏は水場がちかくにあることが不可欠となる。草や水以外に、家畜が必要とするミネラル分（地表に浮きでた塩分）も、家畜を飼育するうえで重要な資源だ。

●季節移動と機会主義的移動

そして、家畜と人が暮らし休息するのに適していることも、移動先を決めるうえで、草や水とおなじくらい重要な条件となる。この条件も、それぞれの季節で変わってくる。モンゴルの牧畜民がゲルとよばれる移動式の住居を建てた

＊4（前頁）
Ellis et al. 1993: 33, 39.

＊5（前頁）
World Bank 2003: 3, 34.

場所を営地とよぶ。営地には、ヒツジやヤギ、ウシが昼の放牧から帰って夜眠る場所も含まれる（写真８－２）。営地は、冬や春には日当たりのよい風を避けられる場所でないといけないのに対して、夏には風通しのよい涼しい場所が適している。冬と春には、まわりに草が残っていることとおなじかそれ以上に、きびしい寒さから人と家畜をまもる場所であることが大切なのだ。

牧畜における移動は、このように時間とともに変化する土地の多様性を利用することといえる。モンゴルでは、草原と森林が交互に現れる森林・山岳ステップ帯のように、比較的せまい範囲に多様性のある地形をふくむ地域もある。また、土地の多様性が南北差によって増幅される東部や南部の一部の地域や、標高差によって増幅される西部の山岳地帯もあって、それぞれに特徴的な移動パターンをもつ。モンゴル国の南部のいくつかの県が南北に長いのは、このような牧畜の移動パターンを反映しているからである。

そういった県の北部には夏の営地に適する山地や平野が、南部にはゴビ砂漠につづく、冬と春暖かく乾燥した砂漠性ステップ帯がある。それに対して、西部の山岳地帯では、夏は高地の豊かな草地を利用し、冬は暖かい低地を利用する。ただし、谷底は冷気がたまるので秋に利用し、冬はそこからすこしたかい場所が選ばれる。このようなモンゴル国西部の移動パターンは、ヨーロッパのアルプス地方のように決まった二つの地点を移動する「移牧」と似ているが、営地する場所はひろい選択肢のなかから比較的自由に選ばれる。

社会主義時代の一九五〇年代末には、牧畜協同組合（ネグデル）が全国で結

写真８－２　ホブド県の春営地。石の家畜囲いや積み重ねられた燃料となるヤクの糞が見える

成され、地域に春夏秋冬の四季それぞれに営地として適したゾーンが設定された。とくに冬と春の営地のゾーンは、六月の半ばから九月の半ばまでの期間使用しないという原則がつくられた。

こうして、各地域で季節移動がパターン化されるのと同時に、モンゴル語でオトル*6とよばれる機会主義的移動も奨励された。季節移動のパターン化とオトルの奨励によって、ある意味職住の分離がはかられたといえる。前者では居住性を重視するのと同時に、後者によって牧畜の生産性をたかめようとしたのである。現在では、定住地に建てられた設備のそろった大きなゲルには妻と学校に通う子どもたちが暮らし、夫が小さなゲルで移動し牧畜にたずさわる世帯もおおい。

このようにオトルは、日常化するだけでなく、重要性もますますたかまっている。地球温暖化の影響により、モンゴルでは降水量のピークが夏から秋にずれる傾向にあり、ゾド*7や夏の干害など自然災害が発生する周期も、一〇年から一二年であったのが、最近では五年ほどに縮まっているとする報告もあるからだ。モンゴルのような寒冷地の牧畜では、雨が降り草が生えた場所への機敏な移動以外にも、こういった冬の災害から逃れる機会主義的な移動が重要なのである。

●移動の社会的条件

移動先の選択は、そのときどきの自然条件だけでなく、各牧畜世帯のもつ家畜の頭数や種類の構成、働き手の数などの条件にも影響される。とくに、牧畜

*6　オトル
パターン化した季節移動ではない、機動的な移動を指すモンゴル語。ゾド（左の下段注7を参照）や干害から逃れるため、越冬にそなえて秋に家畜を肥らせるためなど、特定の目的のために、設置が容易な小型ゲルやテントなどを持って、おもに、働き手など世帯の成員の一部が、管理する家畜の一部を連れておこなう。移動には、それにかかる手間や、現在では自動車のガソリン代などのコストがともなうが、オトルは、世帯と家畜がまるごと移動する季節移動にくらべて、移動コストがひくいことがおおい。

*7　ゾド
モンゴルの冬は厳しいが、とくに厳しい自然条件とそれによって家畜が大量に斃死するなど被害が大きい災害のことをモンゴル語で「ゾド」とよぶ。ゾドには、白いゾド、黒いゾド、鋼鉄のゾドなどの種類がある。白いゾドの「白」は雪を意味し、小型家畜（ヤギ・ヒツジ）が雪をかき分けて地面に残った草をたべられないほどの大雪が降ることが原因で起きる。黒いゾドは、逆に通常は適度に降る雪がまったく降らず、家畜が雪を食べて水分を補給できず、あるいは暖かさのため地表の草が腐ってしまうことによって起きる。鋼鉄のゾドは、降った雪がいったん暖気で融けふた

でどういう世帯と協力するかによって左右される。

　人口の希薄な牧畜地域の人手は、いつも不足している。やらなくてはならない牧畜の作業がいろいろあるにもかかわらずだ。そこで、モンゴルではホトアイル*8とよばれる居住集団をつくってお互いに協力してきた。もっとも重要なのは、各世帯の所有するヒツジ・ヤギの群れを統合することだ。しかし、ひとつの群れとして放牧できるヒツジとヤギの混合群のサイズには制限がある。全体でおおよそ千頭以上だと統御がたいへんで分裂しやすく、群れからはぐれた家畜がどこかに行ってしまう危険がたかまる。かといって、群れを分割すれば、それぞれの群れに牧夫が必要となり、労働力の節約にならず群れを統合するメリットが減ってしまう。ヒツジとヤギが増え、統合したヒツジ・ヤギの混成群が制限サイズ以上になると、協力関係を解消し別の相手を見つけるか、単独で別の場所で牧畜を営まなければならなくなる。人と人との関係は、時間によって変化し流動的である。したがって、協力相手の選択肢を広く確保しておく必要があるのだ。

●いざというときの弱いつながり

　とくに、地域全体に干ばつやゾドが起こった場合には、人的なつながりを総動員して、援助を受けたり、雪の少ない牧地を紹介してもらったりして、災害を乗り切ろうとする。親族や地域の範囲を越えた、アメリカの社会学者グラノベッターのいうところの「弱いつながり」*9がとりわけ重要となる。

たび気温が低下して鋼鉄のように固く凍り、家畜が地表の草を食べられなくなくことが原因で起きる。

＊8　ホトアイル
モンゴル語の学術用語で、英語ではpastoral residential group（牧畜居住集団）があてられる。モンゴルの牧畜地域では、住居のゲルがひとつだけ建っていることも、いくつかのゲルがかたまって建っていることもよく見かける。それぞれのゲルには、基本的に男女のカップル（夫婦）とその子供で構成される核家族が住み、家畜を所有する。ホトアイルとは、近接して住む、このような世帯を単位として構成された集団をいう。ホトアイルを構成する世帯は、所有するヒツジとヤギをひとつの群に統合して、毎日必要な家畜番を順番に各世帯が担当することで、労働力の節約をはかる。（写真8－3）

写真8－3　ホトアイル。複数のゲルがかたまって建ち、家畜の寝場所や囲いがある

これは、SNSの使い方にも現れている。さすがに牧畜地域の高齢者はべつだが、私のモンゴル人の知り合いは、みんなフェイスブックのアカウントをもっている。そして、彼らの「友だち」は、千人単位の人数のことがおおい。フェイスブックをつうじて、「日本に行きたいからなんとかしろ」というメッセージが「友だち」の「友だち」から、私に来ることもめずらしくない。こうしたつながりは、貴重な資源なのだ。*10

●公共財としてのセーフティネット――倫理と行政の役割――

干害や雪害などの自然災害のもっとも有効な対策は、現在でも災害が起こっている地域からオトル移動することである。干し草の供給などほかの対策も実施されているが、高コストで広範囲をカバーできない。避難して来た牧畜民と家畜を自分たちの牧地に受け入れることが、牧畜社会における災害時のセーフティネットとなるのである。移動先の牧地の斡旋は、うえで述べたような個人的なつながりによる場合もあるが、伝統的に行政の役目であった。

モンゴルには互酬的な助け合いの倫理があり、牧地をお互いに融通し合ってきた。しかしながら、一〇〇パーセントこうした倫理が牧畜民の心理を占めているわけではない。自分たちが長年利用している牧地を外部の牧畜民に使わせることにはやはり抵抗がある。牧地が荒れて、自分たちの家畜に被害がでる可能性もたかい。彼らは、牧地の所有者ではないが、管理者であり優先的な利用者なのだ。牧地がまったくの無主であることはまれだ。受け入れ側の方がどう

*9　（前頁）弱いつながり
マーク・グラノベッターが一九七三年に発表した論文「弱いつながりの強み」（Granovetter 1973）で提示した社会的ネットワークの概念。グラノベッターは、この論文で、調査にもとづき、頻繁に会って情報の冗長性の高い（つまり同じ情報しか持っていない）「強いつながり」の人たちより、知り合い程度の「弱いつながり」の人たちの方が、重要な情報をもたらすことを明らかにした。

*10
牧畜民のSNS利用については、第10章も参照。

しても立場はつよい。そのため、倫理のセーフティネットが有効に機能するには、避難者側に立って交渉する行政の力が必要となる。

行政としても、災害から家畜が移動せずに全滅すれば、家畜を税として徴収できないばかりか、将来の家畜頭数の回復を期待することもできない。それに対し、家畜を移動させれば、数が減ってもまた増やすことができる。受け入れる側も、多少の損害はあるが、立場が逆転する可能性や、社会全体ではプラスになることが分かっているからこそ、受け入れざるをえないのである。いわば、行政が牧畜民の互酬倫理と生存維持倫理をバックアップしてきたのである。

２　国際機関による援助

●国際機関による市場経済化への支援と法整備

一九九〇年代以降、モンゴル国の牧畜のあり方は、おおきな転機に直面している。モンゴル国は、一九二四年社会主義国となり、一九五〇年代末に牧畜の集団化が完成したが、移動牧畜の基本的な性格は変わらなかった。

だがソ連の崩壊の影響がモンゴルにおよび、社会主義経済が立ちゆかなくなり、一九九〇年代初めに市場経済が導入されると、牧地の私有化を可能とする法整備が、国際開発機関の援助を通じて議論されるようになった。

一九九二年からのモンゴルの市場経済への移行は、世界銀行*[11]、国際通貨基金（IMF）*[12]、アジア開発銀行（ADB）*[13]など国際機関の開発プログラムによっておこなわれた。牧畜部門、とくに牧地に関連して実施された開発プログラムは、つぎ

＊11　世界銀行
英語名World Bank。貧困削減と持続的成長の実現に向けて、途上国政府に対し融資、技術協力、政策助言を提供する国際開発金融機関。

＊12　国際通貨基金
英語名International Monetary Fund（略称ＩＭＦ）。国際金融の安定を促進し、国際通貨協力を推進し、国際貿易や貧困削減のための雇用、持続的な経済成長を促進するための国際連合機関。

＊13　アジア開発銀行
英語名Asian Development Bank（略称ＡＤＢ）。貧困のないアジア・太平洋地域を目指し、開発途上加盟国が貧困を削減できるよう支援する国際開発金融機関。

のふたつの時期に分けて考えることができよう。一九九〇年代の牧地私有化を含む法制整備プログラムと、コモンズ論にもとづく[*14]二〇〇〇年からの牧畜民グループによる牧地管理プログラムである。

●牧地の私有化──土地法改正論議──

一九九〇年代の牧地私有化は、牧畜における市場経済化の貫徹を目指すものだった。家畜だけでなく牧地を商品として市場に流通させることが、市場化の最終目標とされたのである。アジア開発銀行は、農牧業開発プログラムが成果を出すためには、牧地の私有化を認める法整備が必要だと、資金供与のストップをほのめかしてモンゴル政府に圧力をかけた。

牧地の私有化は、モンゴルの市場経済化のためだけでなく、牧地の持続的使用と保全にも有効とされた。その根拠となったのが、アメリカの生物学者ハーディンによる「コモンズの悲劇」[*15]の論理である。この論理は、一見環境問題解決の論理として理解されやすい。しかし、そこには個人の利益を追求する古典経済的な合理的人間が描かれている。

ハーディンは、「コモンズの悲劇」の解決策として、牧地の私有化とともに政府による管理も提示している。しかし、一九九〇年代初めは「小さな政府」を提唱する新自由主義（ネオリベラリズム）が世界的に影響力を得ていたころで、モンゴルでも、市場経済への移行にショック・ドクトリン[*16]が採用された。それによって、モンゴル国の畜産物をふくむ商品の流通システムや、福祉・医療・

＊14　コモンズ
複数の人々で利用する資源のこと。国際的、地球規模のグローバル・コモンズ、特定の地域にあるローカル・コモンズなどがある。後者のなかでも、控除性（subtractability）をもち、排除性（excludability）がひくい資源は、「コモン・プール資源（Common-Pool Resource：略してCPR）」とよばれる。控除性とは、使ったら使った分だけ減る性質で、競合性（rivalrousness）とも言い換えられる。つまり、取り合いになりやすい性質のことである。知識や情報は、利用しても減ることはないので控除性をもたない資源といえる。いっぽう、排除性とは、他人が利用を妨げることを可能とする性質のことである。例えば、大気は、他人が呼吸するのを排除することがむずかしいので、排除性がひくい資源といえる。

＊15　コモンズの悲劇
一九六八年、ギャレット・ハーディンが、学術誌『サイエンス』に発表した論文名。Harding 1968.「共有牧地の悲劇」とも訳される。論文の主旨は、つぎのように要約できる。家畜が私有で牧地が共有のままだと、家畜を一頭増やすことで得られる利益はまるまる自分のものになるいっぽう、牧地の悪化

教育などの社会サービスが壊滅した。このような状況下で、社会主義を肯定するような後者が選ばれることはなかったのである。

しかし、牧地私有化には大部分のモンゴル人が反対した。とくに、牧畜民のほとんどは、私有化すれば牧地はかえって荒廃すると主張した。牧地の私有化は、柵で囲い他人の家畜の侵入を防がないと意味はない。しかし、柵は家畜の移動を妨げ、牧地の使用が一部に集中し、そこから牧地全体の悪化が進行することになる。これは、じっさいに中国の内モンゴル自治区で起こったことだ。

こうした根強い反対意見や、国土が中国人など外国人の手に渡ってしまうというナショナリズムにもとづく危機感、そして牧地の私有を認めない憲法の規定があって、アジア開発銀行の圧力を受け土地法は何度か改正されたものの、牧地の私有を認める法整備は実現しなかった。

●牧畜民グループによる牧地保有――ＣＢＮＲＭプロジェクトと牧地法案――

牧地私有化の導入のもくろみが失敗したことが明らかになると、国際機関はそれにかわり「コミュニティを基盤にした自然資源管理」（Community Based Natural Resource Management：略してＣＢＮＲＭ）を提唱するようになった。モンゴルの牧畜では、牧畜民にコミュニティとしてのグループを結成させ、それに一定の広さの牧地を、コモンズとして数十年間排他的に使用・管理、つまり「保有」（モンゴル国土地法で長期間の排他的使用をこうよぶ）させる開発プログラムとなる。その理論的根拠となったのが、アメリカの経済学者オストロムによるコモンズの

（草の減少）というコストは、牧地を使用する牧畜民全員に分散して負担されることになる。通常、一頭を増やして得る利益が負担するコストよりおおきくなるため、牧畜民はみな家畜を増やしていく。その結果、牧地が過剰使用され荒廃してしまう悲劇が起こる。それを回避するためには、牧地も私有化して牧畜民に分配することが必要だ。そうすれば、家畜一頭を増やすコストはすべて個々の牧畜民が負担することになり、家畜をむやみに増やさず牧地を適正に管理するようになる。この論理は、世界中で国有財産やコモンズ（前頁下段注14を参照）の私有化の理論的根拠とされた。

＊16　ショック・ドクトリン　カナダのジャーナリスト、ナオミ・クラインが二〇〇七年出版した著書（日本語訳は、クライン　二〇一一）で名づけ批判した、「変革のためには危機的状況が必要だ」という、新自由主義の経済学者ミルトン・フリードマンが提唱した考え方。また、同書の副題の「惨状便乗型資本主義」とは、災害、政変、内乱、戦争などの破滅的な出来事をまたとない市場チャンスととらえ、公共領域にいっせいに群がり、国有企業の民営化等によって、短期

長期存続のための設計基準[17]である。その第一の基準である「明確な境界」と「小さな資源サイズ」[18]が重要視された。そして、一九九九年以降、二千以上の牧畜民グループが組織された。

「明確な境界」とは、誰がグループの成員かそうでないかの社会的境界と、牧地の地理的境界を明確に定めることを意味する。そして、牧地の境界内にとどまり外に出ないこと、また外からグループの成員以外の家畜を入れないことが求められるのである。

しかしモンゴルの土地法は、牧地の所有（処分権を含む）を認めないだけでなく、長期の排他的利用（保有）も認めなかった。そこで国際連合開発計画[19]やスイス開発協力機構[20]など、この開発プロジェクトを実施する国際機関は、牧地保有の法的根拠となる牧地法の成立に向け、牧畜民たちを動員して政府に働きかけた。そのいっぽう、法案が可決されていないにもかかわらず、これら国際援助機関の実施するプロジェクトでは、牧畜民グループに実質的な牧地の保有が許された。

牧畜民のなかには、開発援助機関の掲げる理念を信じる者も少数ながらいたが、プロジェクトを利用して、よい牧地を自分のものとして囲い込もうとする者もいた。しかし、おおくは、せっかく外国人がお金をくれるのだから、ありがたくいただけるものはいただいておこうという機会主義的な考えだった。そのため、この開発プログラムにより創設された牧畜民グループは、プロジェクトが終了し資金援助がなくなると、ほとんどが消滅している。では、じっさい

間で莫大な利益を得ようとする資本主義をいう。クラインは、フリードマンの助言を受けたチリや中国、ロシア、そしてアメリカなどで、じっさいに危機的状況に乗じて、このような惨状便乗型資本主義が行われたことを詳細に明らかにした。

*17　コモンズの長期存続のための設計基準　ハーディンが「コモンズの悲劇」論文を発表して以降、彼が主張するような「悲劇」は起こらず、コモンズが持続的に利用されている事例が世界中から報告された。二〇〇九年にノーベル経済学賞を受賞したエリノア・オストロムは、それらの事例を分析した上で、コモンズ（CPR）が長期存続するための基準である「コモンズの長期存続のための設計基準」を提言した。Ostrom 1990: 90.

*18　Agrawal 2002.

*19　国際連合（国連）開発計画　英語名United Nations Development Programme（略称UNDP）。世界の開発とそれに対する援助のための国際連合の機関。

にどのような問題点があったのか、聞き取り調査による事例で見ていこう。

●細分化によるアンチ・コモンズの悲劇

モンゴル国中部トゥブ県のある郡（以降A郡とする）では、二〇〇七年四月からSDC−GGプロジェクト（下段注の表8−1参照）が実施され、郡の四つのうちの三つの村に、三〇から五四世帯で構成される九つの牧畜民グループが結成され、牧地が分割された。

翌二〇〇八年、ひとつの牧畜民グループが隣の牧畜民グループと合併した。前者が、土地がせまいのに家畜頭数・世帯数がおおく、後者がひろい土地を少数の家畜・世帯で使用していたからである。この合併話は、プロジェクト開始のすぐ後から話し合われはじめたが、後者のメンバーを納得させるのにほぼ一年かかった。

また、南東の三つの牧畜民グループが、南に隣接する牧畜民グループの境界内にある農耕放棄地に冬のあいだ家畜を入れようとしたところ、使用していないにもかかわらずその牧畜民グループの成員が「自分たちの土地だ」と激しく反発し、やっとのことで利用することができた。

このように、牧畜民グループがいったん結成されると、外部に対する排他的意識がたかまり、それによって郡全体で牧地を効果的にまんべんなく使用することがむずかしくなる。一度取り決めた境界は変更がむずかしく、紛争と交渉のコストが増す。資源の細分化は、効率的な利用を阻害するのである。

＊20　スイス開発協力機構　英語名 Swiss Agency for Development and Cooperation（略称SDC）。スイス外務省管轄の開発援助機関。

表8−1　モンゴル国で実施された主なCBNRMプロジェクト

援助機関	プロジェクト名（略称）	実施期間	目的
スイス開発協力機構（SDC）	Green Gold Program（SDC-GG）	2004–2008（第1期） 2009（第2期） 2010–2012（第3期） 2013–2016（第4期）	牧畜民グループによる持続可能な牧地管理と市場へのアクセス
国連開発計画、スイス開発協力機構（UNDP-SDC）	Sustainable Land Management for Combating Desertification（UNDP-SDC-SLMCD）	2008–2012	持続可能な生産システムとしての牧地保全
ミレニアム・チャレンジ公社（MCC）*	Peri-Urban Rangeland Productivity（MCC-PURP）	2010–2012（第1期） 2012–2014（第2期）	都市周辺の牧畜民グループによる土地保有システム導入

*ミレニアム・チャレンジ公社　英語名 Millennium Challenge Corporation（略称MCC）。世界の貧困削減を目標に掲げるアメリカの開発援助機関。特別会計「ミレニアム挑戦会計」（英語名 Millennium Challenge Account 略称MCA）を管理する。

●外部の牧畜民の排除と生存維持倫理の放棄

A郡と同じ県のB郡では二〇一〇年、境を接する南隣りの県から干害を避けた牧畜民が家畜をつれて移動し、牧地をめぐる紛争が起きていた。この郡でUNDP–SDC–SLMCDプロジェクト（表8–1）によって結成されたある牧畜民グループの設立の経緯は、聞き取りによるとつぎのようであった。

「二〇〇九年に九世帯が、牧地の保護と採草地の管理の目的で結成した。この九世帯は親類同士で、後から親類ではない二世帯が加わった。まだ加入していない世帯がグループの境界内にいくつかあるが、家畜のおおい世帯は入れたくない。南隣りの県からの家畜を入れないことが条件で、郡との契約によって東西一五キロ南北一〇キロの牧地を保有することになった。以前は夏になるとずっと北の方まで移動していたが、夏もこの牧地のなかで過ごすようになった」。

このように、この牧畜民グループは、郡の南端にあって南隣りの県からの牧畜民と家畜の侵入を阻止する役目を担わされている。南の県では、何年も前から連続して干害が起きていて、牧畜民たちはB郡に移動してきていた。このような移動に関する紛争は、生存維持倫理に則って解決することが行政の役目だった。しかし、経済活動に行政は不干渉であるべきだとする新自由主義的な方針により、牧畜民グループが外部の牧畜民の排除というかたちで行政の役割を押しつけられたのである（写真8–4）。

そもそも、南隣りの県に干害が起こった場合、北の県にオトルで移動することは、南隣りの牧畜民に長年認められてきた。彼らは、制限つきで、うすい権

写真8–4　この牧畜民グループの所有する深井戸の建物と採草地の囲い。これらはプロジェクトの融資で作られた。通常井戸は共用だが、ここではグループの成員のみが使用できる

利ながらもB郡の牧地の利用者であったのだ。それが、とつぜん単なる侵入者として排除の対象として扱われるようになった。聞き取り調査に、ある牧畜民は、もし牧地保有を認める牧地法が可決されたなら内乱が起こると、どのくらい本気かは分からないが答えた。

このB郡の例では、牧畜民グループは外部の牧畜民の排除の役割を負わされ、生存維持倫理が放棄されようとしていたのである。

●移動の柔軟性の縮小

モンゴル国西部のホブド県のC郡では、夏に西部の標高のたかい牧地、冬は南に開いた谷沿いの牧地を使用するという高度差を利用した移動牧畜がおこなわれている（写真8－5）。

同郡のA村では、毎年四月と一一月に村の集会を開き、地域ごと（夏・冬それぞれ四箇所）に指導者を選出して牧地の使用規制を実施していた。夏・冬の牧地にいつ一斉に移動するか、その日程、それまではその牧地を使用してはならないことを決め、指導者がその遵守を監督するのである。

この実践をふまえて、二〇〇八年のSDC－GGプロジェクトの最初の会合では、牧畜民から夏の牧畜民グループと冬の牧畜民グループを地域ごとに別々に設定するという独自の案が提案された。つまり、毎年夏と冬に結成される季節限定の牧畜民グループである。この村には、牧畜民がおもに冬営する谷として、A・B・C・Dの四箇所があり、おなじく夏営地にはa・b・c・dの

写真8－5　ロシア製ジープによる移動

四つの谷がある。ある世帯がＡに冬営地を保有し今年使用したとしても、つぎの年はほかの冬営地を使用することもまれでない。また、冬Ａにある冬営地を使用した世帯すべてが、夏いっしょの谷の夏営地ａを使用するということもない。各牧畜民世帯は、さまざまな条件を勘案して、どの谷に営地するか決定する。そのため、各地域の世帯構成は季節ごとに変わる。

だが、ウランバートルのプロジェクト指導部は、これを「無秩序」だと批判し、冬と夏それぞれの四つの谷を二つずつにまとめ、年間を通じた二つの牧畜民グループを作ることを指示した。こうすると、冬営地と夏営地の４×４＝１６通りの谷の組み合わせの選択から、２×２＝４通りの選択しかできなくなる。つまり、牧畜経営の選択の幅をちぢめ柔軟性を失うことになる。そのような牧畜民グループの必要性をほとんどの牧畜民が感じなかったため、Ｃ郡では牧地保有は実現しなかった。

３　土地法改正案と牧地保有の問題点

牧地の私有化にしろ、その批判から生まれた牧畜民グループによる牧地保有にしろ、国際機関の開発プログラムでは、境界を明確にすることこそが牧地をめぐる紛争をなくし、環境を保全するために不可欠の条件だと信じられている。それに対して、モンゴル国の牧畜民たちのほとんどが、「明確な境界はかえって紛争を生む」と言う。

このような対立は、二〇一三年上程された牧畜民グループによる牧地保有をふくむ土地法の改正案でもあらわになった。この改正案も、牧地保有のほかに在住外国人にも土地の割り当てを認める条項があったため、国民のはげしい反対にあい、政府は翌年六月二〇日改正法案を取り下げた。

国会の同法改正法案のホームページには、この改正案に市民が賛否を投票できる欄があった。それによると、改正案に賛成が一五％、反対が八一％、分からないが二％あった。ある国会議員は、牧地を保有して囲うことでかえって紛争が起こると指摘し、反対意見を述べた。またべつの国会議員は、遊牧文化が失われる、冬営地・春営地が子どもの学費を借りる担保になり、少数の牧畜民による寡占が起こり、最終的に外国人の手に渡る、といった意見を述べた。さらに、一般の反対意見のなかには、国土を母にたとえて、土地が商品化されるということは、母を売ることだとする批判もあった。これらの主張は、矛盾があったり、偏狭なナショナリズムに訴えたりするものの、牧地保有がふくむ問題を直観的に把握し、指摘しているといえる。

いっぽう、賛成派は、粗放的な移動牧畜が遅れていて時代に適応せず、牧地の効率的な利用のためには、市場に流通させることが必要だと説く。彼らにとってあるべきモンゴルの牧畜像は、牧畜民グループが「進化」した法人が経営する、酪農のような「集約的牧畜」である。その背景には、酪農だけでなく、鉱山やツーリストキャンプ、大規模農場などの開発にとって、現在の土地制度が障害になっていることがあるだろう。

モンゴルにおいては、牧畜民グループによる牧地保有にはつぎのような問題がある。まず、牧地の境界を決めてもその侵犯を監視するコストが大きい。柵で囲って保護すれば、中国の内モンゴル自治区のように、囲った自分の牧地は使わず、共有地として残された土地をよりはげしく使用し、牧地の総体としてはむしろ悪化が進行してしまうおそれがある。囲いを建てる財力や政治的影響力のある牧畜民の牧地は守られるが、囲いを建てる力のない牧畜民の牧地は、ほかの牧畜民に共有地として使用されてしまうのである。*21 柵がなくても牧地を細分化すれば、B郡の事例が示すように、地域全体の生産性を上げることがむずかしくなる。

また、牧畜民グループの社会的境界と空間的境界を明確にさだめて牧地が悪化したとき、その責任を牧畜民グループに帰することにも問題がある。牧地の悪化は、いわれるように牧畜民が家畜を増やしすぎたからではなく、移動せずに特定の牧地に家畜が集中することや、気候変動による乾燥化の影響が大きな原因である。不適切な牧地使用があったとしても、それがどこまで牧畜民の責任によるものなのか、気候の変化によるものなのか、はっきり区別することは不可能である。境界の確定は、かえってモラルハザードと紛争を生む。

これらの点で、牧畜民グループによる牧地保有が根拠とする「明確な境界」は、「共有地の悲劇」の解決策としての私有化論とおなじ論理をとっている。両者とも、所有権を明確に設定することによって外部コストの内部化がはかられ、資源の有効利用と環境問題の解決が実現できると考えるのである。

*21 Taylor 2006: 379.

４　牧地の私有化の議論が示唆するもの

牧地の所有権を牧畜民に与えるという一見わかりやすい開発のアプローチが、変動が大きく不確実性のたかい生態的環境のなかでいとなまれる牧畜の実態といかにギャップがあるか、明らかになったと思う。牧畜民は、いくつもの移動先の選択肢を用意し、環境の変動に対応しようとする。開発の論理はその選択肢を制限するものだったのである。

おおくの可能性をできるだけ担保して、素早くそのあいだを乗り換えながら、不確実性を生きるという牧畜民のスタイルは、モンゴルの都市住民にも受け継がれている。これをモンゴル社会の特質というと、本質主義[*22]だと批判されるかもしれない。しかし、このスタイルは、良くも悪くも現代という時代に適合している。

ここで見てきた、排除性のひくい資源である牧地の所有権強化がどんな問題を引き起こすかという議論は、インターネット上のデジタル・コモンズの議論とも共通する論点を含んでいる。というのも、今日知的財産権が強化されるいっぽう、あたらしい著作権ルールの「クリエイティブ・コモンズ」[*23]や、さまざまなコンテンツのパブリックドメイン化[*24]、また学術論文のオープンアクセス化[*25]などがすすめられているからだ。背景には、行き過ぎた所有権の強化は、文化や学術の発展をさまたげるという認識がある。このような視点からモンゴルの移動牧畜を見ると、いっそう興味深く感じられるかもしれない。

＊22　本質主義／構築主義
人種や性別、民族といった人間のカテゴリーに、変化することのない性質（つまり、本質）が存在するという考え方。いっぽう、本質主義を批判する構築主義は、このように変化しない本質としてとらえられた性質が、社会的歴史的に構築され、かつ構築されつつあるもので、変わりうることを強調する。

＊23　クリエイティブ・コモンズ
アメリカの法学者ローレンス・レッシグらが発案した、著作者が自らの著作の流通の条件を示すことによって、著作物の自由な流通をひろげようとする活動、またその団体。

＊24　パブリックドメイン
保護の対象でなかったり、放棄されたり、保護期間を過ぎたりするなどして、知的財産権（著作権、特許権、商標権など）が無く、誰もが自由に利用できる状態のこと。

＊25　オープンアクセス化
学術情報をインターネットから無料で入手でき、技術的、法的にできるだけ制約なくアクセスできるようにすること。

【参考文献】

- 上村明　二〇一三「土地制度の歴史と現在」藤田昇、幸田良介、草野栄一、加藤聡史（編）『モンゴル　草原生態系ネットワークの崩壊と再生』京都大学学術出版会、三一六―三三八頁;「モンゴルの牧畜におけるコモンズ」同書、五九一―六一三頁。
- クライン、ナオミ　二〇一一『ショック・ドクトリン――惨事便乗型資本主義の正体を暴く　上・下巻』（幾島幸子、村上由見子訳）岩波書店。
- Agrawal, A. 2002. Common Resources and Institutional Sustainability. In Ostrom, E., Dietz, T., Dolsak, N., Stern, Paul C., Stonich, S., and Weber, Elke U. (eds.) *The Drama of Commons*, Washington DC: National Academy Press, pp. 41–85.
- Behnke, R.H., Scoones, I. 1993. Rethinking Range Ecology: Implications for Rangeland Management in Africa. In Behnke, R.H., Scoones, I. and Kerven, C. (eds.), *Range Ecology at Disequilibrium: New Models of Natural Variability and Pastoral Adaption in African Savannas*, London: ODI, pp. 1–30.
- Ellis J.E., Coughenour, M.B. and Swift, D.M. 1993. Climate Variability, Ecosystem Stability, and the Implications for Range and Livestock Development. In Behnke et al., pp. 31–41.
- Fernandez-Gimenez, M. 2002. Spatial and Social Boundaries and the Paradox of Pastoral Land Tenure: A Case Study from Postsocialist Mongolia. *Human Ecology* 30(1), pp. 49–78.
- Granovetter, Mark. 1973. The Strength of Weak Ties. *American Journal of Sociology* 78(6), pp. 1360–1380.
- Hardin, G. 1968. The Tragedy of the Commons. *Science* 162, pp. 1243–1248.
- Humphery, C. and D. Sneath. 1999. *The End of Nomadism?: Society, State and the Environment in Inner Asia*. Durham: Duke University Press.
- Ostrom, E. 1990. *Governing the Commons: The Evolution of Institutions for Collective Action*. Cambridge: Cambridge University Press.
- Taylor, J.L. 2006. Negotiating the Grassland: The Policy of Pasture Enclosures and Contested Resource Use in Inner Mongolia. *Human Organization* 65(4), pp. 374–386.
- World Bank. 2003. *Land Resources and Their Management: Mongolia environment monitor 2003*. Washington DC: World Bank.

第3部　共生

元来、牧畜民は敵への残酷さや容赦のなさというイメージで捉えられがちである。しかし、現実には、牧畜民の敵と味方、自己と他者は柔軟に入れ替わり、敵であっても命を助け、人間と動物の境界さえ取り払われることがある。第3部では、牧畜民がもつこのような柔らかな「共生」のかたちについて考えてみたい。

第9章　シベリアでトナカイがはぐれたらどうする？

……自立と互助……

大石　侑香

図9－1　西シベリア低地

シベリアの極寒の地には、トナカイを家畜として飼育している人々がいる。家畜といってもトナカイはふだん、ほとんど解放され自由に走り回っており、牧夫らもトナカイに橇（そり）をひかせて氷と雪で覆われた広大な大地を駆けめぐる。一見すると、彼らは自由奔放にその土地を使用しているように見える。しかし、実際には周囲の生態環境と社会関係の中で隣人と絶妙な距離を保ち、見えない境界をつくって暮らしている。

本章では、シベリアの森林地帯での小規模なトナカイ牧畜を事例として、環境利用のあり方と隣人関係について論じる。本章の主な舞台となるのは、ロシア連邦、西シベリアの民族自治領域*1の、ハンティ－マンシ自治管区*2とヤマル－ネネツ自治管区*3との行政境界付近に位置する

＊1　民族自治領域
ソ連の領域的民族自治の理念と、自治領域の区分けについては第4章を参照。シベリアの場合、人口が五万に満たない少数民族が多く、民族名がついた自治管区や自治州が多くみられる。しかし、ロシア人などが人口の大半を占めるため、少数民族の自治性・経済的自立性は弱く、民族の固有言語話者も減少傾向にある。

＊2　ハンティ－マンシ自治管区・ユグラ
ロシア連邦チュメニ州に位置する自治管区。オビ川中流域の森林地帯を領域とする。人口は約一五五万人で、ロシア人、タタール人、ウクライナ人が大半を占め、ハンティやマンシ等の北方少数民族は全人口の二％程度である。自治管区東部では石油産業が盛んであり、首都はハンティ・マンシイスクだが、東部のスルグトのほうが規模が大きい。

ヌムト湖である。この地域に住む人々は、トナカイ牧畜のみに従事しているわけではない。後述するように、狩猟採集や漁撈など複数の生業を合わせながら、夏は冷涼で冬は酷寒となる極北の地で暮らしている。ここでトナカイ牧夫は、漁場を確保するために比較的狭い土地でトナカイを放牧している。結果的に隣人との放牧領域が重なり、互いの所有する群れが頻繁に混ざり合う。そこで、人々は助け合って家畜を管理するけれども、家畜の窃盗や揉めごとも絶えない。では、人々はどのように助け合い、揉めごとを解決しているのだろうか。

本章は、この問いに答えるべく、以下のような構成をとる。第1節では、シベリアの「生業複合」の特徴について紹介する。第2節では、西シベリアにあるヌムト湖周辺における小規模なトナカイ牧畜の環境・土地利用の特徴について述べる。第3節では、牧畜民どうしの互助と揉め事について、筆者のフィールドワークにより聞き取った具体的な事例を紹介する。第4節では、隣人たちとの「境界」を越えてみずから移動する、はぐれトナカイをめぐる住民たちの共生関係について考察したい。

1　トナカイ牧畜民のしごとはトナカイの世話だけではない？

●シベリアの自然環境と生業複合

皆さんは、シベリアにどんなイメージを持っているだろうか。つねに寒さが厳しく、自然環境の変化に乏しいところだと想像する人が多いのではないだろうか。しかしそれとは反対に、シベリアの自然環境は、地形や気候、場所や季

＊3　ヤマル－ネネツ自治管区　ロシア連邦チュメニ州に位置する自治管区。オビ川下流域の森林地帯から北極海に面したツンドラが広がるヤマル半島とギダン半島を含む領域。人口は約五〇万人で、そのうちネネツ人は約四万人。首都はオビ川河口のサレハルト。天然ガス産業が盛ん。

写真9－1　トナカイの放牧作業

写真9－2　秋のツンドラ

節によってたいへん変化に富んでいる。

　地理的には、北は北極海、東はベーリング海およびオホーツク海に面し、西はウラル山脈までをシベリアという。植生は、北からツンドラ[＊4]、タイガ[＊5]、ステップ[＊6]が分布する。また、東西の地形を見れば、東シベリアは山地が連なり、西シベリアは広大な低地が広がる。さらに、季節によって景色もめまぐるしく変わる。夏至の白夜から冬至の極夜[＊7]へと日照時間は変化し、年間の最高気温と最低気温の差も大きい。氷と雪に覆われた長い冬が終わる五月には、またたくまに雪が消え、緑が芽吹き、花々が咲き、渡り鳥が飛来する。六−七月の短い夏が終わると、八月後半には紅葉が始まり、急激に冷え込む。一〇月には積雪が始まり、また真っ白な極寒の世界を迎える。

　この地域の人々は、居住する場所の、また季節ごとの自然環境にあった生業を組み合わせて暮らしている。タイガでは野生の鳥獣の狩猟採集や川・湖での漁撈（ぎょろう）、海岸地域ではクジラやアザラシなどの海獣狩猟や海での漁撈、ツンドラではトナカイ飼育、比較的乾燥したタイガやステップではウシやウマの飼育など、環境に合った生業を組み合わせている。このように環境に合わせて柔軟かつ複合的に営む形態を「生業複合」といい、これがシベリアでの生業の特徴となっている（生業複合については第３章も参照）。

　トナカイ牧畜を行う人びとは、トナカイの肉や血液を食べ、毛皮を衣服や天幕に、骨や角を装飾品や道具に利用するだけでなく、トナカイに牽引具をつけて橇（そり）を引かせたり、鞍をのせて騎乗したりして、日常的な乗り物としても利用

＊4　ツンドラ
高緯度の森林限界と極地の雪氷地帯のあいだの土地。地中には凍土層があり、一年の大部分が氷雪に覆われるが、地表は草本や地衣類が繁茂する。夏季には氷雪と凍土の表面が解ける。景観は、木々がまばら〜まったく生えていない、遠くまで見渡すことができる広大な湿原だ。

＊5　タイガ
シベリア、カナダ、アラスカなどの針葉樹林。地中には大小の凍土層がある。景観は、樹木の太さや高さは熱帯雨林と比べて細く低いが、密に茂り、まっすぐ歩くことが困難なほどだ。

＊6　ステップ
中緯度内陸の比較的降水量の少ない乾燥した草原。ユーラシア大陸の東ヨーロッパから中央アジア、モンゴル、シベリア西部周辺にかけて分布する。

＊7　極夜／白夜
極夜は、北極圏または南極圏で、一日中太陽がほとんど昇らず、真っ暗〜薄暗い状態が続く現象。白夜は、反対に、一日中太陽がほとんど沈まず、明るい〜薄明るい状態が続く現象。

している。彼らは天幕や簡易な木造家屋に暮らし、トナカイの群れとともに移動する生活を行っている。そのため、一見するとトナカイにだけ依存して生活を営んでいるように見える。だが実はトナカイ牧畜だけではなく、季節によっては狩猟採集や漁撈も行うため、彼らの生計や食生活は、野生の鳥獣や植物、魚にも依存している。飼育するトナカイの群れの規模は、数頭から数千頭までさまざまであるが、とりわけ森林地帯で小規模の群を飼育している場合、狩猟と漁撈に大きく依存する傾向が強い。

２　漁撈を前提としたトナカイ飼育

つぎに、トナカイ牧畜と他の生業との複合で、どのように環境が利用されているのか、西シベリアのヌムト湖周辺（以下、ヌムト）の事例をあげる。

●ヌムト湖の生業複合

西シベリア低地のほぼ中央を南から北へオビ川[*8]が流れ、その中下流域にはタイガが広がり、無数の湖沼が分布する。この地域に暮らすハンティ[*9]などの北方少数民族は、かつては狩猟採集を主たる生業としてきた。ロシアの毛皮商人との接触から毛皮獣狩猟が盛んになるものの、一五世紀には毛皮動物資源が枯渇しはじめ、狩猟よりも漁撈に比重を置くようになる。その後、北部に暮らすハンティは、そのさらに北方に暮らす民族であるネネツ[*10]の影響を受け、三〇〇年くらい前からトナカイ牧畜に従事するようになった。

ヌムト湖はオビ川の第二支流の源泉近くに位置する、周囲が約六〇キロメー

＊8　オビ川
西シベリアのほぼ中央を南から北へ流れる大河。アルタイ山脈を水源とし、北極海にそそぐ。夏は船、冬は車が行き交い、重要な交通・輸送路となっている。また、淡水漁業も盛んである。

＊9　ハンティ
ウラル語系の民族。人口約三万一千人で、多くはハンティ・マンシ自治管区とヤマル・ネネツ自治管区に居住する。

＊10　ネネツ
サモエード語系の民族。人口約四万六千人で、多くはヤマル・ネネツ自治管区とコミ共和国に居住する。ツンドラ方言を話すツンドラ・ネネツと、森林方言を話す森林ネネツに分けられる。

トルの湖である。湖の周辺に暮らす人びとは、ソ連時代に下流の村落部の国営農場（ソフホーズ）[*11]において、トナカイ飼育・狩猟・漁撈をそれぞれ専業していた。しかしソ連が崩壊すると、一部のハンティは民営化あるいは公営化した国営農場を離れ、世帯ごとに個人所有のトナカイを連れて森に入って居住しはじめた（図9－2）。現在、彼らは、豊かな淡水産資源を利用した漁撈、一世帯当たり六〇～一二〇頭の比較的小規模のトナカイ牧畜、狩猟採集という三つの生業を組み合わせて営なむ。そして各世帯は、複数の簡易な木造家屋をそれぞれ二キロから数十キロメートル離れたところに持ち、その間を一年に何度も移動して暮らしている。

●拡散的な居住形態と世帯の自立性

ヌムト湖のほとりには集落があるものの、そこに住民はあまり暮らしていない。住民はハンティと森林ネネツの数クランの世帯である。クラン（氏族）とは、祖先を中心として組織化される親族集団（出自集団）のひとつのタイプである。クランの成員同士の系譜関係は明確ではないが、共通の始祖の子孫であることが伝承されて

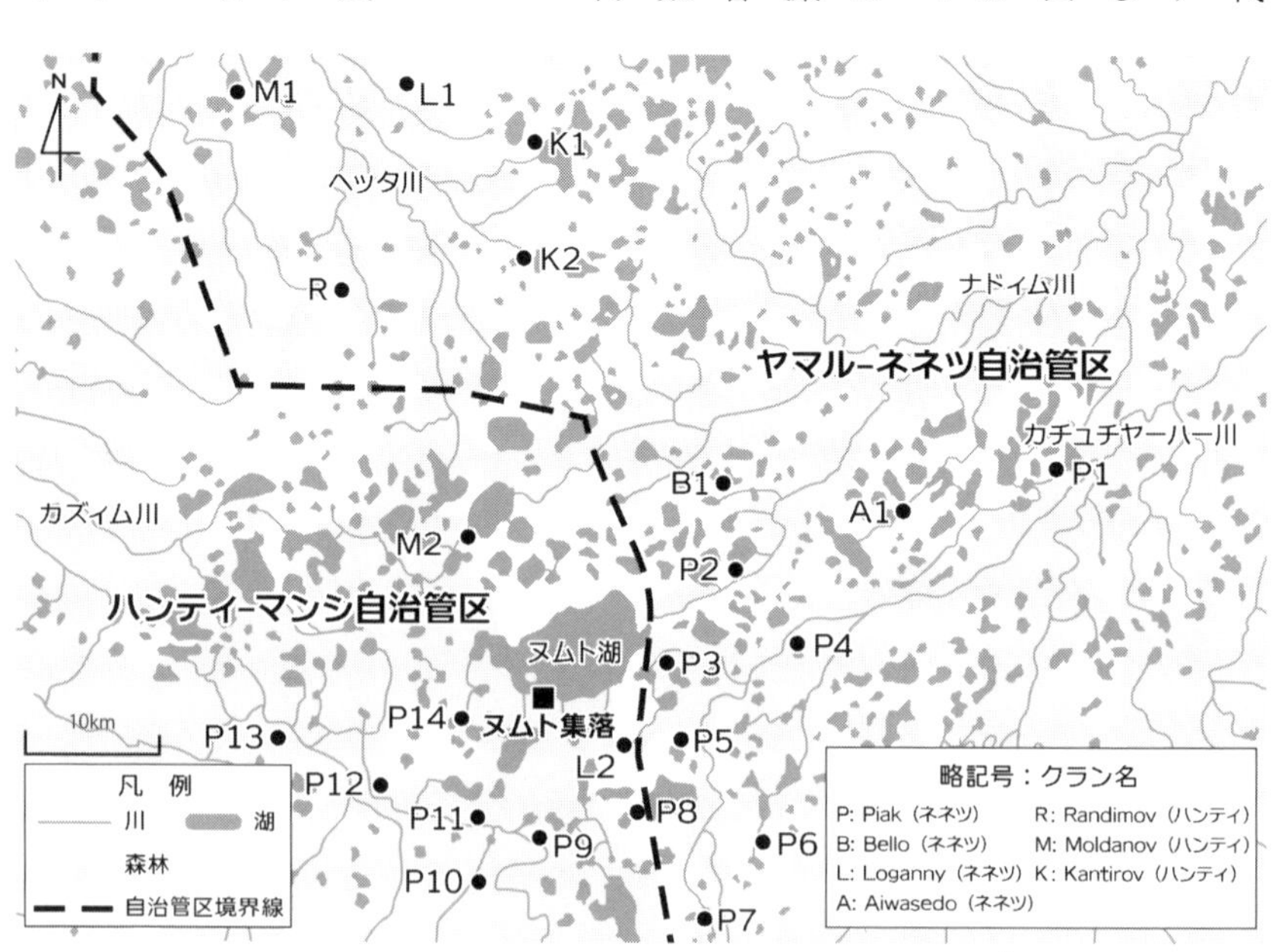

図9－2　ヌムト湖周辺地域の冬の各世帯の住居配置[*12]

いて、共通の姓をもつ。核家族を基本とした世帯が湖の周辺地域に、拡散的にまとまりなく住居を構えている。彼らは共同労働をほとんど行わず、それぞれが個人経営として自立的に生業活動を行っている。各世帯の住居は互いに四～二〇キロあるいはそれ以上離れており、この隣人世帯とのあいだの空間およびその重なり合うところが彼らの生業活動に必要な領域となる。

非排他的（共有）湖
（ヌムト湖等での刺網漁）
住居・牧柵等
森林（木材・薪）
湖・森林
（筌漁・罠猟）
森林・ツンドラ
（放牧地・銃猟）
隣人世帯の環境利用
領域と重なる部分
居住テリトリー
非排他的土地
（共有地）利用
“ゆるやかな”
排他的土地利用
（住居から半径
2-5km）
放牧テリトリー
生業テリトリー

図9－3　一世帯の生業領域*13

●排他的／非排他的な土地利用

彼らの生業活動の空間的範囲を、ここでは「生業テリトリー」と呼ぼう。図9－3は、一世帯の生業テリトリーを円で示した図である。円の中心は住居であり、その周辺で燃料や建築・道具の材料となる木材や水を調達する。その周辺五キロメートルくらいまでにある複数の湖で漁撈を行う。漁撈は、湖から流出入する小川をふさぎ、筌（うけ）*14を設置して行う（写真9－3）。この漁の仕方では、湖から川へ（あ

*11　国営農場（ソフホーズ）
ソ連時代の国営の農場であり、労働者は決められた生産目標にそって働き、生産物を納め、賃金を得た。一九五〇年代くらいから北方の少数民族のところにおいても、トナカイ牧畜や狩猟、漁撈といった伝統的生業の集団化が本格化した。

*12
大石　二〇一四：一一。

*13
大石　二〇一八a：一三。

写真9－3　筌漁

*14　筌
籠状の漁具。川の流れに沿って仕掛ける。一度筌に入った魚が出られないような仕組みになっている。

るいは川から湖へ）行こうとする魚を一網打尽にできるが、完全に湖口をふさいでしまうので、一世帯しかこの湖を漁場として使用できない。そのため、一世帯がその湖を〝ゆるやか〟に排他的に使用することになる。一方で、ヌムト湖のように広い湖では、数十メートルの距離を置けば、誰でも刺し網[*15]（写真9―4）を設置してよいことになっている。また罠猟も、この筌漁撈のテリトリーとほぼ同じ範囲で行う。筌漁に出向いたときついでに仕掛けた罠（写真9―5）に、獲物がかかっているか確認するためだ。

かわって、トナカイ放牧の地理的範囲はより広い。この図では、季節移動に伴う放牧範囲の変化を含めた家畜の放牧地を「放牧テリトリー」としている。そのため、この範囲はトナカイの動きに合わせて変化する。この地域の冬期の一日の放牧作業は、夕方にトナカイを解放し、翌朝に雪上の足跡をたどってトナカイがいる場所を探し、昼くらいまでに住居に連れ帰るというものである。放牧テリトリーすべてに牧柵をめぐらせたり、牧夫がつきっきりで群れを見張ったりするわけではない。解放されたトナカイたちは、自由に群れをなして駆け、餌を食べたり睡眠をとったりする。

この放牧方法は、トナカイを探し回ったり追い集めたりしなければならないという点で、非効率的にみえる。しかし、トナカイの成育には自由にコケや草を食べさせることが必要であり、隣家とのあいだが狭いこの地域では、この放牧方法こそがトナカイと自然・社会環境に適しているといえる。一世帯が排他的に使用している空間よりも、トナカイの成育に本来必要な牧草地は広い。野

*15　刺し網
水中に浮きと錘で張る帯状の網。網目に魚をひっかけて捕獲する。網目の大きさで捕獲できる魚の大きさが異なる。網目をある程度大きくすれば、捕獲に値しない小さな幼魚を逃すことができる。

写真9―4　氷下での刺網漁

生のトナカイは、採食などのために年間で数百キロメートルから数千キロメートル移動することさえあるくらいだ。

放牧テリトリーの円の端のほうは、図の点線の円で示すように隣人世帯と重なっており、ここを隣人どうしで共有する。放牧に必要な面積は、世帯の住居から半径数十キロメートルの広さとなっている。また彼らは木造家屋を複数持ってその間を季節移動するが、トナカイの頭数や餌となるコケや草の繁茂状況等を考慮し、数年から十年くらいで古い家屋を捨て、新しい家屋を別の場所に建てる。この、家屋を建設可能な場所、すなわち〝ゆるやか〟な排他的な範囲が、「居住テリトリー」となる。居住テリトリーは、隣人が生業活動に使用していない範囲までとなる。

このように、他世帯と距離をとって拡散的に居住し、世帯ごとに自立的に生業活動を行っているが、周辺世帯と重なる放牧テリトリーを一世帯で明確な境界線で区切って占有せずに、互いを排除しないように共用している。このように「非」排他的土地と、より住居に近い〝ゆるやか〟な排他的土地を使用して鳥獣狩猟を行っている。しかし、トナカイは、こうした世帯ごとの住居を中心として階調的に広がる生業テリトリーの境界を越えてゆく。各世帯の住居は互いに距離を取っているものの、家畜トナカイの放牧範囲は周辺世帯のそれと重なる。したがって、ある世帯の所有するトナカイが放牧中に他の世帯の群れに混ざるということが頻繁に起こる。とくに冬季には、トナカイが食べるコケなどの植物が少なく、餌を求めて遠い場所まで自由に駆けてゆくため、群れの分

写真9-5　キツネ用の罠

散・喪失が起こりやすい。[★2]そこで問題となるのが隣人との関係である。次節では、トナカイの行動がもたらす非排他的土地における隣人関係についてみてみよう。

3　隣人とのゆるやかな共生関係

●隣人・親族との互助関係

冬季、餌を求めて遠くまで移動したトナカイが、他の世帯が所有するトナカイ群と混ざってしまったらどうなるのだろうか。このような問題が起きると、人びとはさまざまなかたちで対処する。まず隣人と助け合う事例を紹介しよう。トナカイが各家の生業テリトリーを越えて、他の世帯の居住テリトリー内部に入ってしまった場合、隣人との互助関係が現れることがある。筆者の聞き取りによれば、通常、とくに依頼しなくてもこうした助け合いが行われる。[*16]

◎事例①　他世帯の群れに混ざったトナカイを連れ帰る

トナカイ群は放牧中にいつもひとつにまとまっているとは限らず、いくつかのグループに分かれて分散してしまうことがしばしばだ。図9－1のP1世帯のトナカイ群も、一一月末に何度かそのような状態に陥った。長男が午前にトナカイを牧柵へ追い立てたが、数匹不足していた。他方で、自分の家の所有ではないトナカイが四頭混ざっていた。耳印[*17]（写真9－6）によって、それが二〇キロ北西にある隣家のトナカイだと分かった。昨晩の放牧中、隣家の群れと自分の群れが近づいたとき、群れの一部が入れ替わったのだろうと推測して、長男は橇でその家まで出かけて行った。翌々日、長男は自分の家のトナカイと二〇

＊16　以下の事例は、二〇一一年から二〇一二年にかけての現地調査時における筆者の観察にもとづいている。大石　二〇一八a：八三－九〇。なお、以下の項での「アルファベットと数字の組み合わせ」は世帯を示し、図9－2に書かれた世帯と対応関係にある。

＊17　耳印　家畜の所有者を表すために、耳の一部を切り取って示した印。

キロ先の家の息子たちとともに、トナカイ橇とスノーモービルで帰宅した。すぐに息子たちは自分らの所有するトナカイを捕えて帰って行った。

このように、放牧時にトナカイはいくつかのグループに分かれたり、隣家と共有する放牧テリトリーに入ってしまうほど遠方にまで移動してしまったりする。はぐれたトナカイは、必ずすぐに回収する。住民は互いに隣家の人々の耳印を知っており、誰の所有するトナカイかはその形で判断できる。隣家のトナカイが自分の群れに混ざってしまった場合は、その情報を隣人に伝え、迎えに来るのを待つ。トナカイを失わないように管理するうえで、家族内での情報共有は当然のことながら、隣人と良好な関係を保ち、隣人や親戚との情報交換を行うのは必須である。P1世帯がこうした出来事の対応に慣れているということは、トナカイが遠出したのは偶然ではなく、日常的に起こるものであることを示している。つまり、トナカイの行動範囲が、人びとがゆるやかに排他的に利用する土地よりも広いことをあらわしているといえるだろう。

◎事例②　三世帯のトナカイの混同

K1・K2・L1の世帯のトナカイ群の一部が、放牧中に互いに混ざり合った。このときも事例①と同様に、世帯主が互いに連絡を取り合って自分の所有するトナカイを迎えにいくことで解決した。まずK1の住居にある牧柵にK2とL1が行き、自分たちの所有するトナカイを見分けて投げ縄で捕らえ、他世帯の群れから離して、確保する。K1とK2は親戚であり、L1も両者との関係は良好であるため、協力して選別し、素早く回収していった。写真９−７は、ひとつの群れに混ざっ

写真９−６　耳印
左耳の下に二つ、上に一つ切り込みがある。左右の耳に異なる切り込みを入れ、一つの耳印をつくる

てしまった三世帯のトナカイを、各世帯の男たちが協力して選別している様子である。このように、複数の世帯のトナカイが同時に混ざってしまうことも頻繁に起こる。それでも、トナカイ所有者たちはトナカイを迎えに行くのみで、互いの居住テリトリーを囲うような柵を設けることはしない。

◎事例③　トナカイの置き去り

また、群れではなく、トナカイ一頭が放牧テリトリーを越えたような場合でも、そのトナカイを他家のものと認めて手助けをする。

二〇一一年年末、M2の三男が父の姉が住むM1を三頭立てのトナカイ橇で訪問した。人手に困っていたM1世帯の生業活動を手伝ったのち、二〇一二年二月にL1・K1・K2を経由して帰路につこうとした。この経路はよく使われる道で、スノーモービルで踏み固められており、橇を走らせやすいため路に迷うことはない。その道中、L1とK1のあいだの路で橇をひかせていた一頭の雌トナカイが疲れて動けなくなった。この雌トナカイは腹に仔があり、二月にはだいぶお腹が大きくなっていたため体力がもたなかった。走るのが次第に遅くなってゆき、他の二頭のトナカイに遅れをとりはじめた。それでもM2の三男は棒で激しく叩き無理矢理走らせようとしたため、しまいにはこの雌トナカイは怒り出し、角を彼に向けて突進し反撃した。逆上したM2の三男は、この雌トナカイを何度も殴りつけ、ひねり倒し、ついに鼻の穴から血が流れ出した。雌トナカイは興奮して座り込み、蹴飛ばしても立ち上がらなくなった。

そこでM2の三男は、この雌トナカイに橇をひかせることをあきらめ、持ち合

写真9-7　トナカイの仕分け

わせていた約三メートルの紐で付近の木に縛りつけ、自身はほかの二頭のトナカイに橇をひかせて去っていった。この身重な雌トナカイを置き去りにしたのである。紐に約三メートルという余裕をもたせたのは、トナカイがツンドラコケを食べることができる範囲を確保するためだ。

二晩後に、彼は雌トナカイを迎えに再びその地点へ行くと、雌トナカイは違う木に五回も縛り直されていた。それがすぐに分かったのは、雌トナカイが縛られた木の根元の周囲三メートルの雪が掘り返され、トナカイゴケが食べられた形跡があったからだ。二日間のあいだにここを通過したL1の父・長男・次男、M1の四男、K1の男が、トナカイの耳印によりM2世帯のものと分かったため、手助けをしたのだった。こうして隣人の助けで、散々な目にあった雌トナカイは、置いてきぼりになったあいだも草を十分に食べることができた。

場所は、M2世帯の居住地から六〇キロほど離れており、M2世帯の放牧テリトリーではなく、L1とK1の放牧テリトリーである。他の世帯のテリトリーに進入したトナカイであっても、その所有者を特定し、尊重して手助けを行っている。ちなみに、M2三男は、身重の雌トナカイを乱暴にあつかったとして、上記の世帯の人々に説教されたり、悪口や嫌味を言われたりしていた。

●はぐれたトナカイをめぐる揉め事

ここまで隣人同士や親戚同士の互助関係についての事例をあげてきた。通常はこのような助け合いが行われることで、放牧に出されたトナカイの群れの分

写真９-８　トナカイを橇にのせて帰る

散のしやすさと、放牧テリトリーが重なってしまう問題は解消される。しかし助け合いとは反対に、混ざってしまった他の世帯のトナカイを盗んだり、盗みを疑ったりする場面も多々ある。今度は、トナカイがゆるやかな排他的土地を越えて採食行動することで起こる人間関係のトラブルの事例をあげる。

◎事例④　トナカイ窃盗の疑い

前年の冬、トナカイを所有しないRの父子が、M1のトナカイがRの周辺まで来たのをいいことに、勝手に三頭を撃ち殺して食べてしまうという事件が起きた。M1の女主人は発砲音をRの方向から聞いたため、すぐにRの仕業と考え焦っていた。RはM1の遠い親戚にあたる。女主人は村に住む彼女の四男に電話をかけた。するとすぐに四男は応援に来た。

このように、一世帯のみで生業活動が非常に困難になった場合、通常、親戚同士で互いに助け合う。それから彼は警察に電話をして証拠写真を撮り、刑事事件として処理をしようとしたが、けっきょく話し合いで決着をつけた。そのため、彼女は再びトナカイを奪われることを異常に恐れていた。Rの方面にスノーモービルのエンジン音が聞こえないか常に注意を払っており、疑わしいときは日記をつけて記録したりしていた。それだけでなく、クマの頭部（写真９―９）や火を用いて、トナカイの行方や、また彼女のトナカイを殺していないかどうかについて占ってみたりした。[*18]

◎事例⑤　耳印の切り加え

二〇一〇年夏、K2のトナカイがM2の群れに混ざったさい、M2三男がK1のトナ

写真９―９　占いで使用するクマの顔部の毛皮

＊18
ハンティの世界観において、ヒグマは天上の最も高い場所にいる最高霊の息子の地上での化身である。ヒグマは、人知を超えた天上の世界のことや天上から見下ろした世界のあらゆることを知っているとされているため、ハンティはヒグマの頭の毛皮に知りたいことを尋ねる占いをする。また、火も天上や地下の世界に通じるものとして、同様に占いの道具となる。

カイの耳印を勝手に切り加え、自分の世帯のトナカイであると主張した。それをめぐってM2三男とK2の妻とが言い争いになった。しかしK2は、自分たちも過去に似たようなことを相手にしたことがあり、強く出ることができず、今後トナカイが混ざらないようにM2がK2の方面に数キロメートルにわたって牧柵をつくることで口論は終わった。

●住居の地理的な拡散ゆえに生じる「猜疑心」

このように、共有の放牧テリトリーを越えたトナカイをめぐるトラブルは、すぐに一応の解決にたどり着くのだが、相手へのネガティブな感情は長く残る。M1の女性は、トナカイ群と隣人の活動について日記を続け、K2の妻はM2の三男と話すときはレコーダーを用意して嘘の発言を記録しようと努めている。

住居の地理的な拡散は、ときに隣人への猜疑心を生む。互いに距離をとって居住する彼らにとって、隠し事は容易であり、このような隣人同士の揉め事は絶えない。森の中で離れて居住するゆえ、「互いに助け合う」ことは必要であり、そのために「互いに面と向かってののしり合ってはならない」ことは、社会的理念として重要視されている。しかし、距離を取って居住するがゆえにこそ、隣人の行いが分からず、常に強い猜疑心につきまとわれることもある。

写真9-10　木造の住居

4　拡散的居住における隣人関係と共生

●ヌムトのトナカイ牧畜民たちの共生のかたち

ヌムトでは、人びとは世帯ごとに拡散的に居住し、数十平方キロメートルの土地を使用して自立的に生業活動を行っている。だが、彼らは土地というよりは、むしろ獲物やそれをとる罠、家畜に対して強い所有観念を持っている。たとえば、他人の筌を取り出したり、他人の仕掛けた罠にキツネがかかっていても、手を出したりしてはならない。そして、他家のトナカイを勝手に殺すことは非常に嫌悪される。

トナカイは、一世帯の居住テリトリーを越え、隣人世帯の放牧テリトリーや居住テリトリーに入る。前節の事例のように、トナカイの行動範囲ははるかに広く、放牧中に遠くへ去ってしまい、牧柵の中に追い込むことが困難になったり、他の家のトナカイ群と混ざったりすることが頻繁に起こる。そこでは隣人との互助関係があらわれたり、揉め事など緊張した人間関係があらわれたりする。事例①のように、群れが混在すれば、たいていは隣家のトナカイを自分の家の群れに混ぜておき、所有者が迎えに来るのを待つ。ただし、これらは隣人との関係が良くなければ成り立たない。このように「助け合い」の理念は共有され、実際に助け合うことがあるものの、しばしば揉め事も生じる。事例⑤では、耳印を入れ直して所有権を主張し、勝手に屠殺して食べたため諍いが起き、緊張関係を生んだ。ひとたび他世帯のトナカイを勝手に食糧資源として利用すれば、たちまち関係が悪化して、互いに尊敬・信頼できない関係におちいり、長期にわたって疑い合うことになる。

このように、広大な土地を各世帯がゆるやかに排他的に利用するという環境利用のあり方、そして、世帯の生業の自立性は、ヌムトの人びとのあいだの社会的・経済的な力関係を、比較的均質かつ平等なものにしている。トナカイを飼育し、他の牧畜社会と同様に財産を蓄えることが可能であるが、この社会では貧富の差ができにくく、社会があまり階層化していない。なぜならそれぞれの世帯が筌漁を行う湖を複数確保するので、季節移動可能な土地や牧草地の範囲が狭くなり、トナカイの頭数をそれほど増やすことができないからだ。そのため家畜による経済力の差が開きにくくなっていると考えられる。

したがって、こうした漁撈を前提としたトナカイ牧畜において、隣人関係は平等・対等的であり、彼らははぐれたトナカイをめぐる諸問題について当事者のみで解決を図ろうとする。隣人らとときには互いに助け合い、ときには揉める。はぐれトナカイをめぐる揉め事はなかなか解決しない。そのため住民たちはなるべく群れが遠くへ行かないように、また群れが分散しないように、放牧したトナカイを毎日集めて家まで連れ帰る作業を行うことで、揉め事をあらかじめ回避しようとする。彼らの生業複合は、こうしたトナカイたちへの不断の働きかけによって成り立っている。

(注)

★1　法的には北方少数民族は土地の所有権でなく、使用権が認められている。

★2　このような揉め事を回避し、トナカイの喪失をふせぐ工夫として、豊富な魚の一部をトナカイに給餌し、群れの管理に利用している。彼らは世帯ごとに自立性の高い生業複合を営み、各世帯は散住し、漁撈に必要な土地をゆるやかに占有するが、トナカイの成育には世帯の漁撈範囲よりも広い土地と自由度の高い解放放牧が必要である。住民は十分な放牧地を確保するため互いに非排他的に放牧地を利用するので、頻繁に他世帯の群れと混ざる。人々はそれを避ける目的で、トナカイに魚を給餌してよく順化した「先導個体」を作りだし、群れが自ら遠くへ行き過ぎず、かつ自由に食草行動できるよう、群れの自律性を利用して管理している。大石　二〇一八b。

【参考文献】

●大石侑香　二〇一四「西シベリア・タイガ地帯北部におけるトナカイ飼育の脱集団化過程と複合的生業の現在」『北海道立北方民族博物館研究紀要』二三：一-一二。

●大石侑香　二〇一八a「西シベリア森林地帯のハンティの生業と生態適応：漁撈牧畜複合をめぐる民族誌」二〇一七年度首都大学東京大学院人文科学研究科社会人類学教室提出博士論文。

●大石侑香　二〇一八b「西シベリア森林地帯における淡水漁撈とトナカイ牧畜の環境利用」高倉浩樹（編）『寒冷アジアの文化生態史』古今書院、七〇-九一頁。

第10章　チベット高原の牧畜民にとって親族とは何か？

……集団と越境……

シンジルト

　定住民が主体となる近代国民国家にとって「越境」はグローバリゼーションによる新しい出来事であり、そして越境に伴って出会う他者との「共生」も達成すべき新たな課題となる。しかしながら、近代国民国家によって周縁化されてきた牧畜民にとって「越境」は決して目新しいものではなかった。むしろ、彼らの歴史は越境の歴史そのものであり、越境は彼らのひとつの生き方でもある。さらに、彼らは「越境」によって「共生」を不断に醸成してきた。

　本章は、チベット高原の牧畜民のあいだで行われている「親族の集まり」という現象に注目し、牧畜民はどのような論理のもとでいかに民族の境界を越えているかを描き出すものである。人間社会における多様な「共生」の在り方に対する理解を深めていくことが、本章の目的である。

　まず、牧畜民にとっての集団とは何かに関するこれまでの研究成果をおさえつつ、対象社会における民族の分布と越境の歴史を概観する。それから、親族の集まりという現象を紹介しながら、この現象を可能にする論理の特徴を分析する。さいごに、親族の集まりという場面において、人びとはいかに民族の境界を越えているかを時間と空間の二つの軸から考えていく。

1　集団形成の理論と民族のインタフェース

●牧畜民にとっての集団とは

二一世紀に入ってから、モンゴル高原やカザフ平原そしてチベット高原などの内陸アジア牧畜地域において、共通に「親族の集まり」と呼ぶべき現象がみられるようになった。例えばチベット高原の牧畜地域では、人びとは、一族の発祥の地で集まり、数日にわたりさまざまな行事を行い、スマートフォンによるチャット・グループを開設することで、親族共同体をリアルで持続的なものにしていこうとする（後述二〇一頁）。

親族の集まりの参加者の数は多い場合、千人も超える。ところが、親族とされる彼らのつながりは、必ずしも血縁や婚姻に基づくものではない。そして、モンゴルとチベットの雑居地域では、親族の集まりは両民族の境界を横断して展開する。他方、同じチベット語話者であっても、チベット農耕民のあいだでこのような現象はみられない。

親族を考えるさいに血縁や姻戚関係を重んじる日本人と同様に、チベット農耕民にとって、牧畜民の「親族の集まり」は、まぎれもなく異質なものである。このように、親族の集まり」は、「民族文化」というよりはむしろ「牧畜文化」に属すというべきであろう。

では、こうした現象をどのように理解すればよいのだろうか。かつて文化人類学者フレデリック・バルトは、その調査対象である中近東の事例を中心に、牧畜民の集団形成の特徴を次のように分析していた。牧畜民が集団を形成するさい依拠するのは、最初から住んでいた土地や受け継がれてきた財産などではなく、共に移動していこうとするようなキャンプ間の合意であるという。こうした合意が、つねに強いリーダーシップを発揮する特定の個人の力のもとで達成されるのであれば、牧畜民が集団を形成する特性（集団性）は、目に見えない力という社会的領域から生まれているのである。[*1]

目に見える「土地」という地理空間にこだわり、それを集団的アイデンティティの拠り所とする傾向を、一種の属地主義的な集団性だとすれば、目に見えない「人間」の力に従ってその人の名のもので集合し、集団的アイデンティティを打ち出すことを、属人主義的な集団性だといえよう。移動性の高い牧畜民の集団性は、まさに属人主義的である（第1章参照）。

現地調査に基づくバルトの牧畜民の集団性に関する理論は説得力がある。だが、バルトが描いた牧畜社会は現在、例外なく近代国民国家の政治経済的、文化的な政策の影響下におかれ、さまざまな変容を迫られている。本章ではバルトの理論を念頭に置きつつ、チベット牧畜社会における親族の集まりという新しい現象に着目し、彼らの集団性の現在を描き出したい。

●モンゴルとチベットのインタフェース

本章の主な研究対象は、一七世紀中葉、天山山脈北麓（図10－1）からチベット高原に移住した、オイラト系牧畜民である。彼らが暮らす中国青海省黄南チ[*2]

＊1
Barth 2000.

＊2　オイラト
オイラトの歴史、とりわけチベット高原以外のユーラシア大陸における活動の歴史については、第3章と第12章を参照。

＊3　河南蒙旗
河南蒙旗は、一九五四年に設立された「河南モンゴル族自治県」という今日的な行政区域だけではなく、近世までこの地域を河南親王が統治していたいわゆる王権時代にまで遡って指示することのできる包括的な用語である。

＊4　民族区域自治
特定の少数民族が集住する地域においては、〇〇自治区、〇〇自治州、〇〇自治県などように少数民族の名を冠する行政区域に代表されるような「民族区域自治」という制度が導入されている。そこでは、基幹民族の言語や文字の使用が保証されており、その行政長官も基幹民族の出身者のなかから選ばれることになる。

ベット族自治州、河南モンゴル族自治県（以下、「河南蒙旗（かなんもうき）」*3と略す）は、周囲をチベット族に囲まれた自治体である（図10―1）。総人口は四万人であり、その九割以上が、中国の公定民族でいうモンゴル族である。

ここでいう公定民族とは、中国政府の認定をうけた五六の民族（漢族＋少数民族）のことを指す。中華人民共和国設立後の一九五〇年代から、中国政府は民族問題を解決すべく、多くの学者を少数民族地域に派遣し、「民族とは、言語・地域・経済生活・文化の共通性の中に現われる心理状態の共通性を基礎に生まれた、歴史的に構成された人々の強固な共同体」というスターリンの民族定義に基づきながら、民族名称・人口・言語・歴史的状況について調査をおこない、それらをもとに民族識別事業を行ってきた。識別の結果、計五五の少数民族が公に認定された。そして呼称上の差異を排除するため、すべての民族がたとえば「モンゴル族」や「チベット族」のように「〇〇族」と名付けられた。中国国内の民族に言及する文脈でいう「族」は「民族」を指す。*4

その後、就学・就職などの面における少数民族優遇政策のすきまをねらい、漢族から少数民族への民族籍を変更するケースが増え、そして少数民族のなかの下位集団からは、単

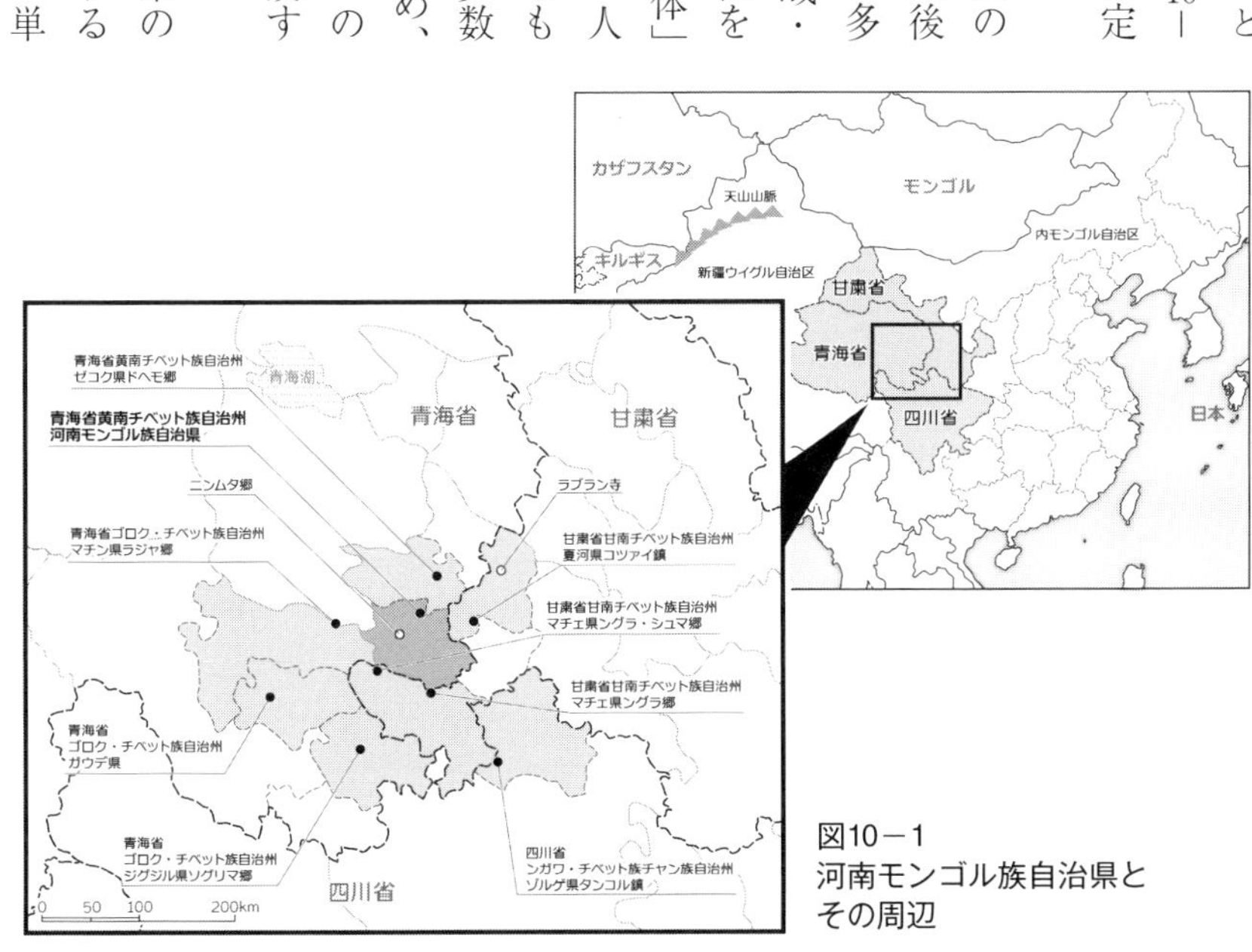

図10―1
河南モンゴル族自治県とその周辺

独の民族として再識別してもらいたいとの声も出るようになった。そのため、一九八〇年後半から、国家主導の民族識別事業は一転して収束へ向かった。それ以来、中国は五六の民族によって構成されるというのがひとつの定説になった。現在、中国においてほとんどすべての国民は特定の民族に分類されており、国民として必ず携帯すべき身分証明書（漢語では、居民身分証）において「民族」は、姓名、性別に次ぐ三番目の記載必須の項目となっている。戸籍においても「民族」が欠かせない登記項目となっている。制度上、「民族」が、ある国民を特定する上で重要な属性となっている。

　さて、話を河南蒙旗に戻そう。言語文化などの面で「チベット化」が進む河南蒙旗の牧畜民は、モンゴル人を意味するアムド・チベット語[*5]で「ソッゴ」と自称する。河南蒙旗のモンゴル族と周囲のチベット族とのあいだには、多くの共通点がみられる。まず、両者の生業形態は共に牧畜である。そして、河南蒙旗のモンゴル族と周囲のチベット族には、自らの民族集団のなかに相手側の部族[*6]を抱えているケースがよくみられる。民族の境界をまたがるこうした部族の先祖の起源が、今日的にどの行政単位にあたるかを正確に特定することは、困難である。ただし、先祖に関する言い伝えの細部から、その先祖に代表されるその部族の起源が河南蒙旗にあるか否かで、おおよそ分類される。

　つまり、生活の拠点を河南蒙旗におき、身分証や戸籍上チベット族になった「元モンゴル系部族」もあれば、逆に、チベット部族であったが諸事情で河南蒙旗に移住し、現在、身分証や戸籍上モンゴル族になった「元チベット系部族」

＊5　中国領内のチベット人地域
中国領内のチベット人居住地域は、その方言や風俗習慣などによって、ウィツァン、カムユル、アムドの三つに分けられている。一般的に、甘粛省の全域、四川省のンガワ・チベット族チャン族自治州、青海省の一部を除くチベット族が居住する全域を、総じてアムドとみなす。

＊6　部族
ここでいう部族（tribe）は、「民族」を構成する下位集団を指す。差別的なニュアンスはない。

もある。このように、彼らにとって越境は取り立てて珍しいことではないようだが、では、そうした越境はいかなる過程においてなされたか。

2　チベット高原における牧畜民の越境史

内モンゴル自治区生まれの筆者がチベット地域で調査するさい、自分はモンゴル人であると自己紹介すると、相手から「ンガ　ラ　ソッゴ　イン」という返事が返ってくることがよくあった。アムド・チベット語で、「私もモンゴル人だ」という意味である。単なる冗談である場合もあったが、実際、それなりの理由があってそう言う場合もあった。国家の公定民族としてチベット族にあたる彼らがなぜ気軽にソッゴが名乗れるかは、筆者にとって大きな問いだった。

●元モンゴル系部族

何らかの理由で、ソッゴという名で周りから呼ばれたり、自らもそのように名乗ったりしながら、戸籍上ではチベット族になっている人びとは、河南蒙旗の周囲だけでもかなり多くいる。

その典型は、河南蒙旗の南西部に位置する青海省ゴロク・チベット族自治州の、ジグジル県などに広く分布するソグリマ部族だ（図10－1）。チベット語で「ソグリマ」は、モンゴル人部族という意味である。ジグジル県ソグリマ郷には約二〇〇世帯（二〇一八年夏）が暮らしている。

年長者のなかにはモンゴル語のできる者がおり、モンゴル語の地名も多い。

地域や部族の歴史を語ってもらうと、ソグリマはひとつの総称のようなものであり、その先祖がどこか一か所から来たというわけではなく、異なる時期において、異なる理由で異なるモンゴル系の部族や所帯がここに集合して形成されたことが分かる。彼ら「元モンゴル系部族」のなかには、筆者に対して、あなたと同じ、じつは私もモンゴル人だという者が多い。彼らがそのように言うことと、彼らが戸籍上の民族がチベット族であることとは矛盾しない。

河南蒙旗と歴史的に深い関係をもちながら、新たに形成された部族も多くある。青海省ゴロク・チベット族自治州のマチン県ラジャ郷で暮らすラジャ・ジャサグ部族が、そのひとつである。[*8]彼らの先祖は、内部の争いで敗れたため、一九三〇年代、河南蒙旗主流から分離した。一九五〇年代、中国政府によってチベット族に統計され、今日に至る。彼らは自らのことを、ラジャ地域以外の人間を意識するときはラジャ・ジャサグと名乗るが、ラジャ地域内部ではジャサグと自称する。彼らは生活習慣や民族衣装、そしてチベット語方言などの面で河南蒙旗と変わらない。[*9]だが彼らは、河南蒙旗との歴史的な関係は認めるものの、ソッゴとは自称せず、あくまでもラジャ・ジャサグ[*10]である。

●元チベット系部族

ラジャ・ジャサグ部族の東側は、河南蒙旗のニンムタ郷[*11]と接している（図10―1）。ニンムタ郷は河南蒙旗の最大の人口を有する郷であり、ニンムタ郷の最大の部族がザン・アリグである。数千人の人口規模を有するザン・アリグは、

＊7　ラジャ郷の改名
行政区画再編で、二〇〇一年から「ラジャ鎮」に改名。

＊8　その他の元モンゴル系部族
他にも例えば、青海省ゴロク・チベット自治州ガウデ県のドゥルベド部族、青海省黄南チベット族自治州ゼコク県ドヘモ郷のソグ・ゴル部族、甘粛省甘南チベット族自治州夏河県コツァイ郷のコツァイ部族、甘南チベット族自治州マチェ県ングラ・シュマ郷やングラ郷のトゥメド部族やトルゴド部族、四川省ンガワ・チベット族チャン族自治州ゾルゲ県タンコル鎮のソグ・ツァン部族などがある（図10―1）。

＊9　モンゴル語話者
一九九〇年代末、筆者がラジャ・ジャサグを調査した際、モンゴル語のできる七〇代の女性と出会った。当時彼女は「自分は五〇年ぶりにモンゴル語で話した」と語っていた。シンジルト　二〇〇三。

＊10　「ラジャ・ジャサグ」の語源
「ラジャ」とは寺院の名前であり、「ジャサグ」とは清の時代から受け継がれてきた、モンゴル人地域の行政官の職名であった。

チベット族でも有名な部族アリグの一派である。ほぼ四〇〇年前、他のチベット部族との戦争で、ザン・アリグの一部が河南蒙旗の親王の保護下に入り、それ以来、ソッゴとしての意識を徐々にもつようになった。一九八〇年代に、地域の指導者の動員もあり、ニンムタ郷のザン・アリグはほぼ全員、戸籍上の民族籍をチベット族からモンゴル族に変更したそうだ。

日頃、河南蒙旗他の郷のソッゴたちは、ザン・アリグの人間は不器用で口下手だとからかうときもあるが、基本的に、お世辞を言わない、嘘をつかない素直な気質の持ち主であり、とくに信仰心が篤（あつ）いと、ポジティブにも表象する。なかでも河南蒙旗以外の部族との関係においては、ザン・アリグはまぎれもなくソッゴとなる。牧草地をめぐっての周辺チベット部族との紛争で、ザン・アリグは河南蒙旗他の郷から無条件に支援を受けた。ザン・アリグほど人口は多くないものの、河南蒙旗においては、現在モンゴル族になった「元チベット系部族」は、ほかにも数多く存在する。

こうした「元チベット系部族」の人間は、前述の「元モンゴル系部族」の人間と同様に、あまり戸籍上の民族区分に囚われることがない。元モンゴル系部族の人が自分のことを、ときに「ソッゴ」といったりするとの同じく、元チベット系部族の人も、自分のことを「ウッレ」[*12]といったりもするのだが、それ以上に、民族を強調することはない。

＊11　ニンムタ郷の改名
行政区画再編で、二〇一四年から「ニンムタ鎮」に改名。

＊12　「ウッレ」の意味
アムド・チベット語で、「チベット」の意味である。

3　ニェディの誕生と規模

●寂しいから「ニェディ」が生まれる

二〇〇〇年に始まった中国西部大開発事業の一環として、河南蒙旗と周囲チベット地域において定住化が進められ、牧畜民は定住放牧を行うようになった。こうした社会変動を経験する牧畜民たちのなかでは、新しい現象が多くみられる。そのひとつが、親族の集まりを意味する「ニェディ」という現象である。

ニェディに参加すること自体は、しばしば長距離移動を伴うため、参加者のメインが若い男性になるが、基本的に牧畜民は老若男女を問わず[*13]ニェディを行うことに熱心である。一族の発祥の地とされる場所、あるいは著名な寺院が位置する地域で、人びとは集まる。参加者は少なくとも数十人、普通は数百人、多い場合は千人にも上る。人びとは宴会を開き、歓談したり、寺を巡ったり、集合写真を撮影したりして、数日にわたって親睦を深める。そして、ニェディの過程を記録するＤＶＤの作成や、始祖の歴史、子孫の現状をまとめた書物の編纂に励む。さらに、ニェディの一環としてウィーチャット（「微信」。中国のＳＮＳ）でチャット・グループを開き、画像・動画・音声データをリアルタイムで共有できる親族共同体を構築して、それを持続的なものにしていこうとする。

これらの活動にかかる資金は、すべて牧畜民の募金による。集会としての性質が、親族の集いから政治的な集まりへと変質するのではないかと危惧して、地方行政府によっては、ニェディの回数や規模を暗に規制する動きもあると噂

＊13　ニェディにおける女性
ニェディを主催する地域の女性は、遠方から来る親族のため食事準備をしたり、設営の現場を仕切ったりしてイベントを実質的に支える存在である。

されるが、公に禁止しているところはない。

では、なぜニェディが生じるようになったか。これについて、一致した見解はない。一説によると、農耕民と違って牧畜民は自ら親族の系譜を書く慣習がなく、自分たちの先祖（始祖）が誰なのかも正確に知らず、その子孫が互いに敵対したり、場合によっては近親婚をしてしまったりする可能性さえある。こうしたことを未然に防ぐためにニェディが生まれた、という。しかし、これはニェディ誕生の理由というよりも、ニェディを行う意義を説明しているようだ。

地域の多く知識人やエリートにとって、ニェディは少々滑稽に映っているようである。彼らによれば、ニェディなどは田舎の牧畜民がやることがないから、あるいは寂しいからやっているのだという。やや素っ気ないが、この説明のほうが的を射ている。移動放牧ができた昔と違って牧畜民は定住し、その牧草地も有刺鉄線によって分断されたため、行き来が困難になり、孤立してしまった。そこで、牧畜民はどうにかして他の人間との交流をほしがっている。つまり、寂しさがニェディ誕生の理由だ、というのが、この説明のポイントである。

●一度に何百人もの親族と会える

いずれにしても、二〇一〇年前後から牧畜地域では、各種のニェディが頻繁（ひんぱん）に行われている。親や兄弟、従弟家族を中心に、明確にその血縁関係が確認できるような小規模のニェディもあれば、写真10−1のような数百人に達する大規模のニェディもある。なお写真10−1は、河南蒙旗のアリグ・ツァンという

写真10−1　アリグ・ツァン親族集団のニェディ

親族集団のニェディのプロセスを記録したＤＶＤの裏表紙である。

大規模のニェディの開催場所について、例えばその始祖が河南蒙旗の出自であれば、初回のニェディは河南蒙旗で行われるが、二回目以降は四川省や甘粛省などのチベット族自治州で行われる、というパターンがみられる。その逆もまたしかりである。さらに、ラブラン寺（図10－1）などの著名な寺院で、お寺参りをしながらニェディを行うこともある。牧畜民は土地に拘束されず、ニェディに参加するために喜んで長い旅をする。原理的に、ひとりの牧畜民には少なくとも四つのニェディ（自らの両親の両親の家系）にかかわる機会がある。そして、配偶者のニェディに参加したり、ときとしてそのニェディの発起人になったりすることもありうるので、ニェディにかかわる機会はさらに増える。

むろん、河南蒙旗の北側の同仁県（図10－1）をはじめとする農耕地域のチベット人のあいだでも、親族たちが自発的に互いの家を訪問したり、一同で集まったりするようなことはある。だが、その範囲は、明確な血縁関係を有する近親者同士（例えば、曾祖父母やおい・めいなどを含む三親等内親族）に限り、集まる時間も正月などに限定される傾向がある。ようするに、時間と空間に囚われないような、牧畜地域の大規模ニェディに該当する現象は、みられない。

4　ニェリンの論理とニェディの実態

●伸縮可能な遠近

これまで「ニェディ」を日本語で「親族の集まり」と訳したが、実際、ニェディの参加者のなかには、血縁関係も姻戚関係ももたない者が含まれる。その意味で日本語の「親族」は、ニェディ参加者同士の関係性を部分的にしか表現できないのである。説明を求めると、「ニェディ」というのは「○○ロ」の人間の集まりのことだ、と人びとは教えてくれた。「ロ」とは、キャンプ群、幕営地を意味するアムド・チベット語である。ニェディの文脈でいえば、「ロ」と同義語として用いられるのは「ツァン」であり、ツァンは「家」、「巣」や「部族」などの意味ももつ。

さらに、人びとは「○○ロ」（したがって、ツァン）に属する個々の人間同士の関係を、「ニェリン」という語で表現している。「ニェリン」を直訳すると、距離を意味する「近・遠」になるが、意訳すると「親族」になる。したがってニェリン（○○ロの人たち）の集まりであるニェディは、親族の集まりとなる。

「ニェディ」と「ニェリン」の共通語幹である「ニェ」は、「近さ」を意味する。このことから分かるように、ここで問題にされている「親族」は、親密さの感覚に基づく伸縮可能な遠近の問題である。[*14] 親族は、必ずしも血縁や婚姻関係に限定されるものではない、というのがニェディの論理である。言い換えると、ニェリンは親族を含めるが、その逆はありえない。

●突出した個人

では、人びとが「○○ロ」（あるいは「○○ツァン」）と言うさい、「○○」の部分にどのような言葉を用いるのか。この点については、いくつかのパターンが

＊14　ニェリンの類似表現
地域におけるニェリンのニュアンスを分かりやすく説明する際に人びとが用いるひとつの表現は「ラニェ」である。「ラ」はキャンプのことであり、意味としてラニェは「近いキャンプ」になる。ラニェは実際のキャンプ同士の物理的距離の近さを指す同時に、キャンプに住む人間同士の心理的な距離の近さや仲の良さも指す言葉である。

みられる。ひとつは、例えば、前節で述べた「アリグ・ツァン」のように、モンゴルやチベットの歴史に登場する著名な部族の名を用いるパターンである。もうひとつは、始祖とされる個人の外見的な特徴を表す言葉を用いるパターンである。例えば、口元に立派なコブをもった始祖の外見的特徴に因んだ「カラ（口元のコブ）・ロ」や、「ホンカ（厚い唇）・ロ」という名をもつ親族集団がある。また、その始祖個人の実名*15を用いるパターンもある。さらにいうならば、始祖となる者は必ずしも男性（父系）である必然性もない。例えば、「アマ（お母さん）・ロ」のように、ある女性に因んだ親族集団名もある。

ロの始祖が、公定民族の基準で今どの民族に分類されているかは、実際、ニェディを行っている牧畜民にとってさほど重要ではない。重要なのは、自分たちは同じ先祖の末裔であるというアイデンティティである。そして、そのロの始祖に当たる人物がしばしば勇猛果敢であり、一定の武勇伝を残し、尊敬されているという点で共通している。実際の血縁関係がなく、○○人物の保護を受けたり、その影響下で暮らしたりしていた人たちやその末裔であれば、自分が「○○ロの者」だと自称することはありうる。そのように自称する人たちと、○○人物の直系末裔との間の関係は、ニェリンになる。

ニェディを考える上では共通の始祖が重要だが、その始祖は必ずしも大昔の人間である必要はない。むしろ数十年前の人物であるケースが多く、写真10－3のように、その特定の始祖の写真まで残されているケースさえある。なお、この写真は、二〇世紀初頭アメリカ人の宣教師が撮影したもので、写真10－1

*15　個人の実名を名乗るロ　例えば、写真10－2は、「カルシェン」という名前の人の末裔と自称する人びとが、二〇二〇年八月、河南蒙旗草原で行った親族の集まりの様子だ。

写真10－2　カルシェン氏の末裔のニェディ（二〇二〇年八月河南蒙旗ツェラン・トンドゥプ氏提供）

で紹介したアリグ・ツァンのニェディのDVDの表表紙を飾っている。

特定のニェディにかかわる人びとは、必ず共通の始祖をもつ。その理由で、人びとは自分自身を「〇〇ロ」の者だとアイデンティファイする。このように、人びとは、互いに会うためニェディに参加し、ニェディに参加するために場合によっては数百キロメートルもの旅に出る。ここで分かるのは、人びとのアイデンティティの拠り所は、必ずしも土地や財産といった物理的な領域ではなく、突出した個人（始祖）という社会的領域のものであるということだ。

これがアムド・チベットの牧畜地域でみられるニェディの実態である。ニェディ現象は、まさに本章冒頭で紹介した文化人類学者フレデリック・バルトが、牧畜民の集団性について組み立てた理論を具現化するものとなる。牧畜民たちは、定住化や牧草地の分断などの大きな社会変動を経験してきたが、この社会変動のなかで生起したニェディ現象にみられるニェリンの在り方から分かるように、今日、集団をめぐる牧畜民の想像力の特徴は依然、属人主義的である。

5　ニェディにみる二つの越境

前述したように、いわゆる先祖が基点の親族の集まりであるニェディに参加するにあたって、個人としていま制度上どのような民族に所属しているかは、障害にならない。だが、中国の国民としてチベット高原に暮らすすべての当事者は、歴史を語るさいも、原理的に「民族」の存在は看過できない。[*16] また実際、人びとはニェディという実践を通じて、自分たちとかなり異なったニェリンと

写真10－3　アリグ・ツァンのニェディ参加者の始祖

＊16　歴史人物の民族籍　中国において、二〇世紀に公式認定した五六の民族の枠組みの中に、例えば、七世紀のソンツェン・ガンポ（初めて仏教をチベットに導入し、かつチベット高原の大半を統一することに成功した古代チベットの王）はチベット族で、一三世紀のチンギス・ハーンはモンゴル族であるといった具合に歴史上人物がもれなく割り振られる。

出会うこともある。こうした場面において、民族はいかに位置付けられているだろうか。

●親族の系譜にみる時間的な越境

　これまでのふたつの節で登場したアリグ・ツァンは、多くの軍事家や政治家そして学者を輩出し、なかには河南モンゴル族自治県行政府の最高長官を務める人物もいる。アリグ・ツァンが地域の有力な親族集団であるため、前述したDVDのみならず、一族の歴史も一冊の書に編纂された（写真10－4）。

　この書は次のように始まる。「アリグ・ツァンは、アムド・チベット地域で最も古い歴史を有するチベット族の一部族（親族）である」。歴史的には、チベット族であったことをいっさい隠さず淡々と記述されている。そのうえで、河南蒙旗の親王の保護を受けるようになったアリグ・ツァンが、いかに河南蒙旗モンゴル族の歴史に貢献したかを踏まえながら、河南蒙旗に二〇〇年あまり暮らしてきた結果、今日、アリグ・ツァンは「モンゴル族の一員になった」と締めくくる。*17

　アリグ・ツァン出身の本書の著者は、民族を実体的に捉える中国の民族政策にも明るいはずである。それにもかかわらず、著者にとってアリグ・ツァンは、チベットとモンゴルの両民族の境界を、何ら違和感もなく自由に行き来することが可能である。この事実から人びとは、近代民族の文脈において緩やかに自らの始祖を位置付けていること、つまり、始祖に軸をおき、その軸を巡って民

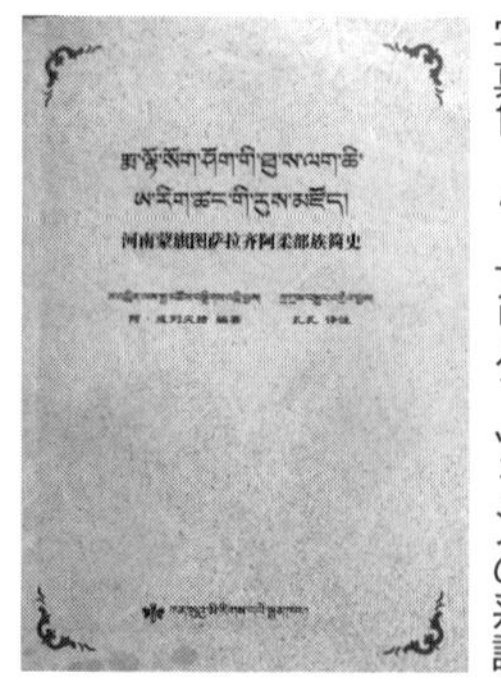

写真10－4　アリグ・ツァンの系譜

*17 a'phrin las rgya mtsho 2015 : 6.

族を動かしていることがうかがえよう。

●SNSにみる空間的な越境

　だが親族の系譜を編纂することは、さほど日常的なものではなく、またアリグ・ツァンが地域の有力な親族集団であるため安易な一般化ができない。では、そうではない親族集団のニェディにおいて民族はどのように扱われているか。

　紙媒体の書物に比べ、牧畜民にとってより身近なコミュニケーションのツールはスマートフォンである。漢字が読めなくても、いや、チベット文字すら読めなくても、スマートフォンの操作に困っているという牧畜民はまずいない。どういうわけか牧畜民とスマートフォンとの相性は抜群であり、説明書を読まなくても、スマートフォンは使いこなせる。ニェディが終了してしまったら、ニェリンであるはずの人びとは、空間的に遠く離れた元の状態に戻ってしまう。だがスマートフォンのおかげで、人びとは気軽に交流できるようになった。グループチャットを開設し、画像・動画・音声データをリアルタイムで共有できる共同体が構築されている（写真10－6）。

　他方、コミュニケーションの在り方がより便利に、よりリアルになるにつれて、共同体内でのトラブルも増えるようだ。とく若者同士の自民族への情熱の表し方が原因となり、互いに衝突しやすくなったという。ある親族グループチャットの管理者によると、河南蒙旗周辺チベット族の若いニェリンからみた場合、ときとしてモンゴル文字でチャット名

写真10－5　スマートフォンで友人と話す牧畜民親子とその白い愛馬

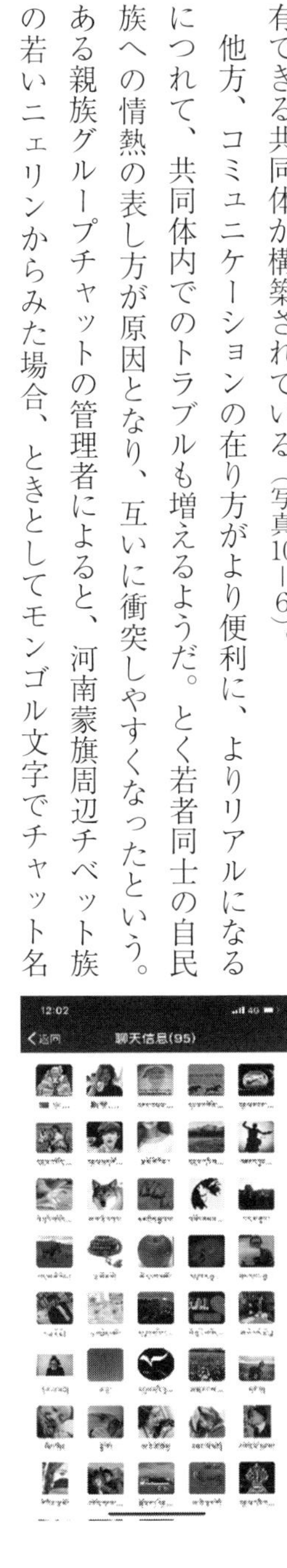

写真10－6　親族のグループチャット（二〇一八年二月河南蒙旗ジンバ氏提供）

を表示したり、プロフィール画像にチンギス・ハーンの肖像画を使ったりする河南蒙旗のニェリンたちの派手なやり方が目障りとなり、ついに「炎上」してしまうような状況も生まれるそうだ。こうした緊張状況を打開するため、管理者が持ち出すのはやはり始祖の名である。「我々は共通に○○の末裔だからこそここにいる。民族（ミリグ）のためではない」というように警鐘を鳴らすと、みなが落ち着き、妥協しあうのだという。ここでも、始祖は絶対的であり、その前では、民族をめぐる争いも二の次になることが分かる。

ウィーチャットなどのSNSによって、これまで会ったこともない人たちのニェリンとしての連帯感が強化されており、喧嘩することもその強化の裏返しである。その意味では、理解の仕方によっては、現代のIT革命・通信技術の進歩によって生まれたスマートフォンがもたらした、バーチャルリアリティーの一形態としてあるのがニェディだ、とも考えられるかもしれない。しかし、前述のように、ニェディは牧畜民に限る現象であった。同じ通信技術の成果を享受しながら、チベット農耕民たちはニェディには無関心である。

この事実から分かるように、技術という外部環境と、親族という集団意識とのあいだに必ずしも因果関係が成立しないのである。スマートフォンがもたらしたバーチャルリアリティーがもつ、特定の場所（物理的な領域）に囚われない性質が、牧畜民がもつ、特定の人物（社会的な領域）のもとで集合していくという集団性と、図らずも合致してしまっていると言える。それだからこそ、新しい技術が登場するやいなや、集団をめぐる彼らの想像力を活性化し、その集団性の表象に新しい技術がいち早く起用された、と考えたほうが合理的だろう。その結果、牧畜民とスマートフォンとの相性が抜群であるように映ったのではないか。

ニェディの文脈では、親族（ニェリン）は民族（ミリグ）の境界を横断していく。横断の様相は、書物の編纂における始祖の民族の描かれ方、ウィーチャットでの民族の語り方に着目することで、時間と空間の両面から確認できた。

●民族間共生の可能性

ニェディは、定住した牧畜民のあいだでみられた一時的な現象なのかもしれない。だが、この現象は農耕地域でみられない。民族の境界を越えていくさいに人びとを組織しているのが、ニェリンである。ニェリンは、繰り返すが、親族としか訳せないものの、必ずしも血縁や姻戚関係に基づくものではない。

ニェディ現象の根源にあるのは、ニェリンの形成に代表されるように、人は特定の人物のもとで集合するのだという人びとの集団性である。この集団性は、バルトの理論をその根底から支えていた、彼の調査対象者となる牧畜民たちの集団性と高い親縁性をもつ。ニェディは現象として新しいが、その現象を生み出す集団性は目新しいものではない。定住という社会変動を経験しはじめてはいるものの、彼らの集団性は物理的な領域からではなく、社会的な領域から生じるのである。

本章の登場人物たちは、例外なく国民国家の構成員である。彼らは、公定民族を表すチベット語「ミリグ」のことも当然知っており、民族の存在を無視することは現実的に不可能である。それと同時に、彼らはニェディという文脈において、民族の境界を越えている。この種の越境は、そのまま民族の共生を意味することにはならない。だが、越境は共生の一条件である。文脈限定とはいえ、越境できるという事実は、民族間共生の可能性を拡張している。ここにわれわれは、集団の存在を認めつつも、集団境界を乗り越えていく牧畜民的な、しなやかな集団性が再確認できよう。

このように、本章では、牧畜民たちによる「越境」について紹介し、そしてその越境に伴う「共生」の可能性に関してもポジティブに展望した。しかし、だからといって、ここで筆者はナイーブにも、読者のみなさんに牧畜生活そのものを勧めているわけではない。そうではなく、この章を読むことで、世の中にはこのような人びとも暮らしており、その暮らしのなかで日本とは全く別のかたちで集団が生まれ、異なる集団の人びとが共に生きているということに気づき、「共生」をめぐるこれまでのイメージの幅が少しでも拡がることを望んでいるのみである。これが、筆者が本章に込めた思いである。

【参考文献】

● a 'phrin las rgya mtsho 2015. *rma lho sog shog ge thu sa lag ci a rig tshang ge lus mdzod, kan su 'u mi rigs dpe skrun khang*（阿・成列尖措『河南蒙旗図薩拉斉阿柔部族簡史』甘粛民族出版社）.

● Barth, Fredrik 2000. Boundaries and connection. In Cohen A. P. (ed), *Signifying Identities: Anthropological Perspectives on Boundaries and Contested Values*. London: Routledge, pp. 17–36.

● シンジルト　二〇〇三『民族の語りの文法：中国青海省モンゴル族の日常・紛争・教育』風響社。

● シンジルト　二〇一七「民族と国家――集団意識はどのように生まれるのか？」梅屋潔、シンジルト（編）『新版 文化人類学のレッスン―フィールドからの出発』学陽書房、一六一―一八四頁。

● シンジルト　二〇二〇「ニェディの民族誌――チベット牧畜社会における集団観の動態」『地域研究』二〇巻一号：九六―一一四頁。

第11章　ナイル牧畜民はなぜ敵を助けるのか？

……動物といのち……

波佐間　逸博

家畜をみる眼が人間をみる眼を作る。動物との関係としてのエコロジーが人間との関係としてのエスニシティを形づくる。

自然現象を対象とする科学（自然科学）に対して、人間の歴史と文化の解明に集中する人文学ではスリリングな命題だが、〈人間が動物に作られる〉その可能性を追うのが本章の役目だ。

考古学をはじめ人文学のテキストでは、家畜を人間の経済のため捕獲状況で増殖させられるものと定義する。人間のほうは家畜を、つまりその食糧、繁殖、社会を完全な統制下に置くとされる。ここにも現われているように、技術知を有する私たちは自分自身を超越者とみなし、動物にとって不可侵の崇高な論理が人間にはあると考えがちだ。

本章ではこんな型にはまった（人間中心の）イメージに追従せず、そのかわり、〈人間のいのちと対する流儀が動物によって作られる〉世界に迫る。具体的には、第1節でサバンナでの暮らしがウシやヤギとの共生から成り立っていることを明らかにし、第2節と第3節で（家畜略奪の）戦場で出会った異民族が敵と向き合う独特な相互行為を分析し、第4節で動物との共生が牧畜民のセンスに磨きをかけ、人間との共生を形づくっていることを指摘する。[*1] 記述と分析に素材を

＊1　先行研究について
第2節と第3節で使った語りについては、別稿（波佐間　二〇二〇）でデータ収集の手順、トランスクリプトに基づく逐語訳、そしてより細かな分析結果を記した。

＊2　ナイル牧畜民
ナイル渓谷の先住民を始祖とする。現在は、南スーダン、スーダン、エチオピア、ウガンダ、ケニア、コンゴ民主共和国、タンザニアに分布している。言語学的には東ナイル、西ナイル、南ナイルのサブグループに分類される。

提供するのはウガンダ、ケニア、南スーダン国境地帯のサバンナを遊動するナイル牧畜民[*2]である。

1　牧畜世界の共生論理　延長された身体

ナイル牧畜民はアカシアの木柵をリング状に張り巡らせた内部に家畜とともに住む（写真11―1）。毎日、ヤギとヒツジ、ウシは朝放牧に出発し、草を食べ、夕方戻る。日帰り放牧だ。移動距離は一〇キロ以上、これに人が付き添う。集落に残していった幼子と再会した母牝は子に授乳し、隣の乳首から人がミルクを搾る。

家畜はサバンナの民の延長された身体だ。サバンナに生える植物のうち人が食べられるものは二割だけ。家畜は六割も食べる。草木が家畜の血肉になりその身体が牧畜民の命になる。牛群からは毎日ひとりあたり三リットルのミルクがとれる。栄養価に直すと二〇〇〇キロカロリー以上、これだけでも充分だ。干ばつでミルクが不足すれば「血の多い」ウシの頸静脈に弓矢を射り採血し飲む（写真11―2）。ミルクは甘く、血はすっきりと濃い。

社会学的にも家畜は牧畜民の延長された身体だ。ウシ放牧の途中、牧童は群れからやや離れたところで草を食べているウシの名前をときどき呼ぶ。するとそのウシが群れに戻ってくる。ミルクを搾る時も名を呼ぶ。呼びかけられたメスは声を出して寄ってくるが、周りにいるウシ、呼びかけられていないウシは無反応だ。アフリカ牧畜研究は一〇〇年以上前に始まったが、研究者は家畜の

写真11―1　ウガンダ北東部ドドスの環状集落（ere）

写真11―2　ウシの頸静脈に矢を射る

知恵を見落としてきた。そこで筆者はウシがどれほど名を聞き分けるか確かめるため一二才（推定）の牧童に手伝ってもらい、テストした。牧童が名を呼んだ時、周囲にいる無関係の個体はほとんど応答しないのに対して、焦点個体の方は一〇〇パーセントから六〇パーセント、正確に応答していた（表11―1）。ウシたちは自分の名[*3]をはっきり自覚している。

　家畜と人間がコミュニケートする場面は他にもある。放牧や搾乳の時、牧童は舌と歯茎を使った弾き音や口笛や声を出す。牧童は音の意味、つまり自分が期待する対象個体からの反応を答えてくれる。ヤギ・ヒツジについては全部で一七種類の音声を確認した。とくによく耳にした音声をヤギの反応とあわせて観察したところ、平均して七割以上の率で期待どおりの反応があった。[*4]

　牧童は個体の身ぶりを見ながら必要に応じて声をかけ、呼びかけられた個体は自分の行為を声に噛み合わせる。放牧と搾乳はウシやヤギの

表11―1　ウシの名前呼びテスト

ウシ（焦点個体）の名前	分類	名前を呼ばれた焦点個体	周りにいた他の個体
アムワイ	経産メス	17/17	10/172
アキマイト	経産メス	8/11	5/106
イェレル	経産メス	12/14	4/128
ルクピラ	経産メス	17/18	5/203
コリウォンゴル	経産メス	11/18	11/185
リオンゴ	未経産メス	11/18	6/176
ンゴレニャン	去勢オス	17/19	6/183
クワボン	去勢オス	17/18	9/182

名前を呼ばれた焦点個体の分母は名前呼びの回数、分子は5秒以内に応答した回数を示す。顔を発声者に向ける、歩みよる、鳴き交わすのいずれかの行動を示した場合それを応答とみなした。
周りにいた他の個体の分母は名前呼びの場（焦点個体から5メートル以内）に他の個体がいた回数、分子は（間違えて）応答した回数を示す。

＊3　ウシの名前
このテストで牧童が呼んだ名前は「目のまわりの黒いブチ」や「角なしのメス」などを意味する単語である。すべての個体には名前がある。その多くは対象個体の体色や角の形を表す。ウシに呼びかける時「ウシの耳によく聞こえるように」低音で発声する。

＊4　音声への応答

音声	意味	五秒以内に反応した回数（応答／呼びかけ）
ンガーイ	おいで	七八／一一一
アイ	群れに戻って来い	三〇／五二
ツツイ	早く進め	七一／一一三
イワ	移動するぞ、集まれ	四四／五二
ポチュ	水を飲みに来い	二三／二五
クワー	授乳をやめろ／蹴るな／進むな	三四／七四
イ／イキウ	動くな、落ち着いて乳を出せ	七四／七七
メー	ミルクを飲みにおいで	五二／五四

繊細な相互行為(インタラクション)の力に支えられている。家畜は、人間から一方的に統制を受ける沈黙の集合ではない。

●動物が「いる」

筆者は放牧に同行し、牧童とおしゃべりをするが、彼らはよく心ここにあらずといった感じになる。当初は心細くなったものだが、やがて慣れてくる。すると今度は、牧地で牧童と話しているのにヤギやウシたちと相対している感覚を受けるようになった。それは彼らが常に目線や集中を周囲の動物たちに向けているからだ。目だけではない。耳は動物の声をとらえる。

牧畜民の会話では家畜がひとの会話にわりこむ。

放牧キャンプで焚き火にあたって青年たち五人と夜ふけにおしゃべりをしていた。肩が触れ合うぐらい近づきあっていたので小声で話していた。いきなりひとりの青年が太い声で遠くに話しかけ始める。それはアチャラカンと呼ばれているオスウシへの発話で、「ここは略奪がしょっちゅう起きる物騒な土地だけど俺たちはおまえを守る、明日は北東の山岳地帯に放牧に出かけよう」という内容だった。隣にいる別の青年は普通によどみなくしゃべりつづけているし、差し挟まれたウシへの発話にほかのみんなが動揺している様子もない。

つづけざま、くぐもってはいるが大気を裂くようなウシのうなり声[*5]が闇の奥、ウシ囲いの中から響く。するとこの声に応答して、また別の青年が柵に向かって大声で発話する。「そうだ。鳴け。鳴くのだ。エカレスよ[*6]。俺は略奪者のグルー

＊5　家畜の声
体系的な調査はまだ誰もやってないが、家畜の声には個性がある。牧畜民は音だけで誰が鳴いたか（そして感情さえも）わかる。

＊6　エカレス
うなったオスウシの名前で、意味はダチョウ（を思わせる黒）。

プがクーズー（エサリッチ）*7を喰っているところを撃ったことがあるぞ」。青年はエカレスの持ち主だ。ここでは動物が人間とかわらぬ存在感を持つ。ウシの声やヤギの視線に牧童は強く集中する。これが、動物からの／への声が人間の会話をさえぎる理由だ。牧畜民の空間のあり方は独特だ。

サバンナでは人間と動物がともに対等な力を持ってそこに「いる」。

●動物が人に「なる」

生態人類学*8の方法のひとつに、個人追跡法がある。動物行動学者が使う焦点個体追跡法（フォーカル・アニマル・サンプリング）から派生した方法で、ひとりをフォーカル（焦点個体あるいは観察対象者）として定め、「誰かが誰かと出会ったり、訪ねあったりして、そこでなにをしているか」を観察する。

筆者は筆者が居候していたウガンダのカリモジョン*9のふたりの青年、デンゲルとロイヤップに手伝ってもらい、個人追跡法を始めた（写真11−3）。私が顔を知らない相手（たとえば訪問客）とフォーカルは出会う。そういう人の名前や（親族）関係を教えてほしい、これがふたりにお願いしたサポートの内容だ。

実はこの調査中、思いがけない強烈な衝撃で筆者の胸をうったのはふたりの共在感覚だった。デンゲルとロイヤップはフォーカルと近接した「ひと」だけでなく、ウシやヤギのことも拾いあげ個体名や特徴、フォーカルとの関係を調査期間中ずっと報告し続けたのだ。

*7　クーズー
コルクの栓抜き状に大きくねじれた角をもつ、偶蹄目ウシ科の野生動物。ドドス語でエサリッチ。

*8　生態人類学
「食べなければ生きていけない」という人間のもっとも基本的な条件に焦点を合わせ、どのように自然を認識し、どのように自然に働きかけながら、食物を得ているのかを徹底的に記述し、分析する。

*9　カリモジョン
東ナイル牧畜民を構成する民族集団のひとつ。

写真11−3　左から、デンゲル（と赤ちゃん）、妻のコロベ、いとこのロイヤップ

【フィールドノートより】

一〇秒を一単位とし、場所、行動、共在相手を記録する。最初のフォーカルは五〇代の初老の男アレンガ、デンゲルの父。アレンガがロプジコウ（弟）の小屋にむかってとぼとぼ歩いている。ロイヤップが「アレンガがインゴロッコといっしょにいるよ」と言いだす。アレンガのまわりには誰もいない。私はフリーズする。デンゲルが「ちゃんと書けよ」と言う。アレンガはひとりぼっちなのに。「ほらあそこにいるだろう」デンゲルの人差し指の先にインゴロッコ（白黒の大きな斑点）のある子ウシが立っている。「ロプジコウが預かっている子だ」。ウシは人じゃないのに。

とっさに「人の名前だけ教えてくれればいいんだ」と言った。人の日常生活をおさえるという調査目的にとってウシのことは余計だ。口調はイラついていたかもしれない。しかし、つぎも、そのつぎもおなじことのくり返しだった。自分の要求のほうが場ちがいなのか。私の中で疑問がひろがっていく。ウシは人なのか。

筆者もその一員である現代日本の市民も「人間は動物の一員」と教わってきた。[*10] しかし何気なくそこにいる動物に対して「ともにいる」という感覚を誰も投げかけたりしない。だがナイル牧畜民の共在感覚においては動物と人間の区別は問題にならない。

人間を他の動物から仕切る概念の境界はナイル牧畜民にもある。彼らの分類で「人間」はンギトゥンガと総称し、動物界はンギケニ（鳥類）、ンギボレ（爬虫類）、ンギバレン（牧畜家畜）、ンギティアン（野生動物）に分かれる。[*11] カテゴリカルで分析的な思考は人間と動物のあいだに分割線をひく。だが動物と相まみ

＊10　木村　二〇〇三。

＊11　動物の分類　興味深いことにイヌはンギティアンである。「ミルクを搾らないから」だ。

える彼らは種の違い、動物の境界を超え、共同性や対等性こそを直感する。対面状況で動物は人に「なる」。ともにいる者は、客観的な基準や概念を使って対象（相手）を分類したりしない。〈わたし〉と〈あなた〉は分断されない。相手が動物であるにせよそれはゆるがない。

2　敵を助ける…レイディング、銃、グローバルイシュー

ナイル牧畜民はウガンダ、ケニア、南スーダン、エチオピアなどに居住しているがもともとは単一の集団だった。[*12] 下位の集団（民族）の生成をうながした要因は内部での家畜略奪（レイディング）だった（図11－1）。一〇〇〇年前のことだが、その後も各民族は相互に敵対と友好の関係をめまぐるしく組みかえ、レイディングは今日まで続いている。

一九八〇年以降、「北」側で開発・製造されたアフトマートカラシニコフやG3などの自動小銃が原野の隅々まで持ち込まれ、多数の人命が犠牲になった。たとえば夜のおしゃべりの時「エカレスよ」と暗闇の向こうにいるウシに話しかけた青年も、個人追跡法を手伝ってくれたデングルの兄も、ロイヤップの父もレイディング時の銃撃で死んだ。

自動小銃を使ったレイディングには国際社会も関心

図11－1　調査地

*12　単一の集団　もとの集団はアテケルと呼ばれている。現在もアテケル内では言葉が通じるが、たがいにエモイト（異民族、敵）と認識している。

を寄せた。二〇〇一年九月一一日アメリカでの同時多発テロ事件の後、東アフリカ諸国の旧宗主国であるイギリス、ＥＵ、アメリカはナイル牧畜民の居住地域をテロリズムの温床として指定し、国境を越えた武器貿易と暴力の根絶、そして「法と秩序」のための社会開発に着手した。

しかしナイル牧畜社会に外部がもちこんだ政策は当事者（牧畜民）の目線を欠いていた。たとえば武器の取締りのために遊牧を禁止し、定住と農耕への転換を強制する政策によって多数の家畜が疫病で死に、人々は飢餓に陥った。牧畜民側の若者たちを中心に不服従と抵抗運動も起こったが、かえって深刻な傷を負った。デンゲルもレイディングについての密告を拒んだため軍の駐屯地で拷問を受けた後、身体と精神に変調をきたし、息子を殺めたあげく自死した。

●助命のタイプ

欧米諸国やウガンダ政府はナイル牧畜民に「民族紛争に手を染めるモンスター」の烙印を押してきた。しかしフィールドワークの実感はそれとずれる。ナイル牧畜民は、隣人が略奪や戦闘で家族や家畜を失うと悲しみの感情を共有する。にもかかわらず民族というカテゴリーがくる諸集合が全面対決する、そのような近代戦争の形にならない。だいいち牧畜民は敵の殺害を目的にして戦わないし、戦闘の最中に心がわりして敵を助命することも間々ある。助命とは大規模な攻撃と殺人のさなかで異民族の成員の生命をたすける意図的な行為のことで、敗残者／捕虜／弱者の助命に三分類できる。

①敗残者の助命

以下のエピソードは、ケニアのトゥルカナでの住みこみ調査期間中にちょうど一か月間、寝食をともにしたトゥルカナの青年アウォトンの父方祖母エラマチ（推定六五歳）が語ってくれたものだ。エラマチの父は一九七五年頃この戦闘に加わり、経験談を語り聞かせたという。

【エピソード：俺たちは終わってしまったぞ】

カリモジョンがトゥルカナをレイディングするためにモルアンギキリョコにやってきた。カリモジョンの男たちは攻撃に先立って、進行方面の状況の偵察のために山に登って見ていた。トゥルカナのヤギの牧童が放牧中に敵の影をみとめた。少年たちから報告をうけたトゥルカナの男たちがかけつけて山を包囲し、七日間にわたり攻めたてた。カリモジョンたちはつぎつぎと殺害され、最終的にほんの数名の生存者が山の上に孤立するばかりになった。彼らは白い羽と木を手にとってそれをもちあげ、「オイ！　俺たちにはもう誰もいないぞ。すべて殺されてしまったぞ」「オイ！　俺たちをほうっておけ。俺たちは終わってしまったのだぞ」と言った。トゥルカナは「行け」と言った。カリモジョンは去って行った。

異文化間で理解された「もの」を用いた身ぶりで助命の要求を伝えている。白い羽は男性用の髪かざりで、頭に垂直につきたてるダチョウの翼の羽のことだ。白い羽を持たない者はシナノキの一種エカリの枝をうちふった。牧野で敵に遭遇した時、エカリの枝をふり、戦う意志がないことを表示できる。エカリの枝と白い羽は、降伏や戦意がないことを知らせる点で戦時国際法にも規定されている白旗とよく似ている。攻撃者に対して、助命するよう語りかける者がたびたび口にする「(私を) ほっといてくれ」「解放してくれ」という表現は「トゥエジキナイ（*toesikinai*）」という。これは「〇〇を後に残してその場を去る」と訳すことができる他動詞 *aesikin* に、「私（たち）のために」という意味合いを含む接尾辞 *ai* が加わった、ていねいな命令形である。この「生命を乞う」発話行為を牧畜民たちはアキリップ・アキヤルと呼ぶ。これは「乞う」「要求する」と訳出できる他動詞アキリップに、「生命」「生活」「生きること」を意味するアキヤルを目的語としてとる表現である。

人類学者の太田至はトゥルカナの独特な物乞い[*13]を分析し、乞う人が高圧的な口調で、乞うことは当然であるといった態度で要請を突きつけてくると記している。[*14]【俺たちは終わってしまったぞ】でも、屈服しているカリモジョンは、相手にこびへつらったり、声を失ったり、めそめそと情状酌量の事由を哀訴してない。ふてぶてしい。この特徴は助命のシーンでたびたび顔を出す。「カリモジョンはね」エラマチは言った。「いのちをお願いしたんじゃない。命令したのよ、生き延びさせろって」。

②捕虜の助命

レイディングを実行する者たちにとって家畜群の居場所や防衛態勢といった内部事情を知っている者は貴重な資源だ。攻撃の標的をしぼりこめる。殺すより捕虜にした方が良い。以下は捕虜の助命である。

【彼らを殺そう】ドドスの集団がレイディングのために近隣のジエが暮らす土地に入っ

＊13　物乞い
太田は物乞いではなくベッギングという語を使っている。私たちが日本語の物乞いという表現から連想するふるまいからずいぶんかけはなれたユニークな行為だからだ。

＊14
太田　一九八六。

た。標的の家畜群を探る途中で、ひとりの男と五人の女たちを捕える。「彼らを殺そう」と言う者もいたが、ウシのいるところへ略奪集団を導くことができるスパイとして有用と判断され、捕虜となる。

【俺たちの父があそこにいるぞ】 ドドスの略奪集団がトゥルカナの居住地でヤギをレイディングした。先行していたドドスの仲間たちの攻撃から逃れてきたトゥルカナの牧童を捕虜にして、放牧中の山羊群のところまでつれていかせた。牧童は略奪者たちに「さあ行け。すぐに行け。そして殺せ。背後から追いつくんだぞ。俺たちの父があそこにいるぞ。彼らは銃弾ベルトも身に巻きつけているぞ。銃も持っているぞ。さあ、俺たちのことは放っておけ」と言った。ドドスの略奪者たちは牧童を殺さず、その場を去った。

捕えられた者はみずから敵のために働く密偵の役割をかってでることがある。追いこまれた死地からの逃避策だ。【彼らを殺そう】でも捕われた者が命懸けの取り引きを持ちかけた。武装したドドスの略奪集団に、炭づくりをしていたところを捕まったジエの男はとっさに、ドドスの略奪者が狙う牛群の所在を「俺は知っている」と言った。つづけて「俺はあなたたちを連れて行きウシを見せる」と申し出て、相手側に「こいつを夕方まで捕え続けよう」と言わせた。

攻撃側はスパイ行為を首尾よくなしとげた捕虜を自動的に解放しない。つまり捕虜の助命はレイディング成功の報酬ではない。「仕事」を終えた捕虜に攻撃者たちは「殺す」と告げる。【俺たちの父があそこにいるぞ】にもあるように、敵の拘束から自由になるためにはレイディングに加担したあと命乞いして、助命をつかみ取らなければならない。

③弱者の助命

略奪者が得をしているとは言えない場面でも助命は起こる。障がい者、高齢者、貧者、傷ついた敵の戦士などの特定のカテゴリーの人々に対して演じられる助命である。

【盲目だからほうっておこう】カリモジョンがレイディングを仕かけ、トゥルカナの集落を攻撃した時、ある盲目の女が立ち止まっては歩き、歩いては立ち止まりながら逃げようとした。しかし方向を失い、略奪者たちのほうへ向かっていった。だが彼らは「盲目だから放っておこう」と言って逃した。

盲目という身体的条件が逃げ去るほかの仲間たちの動きのなかで絶対の不利として、弱者の悲惨として立ち現れる。

【老女を柵が導いている】トゥルカナがドドスの集落を襲撃した時、逃げ遅れた盲目の女が柵づたいに逃れようとしていた。彼女を槍で突こうとする仲間を、別の男が「老女を柵が導いているのがお前には見えないのか？」と遮った。そして誘った。「よお、ウシを追おうぜ。俺たち、ウシを手に入れに来たんだろ？」「ウシに走っていこうぜ。あいつらは今ウシ囲いのゲートをひらいて放牧地に出発しようとしている。今まさに開こうとしているんだぞ」。トゥルカナはドドスの老女をおいて、ドドスの牛群のもとへ急行した。

「お前には見えないのか」という批判は、対面する相手の弱み（ここでは盲目）に対する慈悲を欠いている仲間の不自然さに向けられている。苦痛、傷、弱さは、誰かのいたわりを必要とするという切実さをはっきり伝える。

無防備な人間といると、他者にこれほど依存しきっている存在はそれ自体が尊さや善の存在する証しであるに違いないという確信に至るのではないか。身体障がいや弱者の身体は人間存在の価値を拡張するのではないだろうか。

【俺の敵を殺すなよ】 ドドスがジエの家畜キャンプを襲う途中、異変を察知したジエの男たちが発砲しながら突撃してきた。ドドスが応戦してジエたちを追い払うと、家畜キャンプのリーダーである男（アパーロパマ）が右足つけ根から血を流し、そこに横たわっていた。アパーロパマを撃ったドドスの男ニニャンガエはとどめをさすことを拒絶した。ドドスたちは牛群を襲うためにジエのキャンプへさらに前進した。首尾よくウシのレイディングに成功したあと、アパーロパマが倒れていた場所に戻ったが、彼の姿はすでになかった。砂地に印された痕跡から、彼が腹ばいになって手と足で這って逃げたことがわかった。

以下は、このレイディングに参加していたドドスの老父ロイタが語ってくれた原スクリプトの一部を、全体がひとつの流れになるように発話の順序を入れ替えて記述し直したものだ。

《【俺の敵を殺すなよ】の語り》

「おお、やつらがやってきたぞ」とわしは言ったんじゃ。ハイ！　わしらは地面に伏せた。あやつらは火を叩いた（発砲した）。ピャック、ピャック、ピャック、ピャック、ピャック、ピャック、ピャック。ニニャンガエはしゃべった（発砲した）、プン、プン。あやつは撃って、アパーロパマは背中をつけて横たわった。わしらはそこにたどりついた。あやつはどこを撃たれたのだ？　ここじゃ。太腿と腰がつながった部分じゃぞ、ここじゃ。アヤ！　あやつは横になっておった。背中を地面にして倒れておった。背をつけて寝ておったんじゃ。あやつはすっかり乾いていたので、わしらは「死んでいるぞ」と話した。もうひとりが言ったんじゃ「エエ！　こいつはまだ生きているぞ」。彼（ニニャンガエ）が、あやつが「だめだ、殺すのはいかん」と拒んだんじゃ。わしらは「敵にとどめを刺さなければならない、敵にとどめを刺さなければならない」と言ったぞ。ニニャンガエは「この敵を放っておけ。俺の敵を殺すなよ」と言ったぞ。エエ！　アヤ！　わしらは「さあ、こやつは放っておこうじゃないか、そして遠くへ行ってウシに追いつこうじゃないか」と言ったんじゃ。わしらは動いて動いて、あそこでウシを切り離した（牛群の一部を奪いとった）んじゃ。エエ！　そのあとでわしらはまたやってきた。わしらが戻ってくるとあやつは消えていた。息をふきかえして、這いつくばっておらんようになった。アコエ、なんてこった！

銃弾が下半身を貫いた負傷者（アパーロパマ）は乾いていた、つまり息をしてなかった。傷口から血を流したまま動かないこの男は死んでるのか。見解は分かれた。攻撃者の一部は最後の息の根をとめることを主張した。足もとで仰向けに倒れた血まみれの敵の姿を前に、致命傷を負わせた当人はとっさに殺意の手をとめた。

いのちのはかなさを感じないでいることができないということが、異民族を攻撃する〈われわれ〉の内部、「敵にとどめを刺す」者たちとそれを拒む〈わたし〉とのあいだに亀裂を生じさせている。

●他者の殲滅(せんめつ)について

助命の事例からなにがわかるだろうか。ナイル牧畜民社会では、敵を設定する文化とその敵を殺す能力と条件が揃っているそのことは、すべての戦士がつねに文化的他者（敵）を殺害することとイコールではないということである。

戦地で敵を助命した者は筆者に「（人を殺すことではなく）ウシを奪うことだけが大切だから」だと、わけを話した。実際、無力な捕虜や弱者を殺めることの是非をめぐって略奪者たちがかわす会話をみると、しばしば「レイディングすべき家畜にこそわれわれは行動の目標を限定すべきである」と要約できる考え方に光があてられる。

そして、牧畜民たちは弱者を殺害する行為をふいにとりやめる。レイディングは敵の殲滅を目指す近代戦争から遠く隔たった相互行為だ。

3　声と言語

敗残者の助命と捕虜の助命のところで指摘したように、助命の手前で人は命を乞う。命乞いから助命までの流れを追おう。

●見え見えの嘘

私たちは他者の脆弱さに突き動かされた助命を弱者の助命のところで見てきた。これに対して生殺与奪を握られた側が命乞いの中で自分がどんなに無力で弱い存在であるかを語り、聞き手の側がふと助命を決めるということもある。

以下のエピソードは筆者が居候する集落に暮らすドドスの青年ロイキが語ったものだ。ある晩、ジエたちが組織する略奪者集団によって捕えられた彼は、命を狙われている仲間と自分を守るためとっさにことばを口にする。お前たちが狙っている相手は炭焼きや粉挽きの手伝いとしてわずかな日銭を得ている無力者にすぎない、と。敵に切っ先を突きつけられた者が非力で無価値なことを訴えて命乞いしているわけだが、実はこれは見え見えの嘘の反復なのだ。

《【へなちょこなのだ】の語り》

俺たちはアパーミシという友人の集落で酒を飲んだよ。酒を飲んで夕日が沈む頃になった。俺たちは外に出た。ゆったりと布をまとって大声で俺たちは歌った。村にたどりついた時、敵はすでに集落の入り口のところにいた。略奪者が俺をつかまえた。略奪者は俺を拉致した。彼らは俺に言った。「見張りがついていない牛群を教えろ」。俺はあいつらを連れて行った。俺たちは俺の姻族[*15]の家畜を連れ去っていった。ナトリ［姻族の未婚男性の名前］がダンスしていた夜だった。

♪ニェンゴモ［去勢ウシの名前］よ、犂を引くんだ！　長い角をもつ赤い去勢ウシよ。ひっぱれ！　子どもたちは言ってるよ、畑を耕しながら。「ぼくたちの父さん（ニェンゴモという去勢ウシのこと）はぐいぐい動くんだよ」って。♪（語り手のロイキが歌っている）

彼らは「こいつ（歌っているナトリ）を殺そうぜ」と言った。俺は「放っておけ。あいつはへなちょこ（ニェチャリオイット）なのだぞ」と言った。「ただの酔っぱらいなのさ。彼は炭焼き用の木を切っているだけだ」。「お前、よく見ろ。あいつは女のグループだ。ほかに歌ってい

＊15　姻族
配偶者の血縁者や自分の血縁者の配偶者のこと。ドドス語ではエカムランと言う。

る男は誰もいないだろ」。「あいつは役立たずだ。放っておけ。さあ村を襲えよ。まさかお前はビビっているのか？　襲え、集落を！　ほかにはなにもこの集落にはないぞ。襲え！」。やつらは襲ってナトリも逃げて行ったさ。俺の姻族の家畜をレイディングした後、略奪者は俺とともに走って走って走った。俺たちがロブネイ（地名）に到着した時もうひとりが「さあこいつを殺そう」と言ったのさ。俺は「俺はなんもできない者だぞ。ナイディッドという男の機械で粉を挽いているだけだぞ。無益な男さ。殺すなよ。殺すな。俺にはなんもものがないぞ。ひとっつもだぞ」。やつらは言った「じゃあ、お前がさっき歌っていたシヨリ（歌詞にでてきたウシの耳の形）とはなんなのだ？」。俺は言ったんだ。「俺はへなちょこだ。俺はひとりの人間も殺したこともないぞ。俺はただ遊んで遊んで歌っていただけだぞ」やつらはそこで俺を解放した。何人かは「さあ殺そう」と言ったよ。ひとりは「お前はどこかへ行け」と言った。やつらは俺を解放した。俺は帰って帰ってきた。

　ロイキが手びきしたジエたちが集落の外から、家畜囲いの中で歌っているナトリに銃の照準を定める。とっさに「あいつは貧しい男だ」とロイキは言う。銃口を向けられた仲間を助けるための口からでまかせだ。つづけてレイディングを実行せよと命じる。敵はナトリを含む集落の住民を蹴散らし、レイディングに成功する。そのあと「殺す」とつめよる略奪者を思い留まらせるために口にしたロイキの身の上話もまったくの作り話だ。

　闇夜に捕えられた時、ロイキは自分の去勢ウシの変工した耳（シヨリ）を讃美する個人（エモン）の持ち歌を歌っていた。シヨリとは耳介部中央を真一文字に切り取った型のことだ（写真11－4）。当該個体の所有者が家畜略奪戦で殺人をしたことを示す証としていれる。ロイキはレイディングの名手であり、大きな牛群の所有者なのだ。ロイキをさらった略奪者たちは彼を捕えるために身を潜めていた時、たまたま耳にしたこの歌のことを鮮やかに思い起こした。へなちょこを演じるロイキの矛盾に感づいていたわけだが、この嘘が助命を妨げることはなかった。

●嘘っぱちを聞き入れる

ある日、ドドスのロコルという五〇代の女性が突然の敵の襲来を回想して筆者に語った。集落がジエの略奪集団の攻撃を受けた時ロコルも捕まったのだが、自分は高齢で歩くことができず盲目で天涯孤独だと訴え、解放された。

《【私がこの場を去ることを手助けしな】の語り》

「お前さんは私を殺すのか」と聞いた。「①お前は殺すのか、すべてのものを燃やし、家畜も奪い、私も殺すのか。答えよ。②ほっといておくれ」と言った。「③私はアモジョン［老女］だ。息子も夫もいない。④解き放っておいてくれ。敵よ、子どもよ、私がこの場を去ることを手助けしな」と言ったのさ。

あいつらは私のことを「これは俺たちの敵を作った者だ」と言った。

「私は盲目だよ。世話をする者はいない。私はひとり身だよ。夫もとっくの昔に死んでしまった」と言った。

「どうしてこのような悪気のない人（イチャルオイット）を」とあいつらは言った。「この人をはなそう。殺

写真11－4　略奪者は奪ったウシの耳をシヨリ（*siyoli*）に施術する

すと厄介なことになるぞ。彼女を行かせよう」と敵は言った。私はゆっくりゆっくり親族のところに歩いて行ったんだよ。

敵を産む女のいのちに手をつけないという方向へ男たちの態度変更をうながしたのはロコルの命乞いだった。窮地に陥ったロコルはまず敵の乱暴狼藉を列挙して未来の行為に関する相手の意志を問い、応答を迫り（①）、助命を命じる（②）。さらに、自分自身の状態を写しとる陳述を重ねた（③）後、逃走の支援（つまり助命）を指令した（④）。

陳述は世界のある状態に発話内容を合致させることを目指す。*16 会話者たちはただ発された言葉（あるいは意味）だけを見ているのではない。その発話を用いて語り描く現実に対する知覚を研ぎ澄ませている。だがこのロコルの陳述は明らかな「嘘」だ。助命の正当性を支える悲惨などかけらもない。にもかかわらず、その真偽の区別にはまったく関心が向けられていない。彼女には夫も子も孫もいる。それほど高齢ではなく目も見える。虚弱な高齢女性（アモジョン）ではなく、ちゃんと歩ける。ジエもそれは分かっている。だが身体的現実としてまぎれもない齟齬は、はなから会話世界の外へ閉め出されている。

ロコルは【俺の敵を殺すなよ】の語り手ロイタの第二夫人である。ロイタの妹ロムスは筆者が住みこんでいる家族の家長ロニャの第二夫人である。ロコルとロイタはロニャの家族とともにひとつの環状集落（エレ）を作って暮らしている。筆者はロムスの家族の居住空間（エカル）で世話になり始めてから、ロコルとはほぼ毎日顔をあわせ親しくさせてもらっている。

*16 オースティン　一九七八。

【私がこの場を去ることを手助けしな】をロコルが話してくれた時、語りにひと区切りついたところで、筆者は「あなたには夫のロイタがいる。盲目ではないし、子どももたくさんいるじゃないか」と言った。トンチンカンな問いだった。盲目や天涯孤独といった陳述が本当ではないことを筆者が知っているということを、ロコルはもちろん知っているのだから。ロコルは言下に「お前さん、エタウ（心臓）はどうなんだい。悪い心臓なのかい？」と抗議した。

ドドスは心臓を外部世界の状態と共鳴する臓器として了解している。たとえば、熱い心臓の者はけが人がいるととっさに手をさしのべるのに対して、冷たい心臓の人物は最良の介入方法について熟考するので、行動を起こすまで時間がかかる。家族や友人と死に別れた人がひどく沈鬱している時は、「心臓が閉じている」と表現する。そして、武力紛争による心的外傷の癒しには実際に手やカウベルで心臓（胸）に触れる行為が欠かせない。*17

筆者の愚問を射る鋭い問い返しが示しているのは、敵と対峙する略奪の修羅場で客観的証拠にもとづいて真理性を議論することはナンセンスであるということ、問われるべきは弁明の真偽などではなく、生命の窮地に立たされている者にあなたは感応するのかそれともしないのか（「悪い心臓」なのか？）、それだけだ、ということである。略奪者たちはただ、命を乞うロコルに感応した。

●声にこたえる

命乞いから分かることはなんだろう。人類学者の北村光二は、物を乞うトゥ

*17 波佐間 二〇一九。

ルカナの人々が嘘と分かる嘘をつくというきわめて具体的なエピソードから、彼らが「いまここで」呈示されているもの、「生き生きとした一つのリアリティ」に対して全面肯定的に臨むこと、嘘はそれが嘘である（真ではない）という理由だけで問題になることはないということを指摘している。トゥルカナはなんらかの絶対的基準を根拠に合意を形成しようとしないのだ。[*18]

ナイル牧畜民は命乞いが始まった途端、正しいことを口にするかどうかという問題からおいおさらばする。哲学のことばでは言語的エイジェンシー[*19]、つまり「自身の合理性(rationality)を命題形式で表明しつつ相手の合理性を理解・評価する主体」としての側面にくるりと背を向ける。

略奪者は、命を乞う者の声に、道理(rationality)を欠いた発話にさらされる。声が、対面するわたしとあなたがともにいる感覚を呼びさまし、互いが感応し始める。まるで（言語的エイジェンシーのずっと手前で）動物がわたしの声にこたえ、わたしが動物の声にこたえるのと何もかわりはないとでもいうかのように。

*18 北村　一九九六。
*19 Steiner 2013.

４　牧畜民のセンス

レイディングの場面で異民族は敵として出会う。本来なら戦場は敵を殺し仲間との一体性を証明する場である。「同じ民族である我々は同じ民族であるがゆえに一体である」という共通理解に、敵を救う助命が亀裂を走らせる。

どうして敵を助けるのか。ナイル牧畜民が眼前の身体と声に共振する日常を生きるからだ。動物と人間、自己と他者のカテゴリー、言語や概念が作り出す

【参考文献】
●太田至　一九八六「トゥルカナ族の互酬性：ベッギング（物乞い）の場面の分析から」伊谷純一郎・田中二郎（編）『自然社会の人類学：アフリカに生きる』アカデミア出版会、一八一－二一五頁。

秩序に押しつぶされない生き物としての感度を動物に日々磨き抜いてもらっているからだ。

動物との濃密な生活につちかわれた流儀が人間社会を包み込む。いのちと向き合うセンスでどこまでも満たされてゆく。自然から社会へ。動物との共生から人間との共生へ。人文学にとって牧畜民の世界は〈人間〉の柔軟性について手ほどきを与えてくれるゆたかなフィールドだ。

●オースティン、ジョン・L　一九七八『言語と行為』（坂本百大訳）大修館書店。

●北村光二　一九九六「身体的コミュニケーションにおける『共同の現在』の経験：トゥルカナの『交渉』的コミュニケーション」菅原和孝、野村雅一（編）『コミュニケーションとしての身体』大修館書店、二八八―三一四頁。

●木村大治　二〇〇三『共在感覚：アフリカの二つの社会における言語的相互行為から』京都大学学術出版会。

●波佐間逸博　二〇一九「身体と暴力：武装解除期のカリモジョンとドドスの病」太田至、曽我亨（編）『遊牧の思想：人類学がみる激動のアフリカ』昭和堂、一六九―一九六頁。

●波佐間逸博　二〇二〇「敵の命を助ける：東アフリカ牧畜民の共生論理」『地域研究』二〇（一）：一三九―一六〇。

●Steiner, Gary. 2013. *Animals and the Limits of Postmodernism*. New York: Columbia University Press.

第12章　ユーラシア牧畜民の英雄叙事詩とは何か？

……敵と味方……

坂井　弘紀

みなさんはヒーローもののストーリーが好きだろうか。おそらく、テレビのアニメーションや特撮ドラマ、漫画や小説などのヒーロー物語にわくわくしたことのない人はいないだろう。中央ユーラシアの牧畜の民も、昔からヒーローの活躍を楽しみ、愛してきた。だが、現代のように多様なメディアがあったわけではない。

それでは、どのように楽しんできたのだろうか。それは口承文芸という「メディア」を通してである。口承文芸とは、口から耳へ、そしてまた口から耳へ、さまざまな情報やデータを言葉に託して伝えることである。空間的な横の伝達と時間的な縦の伝達が特徴的で、遊牧民にとってはとくに重要な「メディア」であった。

この章では、中央ユーラシアのテュルク遊牧民[*1]のあいだに古くから伝わる、ヒーロー物語である英雄叙事詩を取り上げ、主人公の勇士が、何と、誰と戦うかに着目しながら、英雄叙事詩が伝えるメッセージについて考えていきたい。おそらくそこには、遊牧民が長い歴史のなか、広大な領域でさまざまな人々と「共生」することができた知恵が見つかるはずだ。

＊1　テュルク　「トルコ」とも表されるが、テュルクはトルコ共和国の「トルコ」よりもずっと広い意味合いをもつ。テュルク系の人々は、トルコ人はもちろん、北極圏・シベリアのサハ人や中国のウイグル人、中央アジアのカザフ人やウズベク人、キルギス人、トルクメン人、ロシアのタタール人、バシュコルト人、コーカサス地方のアゼルバイジャン人など、ユーラシアの広範な地域に居住する。現在は多様な生業を営むが、本来は騎馬遊牧の民であった。

＊2　遊牧民のうち、カザフの遊牧については、第４章を参照。

1　遊牧民と口承文芸

●遊牧民のくらし

中央ユーラシアでは古来、たくさんの牧畜民が活動をしてきた。彼らの多くはテュルク系やモンゴル系の言語を話す人々である。中央ユーラシアの牧畜民は、騎馬遊牧民であることが多い。遊牧とは何だろう？「遊」という字がつく牧畜なので、遊びながら気楽に過ごしているのかなと思うかもしれない。しかし、それは間違っている。これは、遊説とか外遊などの言葉にある「移動する」という意味だ。彼らは、なぜ移動しながら牧畜をしていたのだろうか。それは、大陸性気候の乾燥した厳しい自然環境のもと、家畜の飼料となる草や生きる上で欠かせない水を求めるためだった。水や草を探してふらふらと移動していたのではない。一般的に、中央ユーラシアの遊牧民は一年のうち、家畜をどこで飼うかを定めていて、季節ごとに一年かけて周遊していたのである。[*2]

住まいは、固定家屋というわけにはいかない。そこで、天幕[*3]に暮らすことになる。天幕は、ヒツジの毛で作った

写真12－1　現在も羊は重要な家畜だ

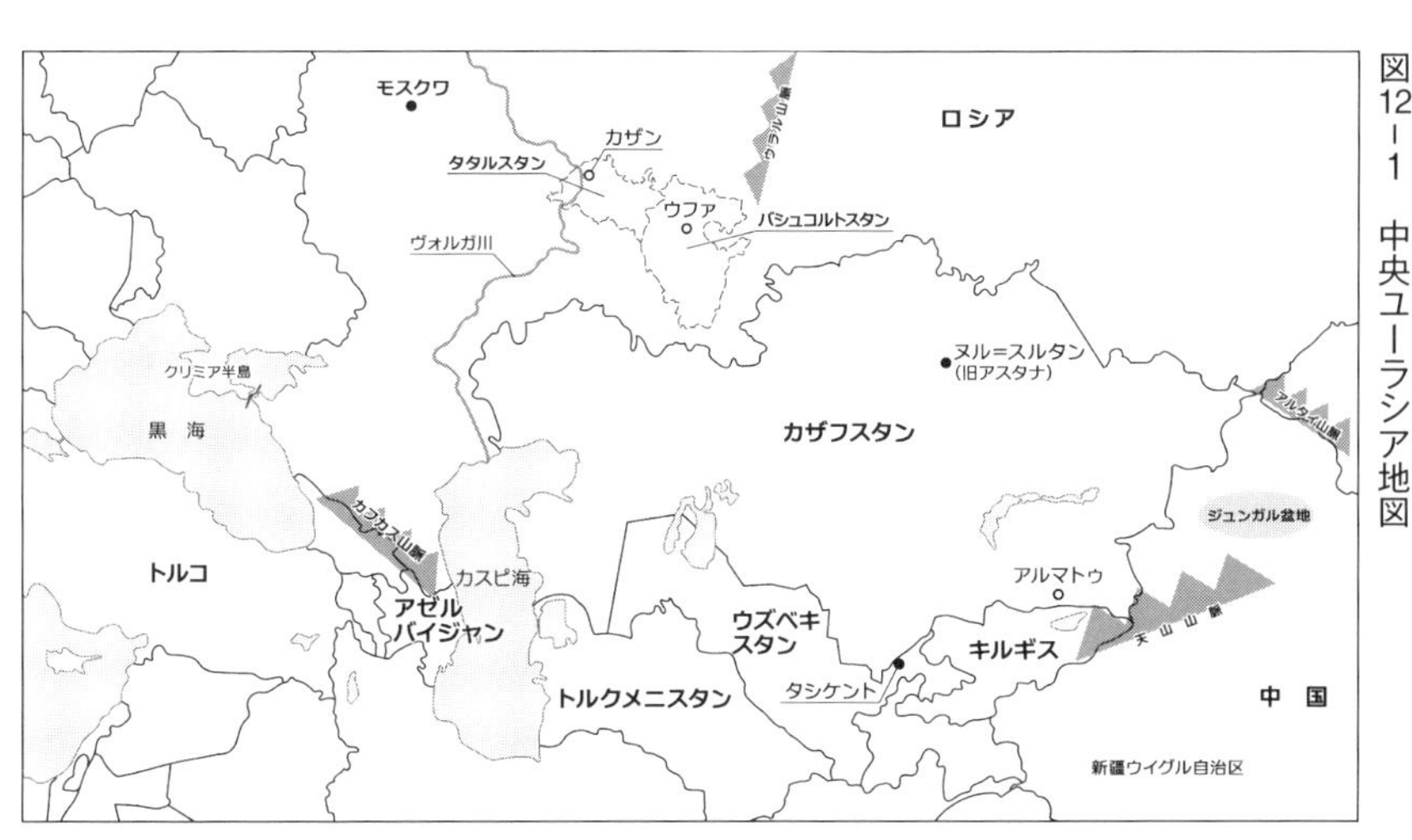

図12－1　中央ユーラシア地図

フェルト生地やポプラなどの木の骨組みからできており、組み立てと解体が容易である。移動をするにも身軽な方がいい。必要不可欠なモノだけを所有し、必要なときは自然の中から都合する。自然を開拓して人間に合わせるのではなく、人間が自然に合わせる生活様式である。

●口承文芸のジャンル

それでは、遊牧民はさまざまな記録をどう残してきたのだろう。人間は文字を使って、たくさんの記録を残してきた。そこから遠い昔の社会や暮らしが見えてくる。文字に残した記録は当然、保管する場所が必要となるが、それは、移動生活の遊牧民には難しいことである。遊牧社会は基本的に文字をもたない社会であった。そのため、文字文化の方が無文字文化よりも優れていると考える人々、たとえば、ヨーロッパや中国には、遊牧民を「文化の遅れた、野蛮な人々」と見下す人が少なくなかった。

しかし、彼らは本当に遅れて、野蛮であったのだろうか。たしかに、文字を積極的に使うことはなかったが、そのかわり、彼らの間では口誦によって「記録」ではなく「記憶」を世代から世代へと伝えてきたのである。これは、口承文芸とか口頭伝承とよばれる。現代の中央アジア[*4]には、近代化が進むなかで、いわゆる「伝統的遊牧生活」を送る牧畜民はもういないが、遊牧文化を色濃く残す人々、テュルク系のカザフ人やキルギス人、カラカルパク人[*5]などのあいだでは、現在でも口承文芸の存在は大きく、彼らのかけがいのない「民族文化」として

＊3（前頁）天幕
中央アジアでは一般にユルタと、モンゴルではゲルという。漢語のパオ（包）という言葉も知られる。

写真12－2　伝統衣装を着た女性とユルタ

＊4　中央アジア
中央アジアの指す範囲はさまざまであるが、ここではいわゆる「中央アジア5か国」（カザフスタン、ウズベキスタン、キルギス（クルグズスタン）、トルクメニスタン、タジキスタン）を意味することとする。

＊5　カラカルパク人
中央アジアのテュルク系民族。現在のウズベキスタン共和国に内包されるカラカルパクスタン共和国（首都ヌクス）の基幹民族。遊牧系の文化をもち、カザフ人と文化的に近い。

尊重されている。

口承文芸にはさまざまなジャンルがある。なぞなぞや早口言葉のような子どもが好むジャンルや、ことわざや格言といった日常的に用いられるジャンルをはじめ、人生儀礼や年中行事の特定の場面に歌われるジャンル、神話・伝説・昔話などストーリー性の高いジャンルなどがある。とくに、英雄叙事詩*6というジャンルは人気が高く、口承文芸の中心的ジャンルである。口承文芸は、彼らの集団への帰属意識を強めるはたらきももち、たとえば、系譜も重要なジャンルであった。遊牧民は自らの祖先について、種々のエピソードとともにその名を記憶に刻んだ。彼らは、少なくとも、七代前までの自分の祖先の名を諳（そら）んじなくてはならないとされた。

2　英雄叙事詩の特徴

●英雄叙事詩の語り

一般に口承文芸は、言葉を話す人すべてが共有しうるものである。しかし、ときに何千行、何万行にもおよぶ膨大な量の英雄叙事詩は、誰もが語れるものではない。英雄叙事詩は、限られた専門のパフォーマーのみが語るものであった。叙事詩の語り手は、ストーリーやエピソード、登場人物を覚える「暗記力」、楽器を伴奏し、印象的な発声で歌い語る「表現力」、そして聴衆の反応を確かめながら、語りの場を盛り上げていく「即興力」が必要とされる。これらの力は、現代のライヴ・アーティストに要求されるものとよく似ている。叙事詩の

写真12－3　ドンブラを伴奏しながら歌うカザフのアーティスト

＊6　英雄叙事詩
テュルク系の言葉では、ジュルやダスタンなどさまざまな呼び名があるが、ここでは、それらを英雄叙事詩という言葉でまとめることとする。

語り手は、当代の人気アーティストであったのだ。また現在、詩人や語り手を意味するバフシという言葉が、かつてはシャマンを表していたように、語り手とシャマニズム[*7]との関わりも深い。

中央ユーラシアの遊牧民の代表的な英雄叙事詩として、ウズベクやカザフの『アルパムス・バトゥル』、キルギス[*8]の『マナス』[*9]、モンゴルの『ゲセル』[*10]や『ジャンガル』[*11]、北コーカサスに伝わる『ナルト』[*12]などがあげられるだろう。ヒーローの活躍を、フィクションとして、あるいは自分の先祖を知るためのよすがとして、英雄叙事詩というジャンルで楽しんできたのである。そして現在では、英雄叙事詩は書き取られ、書籍や絵本など、文字によって親しまれるようになっている。叙事詩を翻案した演劇や映画、アニメーションなどもつくられ、ニューメディアの形でも勇者は生き続けているのである。

●英雄叙事詩の登場人物

英雄叙事詩には多くの人物が登場する。主人公の勇者はもちろんであるが、そのほかにも勇者の両親や兄弟（妹）、敵の首領やその娘、敵方の勇者、卑怯な罠を仕掛ける魔女や、主人公に助言したり援助したりする聖者や賢者などがいる。まるで、ＲＰＧのようだ。人間のみならず、駿馬や聖なる鳥など、動物も重要な役割を果たすことが多い。中央ユーラシアの英雄叙事詩に特徴的なのは、馬の存在である。勇者の馬は超自然的な力をもち、ときに勇者と話をしたり、空を飛んだりもする。騎馬遊牧民にとって、馬が特別な家畜であったこと

写真12−4　叙事詩『マナス』を語る、キルギスの語り手たち

＊7　シャマニズム
中央ユーラシアで古くから信仰されてきた。この世界と異界とを結びつけるシャマンが病人を治療したり、占ったり、神の言葉を託宣したりした。

＊8　キルギス
原音により忠実に「クルグズ」と表されることもある。

＊9　『マナス』
キルギスに伝わる、キルギスを代表する英雄叙事詩。

＊10　『ゲセル』
モンゴルの代表的な英雄叙事詩。チベットの『ケサル』に由来するとされる。

が英雄叙事詩からもよくわかる。

　英雄叙事詩では、主人公の勇者はさまざまな敵と戦う。その「敵」について着目してみると、ユーラシアの遊牧民の特質が見えてくるようである。中央ユーラシアでは、モンゴル系、トゥングース系などの様々な民族が英雄叙事詩を語り継いできたが、次節から、テュルク系諸民族の英雄叙事詩を具体的に取り上げ、勇士が戦うのはどのような敵か、何のために戦うのか、そこから読み取れることは何かについて考えていこう。

3　「善と悪」の戦い

●『勇者ケンジャ』の魔龍

　勇者が戦う相手は「悪」である。遊牧民は、定住民からは好戦的で乱暴なイメージをもたれていた。たしかに遊牧民の軍事力の高さは世界史が明らかにするとおりである。だが、彼らは血を求めて、相手かまわず戦うのではない。英雄叙事詩では、「悪」と戦う勇者が理想的な姿とされるのだ。「悪」は魔龍の姿で登場する。英雄叙事詩に『勇者ケンジャ』を例に見てみよう。この物語はウズベク人が伝える物語だが、同類の話は、ユーラシア各地に実に広く語り伝えられている。[*13]「末子」を意味するケンジャという名の勇者が地下世界に降り、冒険を繰り広げる物語である。

　勇者ケンジャは三人兄弟の末子。狩りに入った森で、自分たちの料理を食べた「こびと」の首をケンジャは斬り落とす。頭はころころ転がって、深い渓谷

*11　『ジャンガル』
モンゴル・オイラトの人々に伝承されてきた叙事詩で、『元朝秘史』、『ゲセル』とならんで、モンゴル三大古典文学と呼ばれる。

*12　『ナルト』
カフカース地方に伝わる英雄叙事詩。インド・ヨーロッパ語族の神話に遡ると考えられ、聖性・戦闘性・生産性の三機能にもとづく世界観を示すとされる。

写真12－5　馬は現在でも重要な存在だ

に落ちる。ケンジャはそれを追って、渓谷から地下世界に入っていく。ここでいう地下世界は、必ずしも地獄や死者の世界ではない。地下世界にはさまざまな国があり、多様な住民がいる。中央ユーラシアには、世界がいくつかの層が重なるようにして存在するという世界像がある[*14]が、垂直多層的な構造の世界像は、インド・ヨーロッパ系の人々が古来もっていた二元論的世界観に基づくもので、テュルクの人々もそれを継承し、現在にまで至るのだろう。この垂直多層的世界観は、遊牧民のテングリ信仰[*15]や山岳信仰[*16]、聖樹信仰と相まって、現在も中央ユーラシアの文化の大きな要素となっている。

ケンジャは地下世界へ転がっていった頭の魂である「木箱の中に入った虫」をつぶし、デヴにさらわれていた地上世界の皇帝の娘を救い出す。娘は地下の支配者セルカの妻になるところであった。セルカの集めた宝物を運び出し、渓谷の底から地上の兄たちに宝物と娘を縄で引き上げさせるが、二人の兄はケンジャを引き上げる途中で、縄を切り、弟を再び地下界へと落とす。宝物と娘をわが物にしようとしたのである。ケンジャは地下世界を遍歴することとなる。

物語のクライマックスは、勇者と魔龍との戦いである。「大地のへそ」に生える世界樹[*17]の上方に営まれた巣にいる聖鳥セムルグ[*18]のひなを、木の根元にいる魔龍が狙っている。それに気づいた勇者は龍を剣で切り殺す。巣に戻ってきた親鳥は勇者に感謝し、その返礼として地上界まで上昇し、彼を送り届ける。この場面は、「善と悪」のテーマを端的に示している。鳥と龍、上と下という対立構造も、二元論的な考え方を象徴しているといえるだろう。

＊13　（前頁）
テュルク系民族にはこのほかに、『トゥグルク・バトゥル』（ウイグル）、『エル・トシュテュク』（キルギス）、『カムル・バトゥル』（ノガイ）、『クラタイ・バトゥル』（カザフ）、『地下世界の鷲』（トルコ）など、数多くの類話が語り伝わる。

＊14
この世界観では、世界は三層、七層、九層など多くの層からなるとされる。

＊15　テングリ信仰
テングリ（天空）を崇拝する、テュルク・モンゴル系民族の信仰（モンゴル語ではテンゲル）。テングリは天空神を指したが、やがて神全般を意味するようにもなった。

＊16　山岳信仰
アルタイ山脈や天山山脈などの山岳を神聖視する信仰。天山山脈には、ハン・テングリ峰がある。

＊17　世界樹
宇宙樹や世界軸ともいわれる。地下界、地上界、天上界の各層を貫く世界の中心である。生命や豊穣などともかかわる生命樹を兼ねることも多い。

●『ウラル・バトゥル』の悪鬼デヴ

魔龍ではなく悪鬼と戦う勇者もいる。ロシア、ウラル地方のバシュコルト（バシキール）人[*19]が伝える英雄叙事詩、『ウラル・バトゥル』である。この物語はシュルガンとウラルという兄弟の対立を軸に、善と悪との戦いを描いている。

二人の兄弟は不死をもたらす「命の泉」を探す旅に出る。「死」を憎む弟ウラルにたいし、兄シュルガンは次第に悪鬼デヴと親しくなり、兄弟は戦うようになる。ウラルはデヴたちを倒すと、彼らの遺骸の山に「命の泉」の水を吹きかけた。それは緑豊かな美しい山脈となった。ウラルは、ついにデヴの首領となったシュルガンと戦うが、命を落としてしまう。ウラルの亡骸は、緑の山に埋葬され、ウラル山脈と呼ばれるようになった。

ウラルが戦った敵、デヴとは、中央ユーラシアに広く伝えられる邪悪な悪鬼である。[*20]一般的には怪力の巨人で、鋭い牙と爪をもち、角を生やしている。三つの頭、七つの頭、四〇の頭など、多頭でもある。デヴは人間や鳥獣を捕まえて食らい、またその絶滅を企てる。英雄叙事詩では、蛇や水ねずみなどに変身することもある。デヴは、『ウラル・バトゥル』だけでなく、多くの英雄叙事詩に登場する、中央ユーラシアの代表的な敵としてのキャラクターである。

『ウラル・バトゥル』では、主人公ウラルの「死」との、あるいは「死」を象徴するデヴとの戦いがメイン・テーマであり、そこには「善対悪」の構造が明確である。この構造は、デヴという名称がペルシア語に由来することからもわかるように、直接的には、ゾロアスター教、あるいはマニ教[*21]やそれに連なる

＊18　セムルグ
イラン神話のスィームルグにあたる。アラブではアンカ鳥という。

＊19　バシュコルト（バシキール）人
テュルク系民族で、現在ロシア連邦を構成するバシュコルトスタン共和国（首都ウファ）の基幹民族である。

＊20
デヴという言葉は、ペルシア語で「悪魔」を意味するディーヴに由来する。ディーヴはゾロアスター教の悪神ダエーヴァに由来するが、ダエーヴァということばは本来、インド・ヨーロッパ諸語で「神」を意味するデーヴァ（サンスクリット語）やデウス（ラテン語）、ゼウス（ギリシア語）と共通の語源をもつ。

＊21　マニ教
三世紀、バビロンでマーニーによってはじめられた。キリスト教やゾロアスター教、仏教などの折衷的宗教である。

二元論的思考をもっていたイラン系の人々からの影響によるものと考えられるだろう。英雄叙事詩を通じて、人々は生きていくうえでの規範や理想的な人間像を学んできた。善と悪との戦いというテーマは古いが、現在のヒーローものでも取り上げられる普遍的なものである。

しかし『ウラル・バトゥル』の興味深いところは、ただ単純な勧善懲悪をテーマとしているのではない点である。人間であったシュルガンは、次第に悪の魅力に取りつかれ、最終的にはデヴの首領にまでなってしまう。死の象徴デヴを率いる存在に人間がなってしまうのである。人間には善にも悪にもなる可能性や、堕落し邪悪な存在になる危険性があることを、叙事詩は警告する。

４「異民族」との戦い

●『チョラ・バトゥル』のロシア

英雄叙事詩に描かれる「敵」は空想上の怪物や悪魔だけではない。歴史上、実在した英雄を主人公とし、超自然的な敵ではなく、実在した敵との戦いをうたう物語も多い。このような叙事詩は、現代でいうところの「歴史の教科書」の役割を果たし、遠い過去や自らの先祖のことを教えてきたのだ。

現在、ロシア人が「母なるヴォルガ」と呼ぶヴォルガ川の流域には、かつてカザン・ハン国[*22]という国が栄えていた。モスクワ公国が一五五二年にこの国を滅ぼした記憶は、『チョラ・バトゥル』という英雄叙事詩に刻まれている。『チョラ・バトゥル』は、ロシア連邦タタルスタン共和国のカザン・タター

＊22　ハン国
チンギス・ハーンの血統を父系でひいた人物が統治する国である。第１章も参照。

ル人や、現在その帰属がウクライナとロシアとのあいだで問題となっているクリミア半島のクリミア・タタール人、北コーカサス地方のノガイ人、中央アジアのカザフ人など、ユーラシアの広い地域で語り継がれてきた。

カザン・タタールに伝わってきたストーリーでは、主人公チョラ[*23]は、ヴォルガ地方を護るためクリミアから参戦する。当時、ヴォルガ中流域はカザン・ハン国の領地であり、そのハン[*24]、シャガリ・ハンとともに、チョラはロシアとの戦いに備える。チョラの優れた戦闘能力に苦しむロシアは正攻法では勝利できないと考え、一計を案じた。美しいロシア娘にチョラの子どもを宿らせたのである。その娘は、チョラの血を引く男児を産んだ。チョラは名刀を手にロシア軍と戦い続ける。しかし、無敵の戦士がいて、チョラは彼との戦いに苦心する。その戦士はチョラの息子だったのである。チョラは息子を倒すことができず、ヴォルガ川の底に沈んだ。ほどなく、カザンの町もロシアの手に落ちた。

叙事詩に登場するシャガリ・ハンは、カザン・ハン国の実在したシャー・アリ・ハン（一五〇五―一五六六）に同定される。ロシアによるカザン陥落とあわせて、この叙事詩は、歴史的事実を比較的忠実に反映しているものといえよう。

中央ユーラシアの遊牧民にとって、ロシアのカザン征服は大きな転機となった。カザンが落ちた一五五二年以降、ロシアは次々と中央ユーラシアの遊牧系の国々を攻め落とした。以後、ロシアはシベリアやコーカサスを侵略し、大帝国への道を進むのである。中央ユーラシアの主人公は、テュルク・モンゴル系の遊牧民からロシアに替わった。

＊23　チョラ
カザン・タタール語の表現ではチュラ。

＊24　ハン
ユーラシアの騎馬遊牧民の統治者の称号。第1章も参照。

ロシアの支配下にあったカザン・タタールや、クリミア・タタールの人々が『チョラ・バトゥル』を大切に語り継いできたのは、こうした背景があった。ロシアと対抗するというこの物語は、おそらくこれらテュルク系民族のアイデンティティの形成や強化にも、大きな貢献をしたことだろう。興味深いことは、この叙事詩の舞台であるクリミアやカザンから遠く、またカザン侵略という歴史的事件の影響が薄かったカザフやカラカルパクのストーリーでは、敵がロシアではなく、悪鬼デヴとなっていて、これに勝利して終わることである。同じ物語であっても、歴史上の出来事にたいする見方や物語のどの要素を重視するかによって、敵や結末が変わることもあるのだ。英雄叙事詩は、歴史とファンタジーとのあいだを行き来する。

●『アブライ・ハン』のカルマク

カザフの『アブライ・ハン』もまた歴史を伝えている。一六世紀から一八世紀にかけて、モンゴル系のオイラトが[*25]中央アジアに侵攻し、多くの人々が逃走を余儀なくされ、離散した。アブライ・ハン（一七一一―一七八一）は、オイラトの遊牧国家ジュンガル[*26]との抗争のなかで頭角を現した、カザフ・ハン国の「中興の祖」である。カザフの人々は、このハンについても叙事詩にうたってきた。叙事詩『アブライ・ハン』は、アブライが敵カルマク[*27]と戦いながら、カザフの民を統率する姿を描いている。

叙事詩はまず、チンギス・ハーンからアブライまでの系譜を代々伝える。そ

＊25　オイラト
大元ウルス（元朝）が明軍の攻撃を受け、本拠を北方の草原に移すと、以後、オイラトと呼ばれる人々が有力となった。第1章、第3章、第10章も参照。

＊26　ジュンガル
ジュンガルの名は、現在、ジュンガル盆地に残っている。また、ジャンガリアンハムスターもジュンガルに因む。

＊27　カルマク
中央アジアでモンゴルのオイラトの人々を指す言葉。中央アジアの英雄叙事詩では、オイラトの国家であるジュンガルもカルマクと表現される。第3章で取り上げられるカルムィクはこの類語。

こには、チンギス・ハーンの孫ジュチやオゴタイ、カザフ・ハン国の祖とされるケレイとジャニベク、またカスムやタウェケルなどカザフ・ハン国の歴々のハンの名がうたわれる。幼名をアブルマンスルといったアブライの名が祖父の名に因んだことも叙事詩は伝える。

カルマクの襲撃を知ったアブライは、まだ幼いながらも出陣を認められ、カルマクと戦う。叙事詩のクライマックスのひとつは、カルマクの勇者シャルシュとの戦いである。アブライはシャルシュと一騎打ちで戦い、その首を斬り落とす。アブライは、その後もカルマクとの抗争を続けた。だが、一七四一年アブライはカルマクの捕虜となり、ジュンガルの統治者ガルダン＝ツェレン（一六七一－一七四五）のもとに囚われる。叙事詩が伝えるところによれば、ガルダン＝ツェレンの尋問にアブライは毅然な態度で臨み、彼の心をつかんだ。二人はよく話し合い、互いの国の状況や周辺の情勢について意見を交わした。そして、ガルダン＝ツェレンの娘を妻として、アブライは解放されたと叙事詩は伝える。実際には、巧妙な政治的取引の末に釈放されたのであろうが、ガルダン＝ツェレンが敵の支配者でありながら、主人公と友好的な面ものぞかせる好敵手としての側面が描かれることに注目したい。

一七五五年にジュンガルが清朝の乾隆帝[*28]によって滅ぼされると、カザフは直接、清朝と対峙することとなった。北のロシア、東の清朝という二大大国のはざまにあって、アブライ・ハンは「二重朝貢」を行い、カザフの自立を維持した。こうした功績から、アブライ・ハンは現在、カザフスタンの歴史的偉人と

＊28　乾隆帝
清朝の皇帝（在位一七三五－一七九五）。天山山脈以北と東トルキスタンを占領し、「新疆」と名づけた。このころに清朝の領域は最大となった。

され、通りや大学の名前にもちいられたり、記念像が建てられていたり、またその生涯が映画化されたりするなど、カザフの民族英雄として顕彰される。

●『アルパムス・バトゥル』のカルマク

中央アジアでは、『アルパムス・バトゥル』という英雄叙事詩の人気が高い。カザフやウズベク、カラカルパクなどに語り伝えられてきたこの物語は、カルマクとの歴史的な抗争を背景とし、先に見た『アブライ・ハン』とほぼ同じ時代を舞台としている。カルマクは、『アブライ・ハン』にも登場したように、中央アジアの英雄叙事詩における敵としての「常連」である。

遊牧民のコングラト[*29]という一族の有力者に念願の息子が誕生する。その子は聖者の加護を受け、アルパムスと名付けられ、幼少より非凡な力を発揮する。自分の片腕となる駿馬と、はるかなカルマクの地に去った許嫁を追う旅に出る。だが道中、敵の魔女の罠にかかり、眠らされて囚われてしまう。聖者や愛馬、敵のハンの娘の助けを得て、脱出するとカルマクのハンを倒す。

アルパムスはカルマクと戦うが、カルマクの人すべてが敵というわけではない。カルマクの武将カラジャンは、アルパムスの来訪を夢で知り、その力を認めた彼は、アルパムスの友人になることを決める。アルパムスの盟友となったカラジャンは、アルパムスの愛馬に乗って競馬に勝利するなど、アルパムスを援助する。カラジャンの存在は、カルマクが魔龍や悪鬼デヴのような完全に倒すべき敵ではなく、敵であっても親友にもなりうるというリアリティを示して

写真12−6　ウズベキスタンで出版された書籍（ウズベク語では『アルパミシュ』）の表紙

＊29　コングラト
モンゴルのコングラト族に由来する、中央アジアのテュルク系部族の名称。現在のカザフ、ウズベク、カラカルパクの下位集団である。

いる。このようなモティーフは、現代日本の少年誌に掲載される漫画のストーリーでも馴染み深いものだろう。

中央アジア各地に侵攻したジュンガルは、一七五五年に清朝の乾隆帝によって滅ぼされる。清朝のジュンガル遠征を援助したアムルサナは、敵カルマクの人物であったが、彼が清朝に反旗を翻し清朝の追撃を受けると、カザフのアブライ・ハンは逃亡者となったアムルサナを受け入れた。この史実は、アルパムスとカラジャンという架空の人物に投影された、カザフとジュンガルとの関係の一面を具現化したかのようである。なお、叙事詩『アブライ・ハン』には、ガルダン・ツェリンが、アブライの解放にさいし、アムルサナと死ぬまで友となって過ごせと命じる場面がある。

5 「内なる敵」との戦い

これまで取り上げてきた叙事詩における「敵」は、神話的な世界観・倫理観を反映した超自然的な存在であったり、歴史上実在し、実際に抗争を重ねてきた国や「民族」であったりした。英雄叙事詩は、外敵との戦いを歌い伝えることで、集団への帰属意識を強める役割があるが、主人公が戦う敵は「異民族」などの外の敵だけではない。むしろ叙事詩において、勇者が最後に戦う「真の敵」は、近しい人物や肉親であることが多い。

●『アルパムス・バトゥル』の義兄ウルタン

『アルパムス・バトゥル』では、主人公の敵はカルマクという集団であり、そのハンと戦うが、カラジャンやハンの娘はアルパムスに好意をもち、彼の味方となる。つまり、帰属する集団や共同体が異なっても、そこには人間的なつながりや帰属を超えた友情と愛情が見られるのである。

いっぽう、帰属集団を同じくする者であっても、異集団の敵よりも許しがたい敵となることがあることも叙事詩は伝えている。前節で見た『アルパムス・バトゥル』の慷慨（こうがい）には続きがある。敵カルマクのハンを倒して、アルパムスは故郷へ凱旋する。しかし、アルパムスが故郷で見たものは、自分の不在をいいことに、父と息子を奴隷とした上で、妻と結婚しようとし、さらに一族の権力を掌握しようと目論んでいた、義兄ウルタンの横暴であった。怒ったアルパムスは、みすぼらしい流浪者の姿に変身し、今まさに行われつつある、自分の妻とウルタンとの祝言に登場する。即興詩のかけ合いで、自分がアルパムスであることをほのめかすと、妻はそれがアルパムスであることを理解した。ウルタンは逃げ出すがアルパムスに捕らえられ、大樹に吊るされてしまう。共同体の和を乱し、いちばん大切な家族を貶め、妻を奪おうとした最大の敵は、身近な人物だったのである。これは、遊牧民が、一族の団結が乱れることを最も恐れたということを意味するのだろう。

ちなみに、『アルパムス・バトゥル』の類話は日本にもある。『百合若大臣（ゆりわかだいじん）』は外来の物語と考えられ、おそらくは『アルパムス・バトゥル』と共通の原型にさかのぼれるはずである。百合若は、家来である別府兄弟に裏切られ、孤島に置き去りにされるが、変装して帰還し別府兄弟を成敗する。

●『勇者ケンジャ』の二人の兄

先に見た『勇者ケンジャ』において、ケンジャを地下世界から地上界へ縄で引き上げる途中、二人の兄は縄を切り、末弟を地下界に落とした。兄の裏切りである。二人の兄はケンジャとは対照的な性格の持ち主として描かれる。最初にケンジャが地下世界に向かうきっかけとなったのは、斬り落とされて転がっていった地下世界の「こびと」の頭であったが、二度目のきっかけは実の兄たちによるものであった。地下世界へ誘う役割としては、「こびと」も二人の兄も同様であり、両者の主人公との関係性も暗示している。

三兄弟の末弟が成功する主人公として描かれる英雄物語も、また世界各地に伝わり、その歴史の深さを感じさせる。遊牧民に伝わる古い類話として、ギリシアのヘロドトスが記したスキタイ[*30]の建国神話が有名である。騎馬遊牧民の国スキタイの王タルギタオスには三人の息子がいた。王が、天から降ってきた黄金の器を二人の兄に取りにいかせるとそれは燃えたが、末弟に行かせると火は消え、それを持ち帰ることができたため、王権は彼に譲られた。[*31]この神話は遊牧民の末子相続とも関係があると考えられ、ユーラシアの遊牧民に古くから伝わるモティーフであると考えられる。かつて、馬を操りながら中央ユーラシアを跋扈したインド・ヨーロッパ系騎馬民が語り伝えていた「三兄弟」の概念が、

＊30　スキタイ
紀元前六～前三世紀ころにユーラシアの草原地帯で活躍した、イラン系の言語を使った騎馬遊牧民。アルタイ地方から発掘された考古学的資料から、東方から西方へ広がったと考えられる。

＊31
ヘロドトス　一九七二：九－一〇。

テュルクの人々にも継承されたのであろう。[*32] インド・ヨーロッパ系の言語文化にこの「三兄弟」の概念は根付いており、たとえば、有名な「シンデレラ」や「三匹の子豚」でも三番目の末子が成功する。

『ウラル・バトゥル』のウラルの兄シュルガンも、『アルパムス・バトゥル』のアルパムスの義兄ウルタンも、ケンジャの二人の兄のように主人公を裏切って、最大の敵となってしまった。邪な心をもってしまった兄たちこそ、勇者のいちばんの敵なのかもしれない。

●『チョラ・バトゥル』のチョラの息子

敵となる肉親は兄だけではない。前述の『チョラ・バトゥル』では、物語の最後に主人公の命を奪ったのは、主人公の血を継いだ実の息子であった。敵ロシアの送り込んだ美しい娘とのあいだに生まれた息子は、父を凌駕するすぐれた戦士であった。ロシアは、すぐれた戦士チョラを攻略することができない。そこで占星術師にチョラの最期を占わせると、チョラの死は彼自身の息子によってもたらされるというものであった。そこで、ロシア側は美しい娘をチョラのもとに送り、彼の子を宿させたのである。ヴォルガ川での決闘で、チョラは名刀で立ち向かうが、息子を殺せぬまま乗っていた馬とともに川底に沈む。

この叙事詩には、征服者ロシアに心を許してはならず、ロシアは不倶戴天の敵であるという警告が込められている、という指摘がある。もちろん、そうした側面もあるだろうが、「父子の戦い」は、古くから多数の文芸作品で描かれ

*32 三兄弟の末弟は、インド最古の宗教文献である『リグ・ヴェーダ』の神トリタやゾロアスター教の聖典『アヴェスター』のスリタに遡ることが可能である。トリタやスリタは「三番目」という意味である。イランの英雄叙事詩『シャー・ナーメ（王書）』では、フェリドゥーン王がイランの玉座を三男イーラジに与えたことに嫉妬した兄がイーラジを殺す。

るテーマである。古くはギリシア神話の『オイディプス王』[*33]があり、現代では、ルーク・スカイウォーカーがダースベイダーを倒す『スターウォーズ』[*34]が、あまりにも有名である。遊牧社会は血統がとくに重視される「部族社会」であるが、それゆえ、かえって肉親のあいだに争いが生じやすい。叙事詩にはこのことが反映されているのだろう。

6　英雄の役割

勇者は、魔龍や悪の権化デヴ、隣接する「異民族」などさまざまな敵と戦ってきた。主人公の勇者はなぜ戦うのだろうか。その答えに、中央ユーラシアの遊牧民の考え方を探ることができるのではないだろうか。

勇者は気高く、誇り高い。毅然とした態度で悪と戦い、自分の名誉を汚すものには容赦しない。大切な仲間や聖なる鳥のために、命を賭して戦う。自分や家族の侮辱にたいしては、断固とした態度で臨む。歴史上強力な「騎馬遊牧国家」を建て、その軍事力で世界を圧倒してきた騎馬遊牧民にとって、このような勇士の姿は、おそらく騎馬戦士の「理想像」であったのだろう。この「理想像」に近づき、人々の信頼を得ることが、彼らの「騎士道」であった。

勇士が最後に倒すべき敵は、外敵よりも内なる敵であることが多い。英雄叙事詩には、帰属意識を強固なものにする役割があるが、外敵やよそ者を破ったり、排除したりすることだけが理想的な戦士の姿ではない。「真の敵」は内部にいることもあると叙事詩は警告してきた。勇者には、身内にたいしても公正

＊33　『オイディプス王』
ギリシア神話を基にした、ソフォクレスによるギリシア悲劇。

＊34　『スターウォーズ』
ジョージ・ルーカスのアイデアによる、宇宙を舞台とした映画シリーズ。

や正善の実行が求められた。これは「集団の団結と外敵との戦い」という英雄叙事詩のテーマを実現する上で、不可欠な理想像だったのである。

　中央ユーラシアの遊牧民は、厳しい環境の中で、自然と調和を保ちながら、生きてきた。また、長い歴史のなかで、数多くの勇者たちが血を流し、共同体と自らが仕える主、そして自分の名誉のために戦ってきた。過酷な状況や数多の戦を生き抜いていくには、他者とのさまざまな駆け引きや権謀術数、裏切りも必要とされたことだろう。「部族」を中心とする遊牧社会では、人間関係の構築と維持はとくに重要であったが、そのための倫理や道徳を、叙事詩のヒーローは人々に教えてきた。人と人が共に生きていくにはどうしたらよいか、というメッセージが、英雄叙事詩には込められていたのである。

　英雄叙事詩は、長い時間をかけて生み出された、よりよい「共生」のための知恵、一貫した遊牧民の精神の結晶といえるだろう。

【参考文献】

●坂井弘紀訳　二〇一一『ウラル・バトゥル』平凡社東洋文庫。
●坂井弘紀訳　二〇一五『アルパムス・バトゥル』平凡社東洋文庫。
●坂井弘紀　二〇〇五「語り継がれる『記憶』」林佳世子、桝屋友子（編）『記録と表彰　史料が語るイスラーム世界』東京大学出版会、三三一−五四頁。
●坂井弘紀　二〇一二「英雄叙事詩の伝える記憶」塩川伸明、小松久男、沼野充義（編）『ユーラシア世界3　記憶とユートピア』東京大学出版会、一五九−一八七頁。
●小松久男（編）　二〇一六『テュルクを知るための61章』明石書店。
●荻原眞子、福田晃（編著）　二〇一八『英雄叙事詩——アイヌ・日本からユーラシアへ』三弥井書店。
●ヘロドトス　一九七二（松平千秋訳）『歴史（中）』、岩波文庫。
●Алпомиш 1998. Алпомиш. Тошкент.

索引

著者プロフィール

秋山　徹　あきやま てつ　（第1章）

・早稲田大学高等研究所准教授
・専門分野：中央ユーラシア近現代史
・主要業績：*The Qïrghïz Baatïr and the Russian Empire* (Leiden-Boston: Brill, 2021 forthcoming)；「遊牧英雄のリアリズム――近代を生きたあるクルグズ首領一族の生存戦略」小松久男・野田仁編『近代中央ユーラシアの眺望』山川出版社、2019年、74-96頁；『遊牧英雄とロシア帝国』東京大学出版会、2016年。

楠　和樹　くすのき かずき　（第2章）

・京都大学大学院アジア・アフリカ地域研究研究科特任助教
・専門分野：アフリカ地域研究
・主要業績：『アフリカ・サバンナの〈現在史〉――人類学がみたケニア牧畜民の統治と抵抗の系譜』昭和堂、2019年；「20世紀前半のケニア植民地北部における家畜の管理と牧畜民の統治――畜産・家畜衛生行政の検討から」『アフリカ研究』87号、2015年、1-11頁。

井上 岳彦　いのうえ たけひこ　（第3章）

・大阪教育大学多文化教育系特任講師
・専門分野：ロシア史、ロシア仏教文化研究
・主要業績：「遊牧から漁撈牧畜へ――定住化政策下のカルムィクについて（18世紀後半～19世紀中葉）」『地域研究』20巻1号、2020年、37-55頁；（共編著）*The Resurgence of "Buddhist Government": Tibetan-Mongolian Relations in the Modern World* (Osaka: Union Press, 2019)；「ダムボ・ウリヤノフ『ブッダの予言』とロシア仏教皇帝像」『スラヴ研究』63号、2016年、45-77頁。

地田 徹朗　ちだ てつろう　（編者、第4章）

・名古屋外国語大学世界共生学部准教授
・専門分野：ソ連史、中央アジア地域研究
・主要業績：「全面的集団化前夜のカザフ人牧畜民（1928年）――『バイ』の排除政策と牧畜民社会」『地域研究』20巻1号、2020年、13-36頁；"Science, Development and Modernization in the Brezhnev Time: The Water Development in the Lake Balkhash Basin," *Cahiers du monde russe* 54(1-2), 2013, pp. 239-264.

宮本 万里　みやもと まり　（第5章）

・慶應義塾大学商学部准教授
・専門分野：南アジア地域研究、政治人類学、環境人類学
・主要業績：「現代ブータンのデモクラシーにみる宗教と王権――一元的なアイデンティティへの排他的な帰属へ向けて」名和克郎編『体制転換期ネパールにおける「包摂」の諸相――言説政治・社会実践・生活世界』三元社、2017年、525-554頁；『自然保護をめぐる文化の政治――ブータン牧畜民の生活・信仰・環境政策』風響社、2009年。

田川　玄　たがわ げん　（第6章）

・広島市立大学国際学部教授
・専門分野：文化人類学、アフリカ地域研究
・主要業績："The Logic of a Generation-Set System and Age-Set System: Reconsidering the Structural Problem of the Gadaa System of the Borana-Oromo," *Journal of Nilo-Ethiopian Studies* 22, 2017, pp. 15-23;（共編著）『アフリカの老人――老いの制度と力をめぐる民族誌』九州大学出版会、2016年。

田村 うらら たむら うらら （第７章）

・金沢大学人間社会研究域人間科学系准教授

・専門分野：人類学、モノ研究、トルコ研究

・主要業績：（共著）“Patchworking Tradition: The Trends of Fashionable Carpets from Turkey,” in Ayami Nakatani, ed., *Fashionable Traditions* (N.Y.: Lexington Books, 2020), pp. 253–270；『トルコ絨毯が織りなす社会生活——グローバルに流通するモノをめぐる民族誌』世界思想社、2013年。

上村 明 かみむら あきら（第８章）

・東京外国語大学大学院総合国際学研究院研究員

・専門分野：文化人類学、内陸アジア地域研究

・主要業績：（共著）*The Mongolian Ecosystem Network: Environmental Issues in Mongolian Ecosystem Network under Climate and Social Changes* (Tokyo: Springer, 2012)；（共編著）*Landscapes Reflected in Old Mongolian Maps* (Fuchu: The 21st Century Centre of Excellence Programme “The Centre for Documentation & Area-Transcultural Studies”, Tokyo University of Foreign Studies, 2005).

大石 侑香 おおいし ゆか （第９章）

・神戸大学大学院国際文化学研究科講師

・専門分野：社会人類学、生態人類学、北極地域研究

・主要業績：「西シベリア森林地帯における淡水漁撈とトナカイ牧畜の環境利用」高倉浩樹編『寒冷アジアの文化生態史』古今書院、2018年、70–91頁；“Disappearing White Fish and Remaining Black Fish in the Lower Ob’ River and Its Tributaries: Conflict over the Use of Fish Resources between Indigenous People and Non-locals,” in Veli-Pekka Tynkkynen et al., eds., *Russia’s Far North: The Contested Energy Frontier* (London & N.Y.: Routledge, 2018), pp. 173–188.

シンジルト CHIMEDYN Shinjilt （編者、第10章）

・熊本大学大学院人文社会科学研究部教授

・専門分野：社会人類学、内陸アジア研究

・主要業績：（共編著）『新版 文化人類学のレッスン——フィールドからの出発』学陽書房、2017年；（共編著）『動物殺しの民族誌』昭和堂、2016年；（共編著）*Ecological Migration: Environmental Policy in China* (Bern & N.Y.: Peter Lang, 2010)；『民族の語りの文法——中国青海省モンゴル族の日常・紛争・教育』風響社、2003年。

波佐間 逸博 はざま いつひろ （第11章）

・長崎大学多文化社会学部教授

・専門分野：人類学、アフリカ研究

・主要業績：「レジリエントなアフリカ遊牧社会のマイクロ・エスノグラフィー」『多文化社会研究』6号、2020年、339–372頁；（共編著）*Citizenship in Motion: South African and Japanese Scholars in Conversation* (Bamenda: Langaa RPCIG, 2019)；『牧畜世界の共生論理——カリモジョンとドドスの民族誌』京都大学学術出版会、2015年。

坂井 弘紀 さかい ひろき （第12章）

・和光大学表現学部教授

・専門分野：テュルク口承文芸研究、中央ユーラシア文化史

・主要業績：「英雄叙事詩が伝えるノガイ・オルダ」野田仁、小松久男編著『近代中央ユーラシアの眺望』山川出版社、2019年、34–55頁；「テュルクの英雄伝承」、「中央ユーラシアの『チョラ・バトゥル』」荻原眞子、福田晃編著『英雄叙事詩』三弥井書店、2018年、151–179、291–317頁；「中央ユーラシアのテュルク叙事詩の英雄像」『口承文芸研究』40号、2017年、198–209頁。

名古屋外大ワークス……NUFS WORKS

発刊にあたって「深く豊かな生き方のために」

今ほど「知」の求められる時代はあるまい。これから学ぼうとする若者や、社会に出て活躍する人々はもちろん、より良く生き、深く豊かに生を味わうためにも、「知」はぜったいに欠かせないものだ。考える力は考えることからしか生まれないように、考えることをやめた人間は「知」を失い、ただ時代に流されて生きることになる。ここに生まれたブックレットのシリーズは、グローバルな人間の育成をめざす名古屋外国語大学の英知を結集し、わかりやすく、遠くまでとどく、考える力にあふれた「知」を伝えるためにつくられた。若いフレキシブルな研究から、教育者としての到達点、そして歴史を掘りぬく鋭い視点まで、さまざまなかたちの「知」が展開される。まさに、東と西の、北と南の、そして過去と未来の、新しい交差点となる。さあ、ここに立ってみよう！

名古屋外国語大学出版会

牧畜を人文学する
Exploring Pastoralism in the Humanities
名古屋外大ワークス……NUFS WORKS 5

2021年３月25日　初版第１刷発行
2022年９月１日　初版第３刷発行

著者　シンジルト　地田 徹朗（編著）

発行者　亀山郁夫
発行所　名古屋外国語大学出版会
470-0197　愛知県日進市岩崎町竹ノ山57番地
電話　0561-74-1111（代表）
https://nufs-up.jp

カバーデザイン・ブックレット基本デザイン　ささやめぐみ
本文デザイン・組版・印刷・製本　株式会社荒川印刷

ISBN 978-4-908523-29-8